ISBN 978-0-428-27236-4
PIBN 10351169

ZIELE UND WEGE EINER

MARBEITSGESETZGEBUNG

VON

DR E. SCHWIEDLAND

ZWEITE ERGÄNZTE AUFLAGE

WIEN 1903.

CHE K. U. K. HOF-VERLAGS- UND UNIVERSITÄTS-BUCHHANDLUNG

I. KOHLMARKT 20.

ZIELE UND WEGE EINER
ARBEITSGESETZGEBUNG.

Inhaltsverzeichnis.

EINLEITENDER TEIL.

Die große wirtschaftliche und soziale Bedeutung der Verlags- oder Hausindustrie wird erst seit den letzten Jahrzehnten gewürdigt. Seither haben geschichtliche und die Gegenwart betreffende, schildernde wie statistische Studien zugleich klar gemacht, daß diese Betriebsart vornehmlich zwei Epochen der Entwicklung hat. Als deren erste kann die Zeit vom XV. bis nach der Mitte des XVIII. Jahrhunderts bezeichnet werden; die zweite umfaßt bisher das zweite und das letzte Drittel des XIX. Jahrhunderts.

Freilich findet sich diese Betriebsorganisation in großen Gewerben schon früher. Wir begegnen ihr im XIII. Jahrhundert in der oberitalienischen wie ·in der französischen Seidenweberei[1]), im XIII. und XIV. Jahrhundert in der französischen, italienischen und deutschen Tuchmacherei[2]), und an diese Gewerbe schloß sich die verlagsmäßige Organisation der Hilfsgewerbe, z. B. der Färberei, an. Im XIV. Jahrhundert findet sie sich auch bei den oberitalienischen Goldarbeitern.[3]) Lamprecht erwähnt sodann[4]) im XV. Jahrhundert die Verlagsarbeit unter den Böttchern in Rostock und bei den Seilern (Repschlägern), welche in Lübeck, Riga und Reval für den größeren Schiffsgebrauch geteerte Taue anfertigten.

Von den Seestädten abgesehen, entstanden zugleich in den Binnenstädten Gewerbezweige, die, wie Bücher

---

[1]) Bini, I Lucchesi a Venezia, Lucca 1853. I., S. 73; Gf. Broglio D'Ajano, Die venetianische Seidenindustrie und ihre Organisation bis zum Ausgang des Mittelalters, 1893; Max Weber, Zur Geschichte der Handelsgesellschaften im Mittelalter, 1889. S. 122 fg.; Godart, L'ouvrier en soie, 1899.

[2]) Godart, a. a. O.; Doren, Studien aus der florentinischen Wirtschaftsgeschichte, 1901. I.; Schmoller, Straßburger Tucher- und Weberzunft, 1881, S. 15.

[3]) Sieveking, Genueser Finanzwesen, 1898; I., S. 62.

[4]) Deutsche Geschichte, V. Bd., 1896, S. 65.

1*

meint[1]), im Orte nicht Absatz genug fanden. Man behalf
sich deshalb dort mit dem Vertrieb auf größere Ent-
fernungen. Diesen vermittelte ein Kaufmann oder ein
wohlhabender Handwerksgenosse, der ohnehin die Messe
besuchte: ihm wurde der Verkauf gegen Provision übertragen; »er lernte Wünsche und Ansprüche der fremden
Käufer genau kennen, und bald ergab es sich von selbst,
daß er bei den kleinen Handwerksspezialisten Bestellungen
machte.«

Allgemeine Bedeutung dürfte diese wirtschaftstech-
nische Gestaltung der Gewerbe vom XV. Jahrhundert ab gewonnen haben. Von da an wird sie mit der Verbesserung der
Wege und der wachsenden Sicherheit des Verkehres, mit dem
Fallen der Zwischenzölle und der Entfaltung des Meß-
handels in Mitteleuropa stets häufiger. Ihre Eigenart besteht darin, daß in einem Gewerbe ein Teil der Erzeuger
aufhört, mit den Verbrauchern oder mit den letzten Wieder-
verkäufern ihrer Waren zu verkehren — aufhört, als Unternehmer mit Selbstbestimmung den Markt zu betreten —
und in Abhängigkeit von einem oder von mehreren Kaufleuten gerät, welche den Vertrieb der Ware im großen
besorgen und durch die Bestimmung ihrer Menge, wie
alsbald ihrer Art und ihrer Preise den Betrieb der Produzenten entscheidend beeinflussen. Zahlreiche Kleinbetriebe
werden jeweils an die Person Eines Kaufmannes geknüpft;
er nimmt allmählich eine spekulative Organisation des Absatzes vor, beherrscht dadurch die Erzeugung und faßt sie
zugleich zu einer höheren Einheit zusammen.

So entsteht im Verlag, den er damit organisiert, die
erste Form des Großbetriebes. Diese gewerbliche Umbildung gewinnt durch die Rückwirkung, welche sie auf
das Handwerk übt, indem sie dessen Organisation zersetzt,
wirtschaftliche wie soziale Bedeutung.

Die Tendenz zur Schaffung einer vom herkömmlichen
Handwerk durch die kaufmännische Leitung unterschiedenen
gewerblichen Betriebsform hält etwa drei Jahrhunderte

---

[1]) Handwörterbuch der Staatswissenschaften, Bd. IV, 2. Aufl. S. 381.

hindurch in einer großen Anzahl von Gewerben an. Sie erlangt sodann im Laufe des XIX. Jahrhunderts unleugbar neue Kraft.

In Mittelalter wie Neuzeit liegt der Grund dieser morphologischen Umbildung der Gewerbe in der Möglichkeit eines Vertriebes im großen. Sie vollzog sich vormals, sobald der Absatz über die herkömmlichen örtlichen Grenzen hinauswuchs: Exporthandwerke strebten zu Verlagsproduktion. Im XIX. Jahrhundert werden auch auf den lokalen Absatz beschränkte Gewerbe von dieser Tendenz ergriffen, oft, indem sie zugleich zu Exportgewerben werden. Diese Erscheinung erklärt sich vor allem durch das rasche Anwachsen der Großstädte und die märchenhaft dünkenden, rasch sich entwickelnden Erleichterungen des Nachrichten-, Personen- und Frachtenverkehres; dadurch ergab sich die Möglichkeit eines Absatzes im großen auch in Gewerben, in denen bis nun der direkte Absatz an den Verbraucher vorgeherrscht hatte (wie in der Tischlerei, Schneiderei, Schuhmacherei, Handschuh- und Schirmmacherei usw.). Nun konnte man solche Handwerkerwaren für die stets lebendige Nachfrage einer modernen Riesenstadt auf Vorrat erzeugen lassen — und der moderne Kaufladen und Bazar entstand; nun konnten mit solchen Waren, wenn sie in einem ökonomischeren Betrieb hergestellt wurden, fremde, auf niedrigerer Kulturstufe befindliche Völker versorgt werden, und ihre Ausfuhr begann. So stehen wir denn um die Wende dieses Jahrhunderts noch inmitten einer neuen Epoche der üppigen Entwicklung der »Verlegerei« in Gewerben, welche vordem diese Produktion nie gekannt; die gleiche Umbildung, welche andere Gewerbe vor Jahrhunderten erfasst, vollzieht sich jetzt in neuen.

Prüfen wir vorerst die Vorbedingungen dieser morphologischen Wandlung.

Roscher hat die Verlagsindustrie, oder, wie er sie nennt, die »Hausmanufactur«, als eine Zwischenstufe zwischen dem Handwerk und der Fabrik bezeichnet, »hervorgegangen in den Städten des spätesten Mittelalters gewöhnlich aus denjenigen Handwerken, die einen weitverbreiteten Absatz hatten und schon deßhalb die bloß lokalen Handwerke zu überwachsen pflegten.« Er betont damit eine Voraussetzung, deren die Hausindustrie bedarf, um zu entstehen: den weitverbreiteten Absatz.[1])

Seither blieb diese Auffassung erhalten. Schmoller z. B. unterscheidet in einem Vortrag über die deutsche Weberei im XIX. Jahrhundert[2]) vier Formen dieser Produktion: die als Nebenbeschäftigung des Bauern, vorwiegend für seinen eigenen Bedarf — gewerbsmäßige Lohnweberei für Kunden, die dem Weber das Garn übergeben — handwerksmäßige Weberei für eigene Rechnung, und — Weberei für den Absatz im großen. Diese Weberei trennt er in Hausindustrie und in Fabriksbetrieb.

Die Bedeutung des großen Absatzes für die Entstehung der Hausindustrie haben sodann Held[3]) und nach ihm Brentano[4]) scharf betont.

In den letzten Achtzigerjahren befaßte sich Stieda[5]) eingehender mit dem Ursprung der verlegten Industrien. Er leitet sie her: aus der Auflösung eines Fabriksunternehmens — aus einer Nebenbeschäftigung des Landvolkes, endlich — aus der Umbildung des Handwerks, und zwar im XV. und XVI., sowie im XVII. und XVIII. Jahrhundert.

Bücher[6]) hat dann die einzelnen typischen Grundformen der gewerblichen Produktion klargestellt und dadurch einen Fortschritt herbeigeführt. Die primitivste Form ist der häusliche Gewerbefleiß (Bücher: »Haus-

---

[1]) Ansichten der Volkswirtschaft, 3. Aufl. 1878; desgl. in seinem System, Bd. III, § 116.

[2]) Berlin 1873, in Holtzendorffs Deutschen Zeit- und Streitfragen, Heft 25, 1873.

[3]) Zwei Bücher zur socialen Geschichte Englands, 1881.

[4]) Über die Ursachen der heutigen sozialen Not, 1889.

[5]) Literatur, heutige Zustände und Entstehung der deutschen Hausindustrie, 1889.

[6]) A. a. O. und in dem Buche: Die Entstehung der Volkswirtschaft, 3. Aufl. 1901.

fleiß«, »Hauswerk«) — unter dessen Herrschaft die Familie, das Haus, die von ihm benötigten gewerblichen Erzeugnisse in weitestgehendem Maße selbst herstellt; das ist Produktion für den eigenen Bedarf. Aus diesem Typus löst sich das Lohnwerk los, wo der Bearbeiter fremden Rohstoff (meist im Hause des Bestellers) im Lohn verarbeitet — Kundenarbeit. Diese ehedem sehr häufige, ja dominierende Art der gewerblichen Erzeugung wird verdrängt durch das Handwerk (»Preiswerk«): nun handelt es sich um die Verarbeitung eigenen Rohstoffes, in eigener Behausung, für eigene Rechnung, d. i. zum Vertrieb auf einem dem Handwerker bekannten, von ihm selbst versorgten Absatzgebiet — Kundenproduktion. Ein vierter, später auftretender Typus ist die Verlagsarbeit, wobei ein Unternehmer Arbeiter außerhalb seiner Betriebsstätte, in ihren eigenen Wohnungen, mit Arbeit verlegt — dezentralisierte Warenproduktion. Diese Industrie habe ihre Epoche vom XV. Jahrhundert bis zum XVIII. und leite über zur höchsten Form gewerblichen Betriebes: zur Fabrik, wo Arbeitsvereinigung und Teilung der Arbeit zwischen hoher und niederer, industriell und kommerziell qualifizierten Arbeitern stattfindet — zentralisierte Warenproduktion.

In einem Buche habe ich nun versucht[1]), darzustellen, daß alle diese Grundformen der gewerblichen Erzeugung unter bestimmten Bedingungen in größerem Maße in die vierte Grundform, den Verlag, umschlagen.

Er nimmt seinen Ursprung:

1. aus dem häuslichen Gewerbfleiß des osteuropäischen Bauern, welcher die meisten Nutzdienlichkeiten seines Bedarfes im Hause anfertigen läßt und ursprünglich gar nicht auf den Verkauf der gewerblichen Erzeugnisse bedacht ist;

2. aus der Arbeit des Lohnwerkers, welcher fremde Rohstoffe gegen Lohn verarbeitet und sich in Mitteleuropa noch in weit größerem Umfange vorfindet, als gemeinhin angenommen wird;

---

[1]) Schwiedland, Kleingewerbe und Hausindustrie in Österreich. 1894. I. Bd., Kap. 1.

3. aus dem Betriebe des Handwerkers, welcher in der Regel den Rohstoff auf eigene Rechnung erwirbt, verarbeitet und das Erzeugnis veräußert. Sowohl das ländlich lokalisierte Handwerk, das an einem Orte von der Mehrzahl oder doch von einem sehr beträchtlichen Teile der Bevölkerung traditionell betrieben wird[1]), als das städtische Handwerk kann zum Verlagsbetrieb werden. Ja,

4. auch die Fabrik und Manufaktur, welche mit Maschinentechnik oder Arbeitsteilung in Massen für den großen Markt erzeugen, lösen sich mitunter auf und fallen für alle oder für einzelne Arbeitsverrichtungen in die historisch ältere Form des Verlages zurück.

Die Voraussetzungen dieser Wandlung der drei ersten Betriebsformen sind: die Möglichkeit eines erweiterten, verhältnismäßig großen Absatzes und eine ungünstige wirtschaftliche Lage der Erzeuger. Treffen diese beiden Möglichkeiten zusammen, so tritt auch die dritte Voraussetzung meist ein: der findige Unternehmer, der den neuen Absatz organisiert; es erwachsen die Verleger — Bauern, Lohnwerker und Handwerksmeister werden zu »Hausindustriellen«.

Die »Rückbildung« aus dem Fabriksbetrieb beruht scheinbar eher auf einer verhältnismäßigen Kleinheit, als auf Größe des Absatzes. Diese Umbildung vollzieht sich nämlich dann, wenn der Handbetrieb rentabler ist, als die durch eine Naturkraft getriebene Maschine, also einerseits genügende Arbeitskräfte zur Verfügung stehen, die bereit sind, um kärglichen Lohn mit der Fabrik um die Wette zu arbeiten, anderseits der Absatz nicht hinreicht, um dem zentralisierten Betrieb ununterbrochenen Gang, sichere Verzinsung sowie Abschreibung zu gewähren. Diese Gestaltung kann ihren Grund darin haben, daß der

---

[1]) Man denke an die »Schuhmacherdörfer« Galiziens, Böhmens, Mährens, Deutsch(West)-Ungarns und ehedem auch des Deutschen Reiches, eine Betriebsform, welche für Rußland und für das östliche Europa große Bedeutung hatte und teilweise noch hat. Vgl. über diese noch immer übersehene Betriebsart mein angeführtes Buch, Bd. I, S. 48 fg., desgleichen meinen Aufsatz: Die gewerblichen Betriebsformen in Österreich, im Katalogwerk der österreichischen Abteilungen der pariser Weltausstellung 1900. XI, S. 36 fg.

Absatz für einen Maschinenbetrieb an sich zu geringfügig ist, oder durch raschen Wechsel der Mode unsicher gemacht wird, oder daß der Fabriksbetrieb besondere Kosten verursacht — infolge sozialpolitischer Lasten: wie Arbeiterschutz und Arbeiterversicherung, höhere Löhne und kürzere Arbeitszeit, denen der Unternehmer beim Verlag zu entgehen vermag — oder wegen der verhältnismäßigen Teuerheit des Materials, da Handarbeiter schwächere Stoffe verarbeiten können, als die durch motorischen Antrieb bewegte Maschine.

Neben dieser derivativen Entstehung, welche in der Umbildung anderer Organisationsformen des gewerblichen Betriebes zum Verlag besteht, kann dieser aber auch originär zur Entwicklung kommen. Da wird ein Gewerbe in einer ihm noch fernstehenden (städtischen oder vollends agrikolen) Bevölkerung, an Orten also, wo man die betreffende Fertigkeit noch gar nicht oder nicht zu Erwerbszwecken übte, unvermittelt, von vornherein als Verlag angesetzt. Diese Ansetzung der Verlagsindustrie erfolgt meist in gewinnsüchtiger, mitunter aber aus humanitärer Absicht.[1] Die Voraussetzung für die Entwicklung des Verlages ist auch hier Absatzfähigkeit der Ware sowie Bedürftigkeit der Bevölkerung und überdies technische Einfachheit des Betriebes.

Das Wesen der Verlags- oder Hausindustrie berührt indes dieser Unterschied in ihrem Zustandekommen keineswegs.

Größe des Absatzes und Bedürftigkeit der Produzenten habe ich als Voraussetzung für die Entstehung des Verlages aus den älteren Betriebsformen bezeichnet. Größe des Marktes heißt: Verkehrserleichterung, sowie Wachstum der Bevölkerung und ihrer Konsumkraft. Das Handwerk ist nun nicht imstande, den erweiterten Markt ebenso zu beherrschen, wie den lokal beschränkten. Das gilt für die frühere Zeit wie für die neue. Besitzt aber der einzelne Handwerker nicht die nötige kaufmännische

---

[1] In Österreich ist die Verbreitung des Verlages auf dem Lande mehrmals als Notstandsaktion erfolgt.

Betriebsamkeit oder nicht die Mittel, um die entfern-
teren Märkte aufzusuchen, also um die Last größerer
Vertriebsauslagen und längerer Kapitalsfixierung im Produkt zu tragen, oder ist er überhaupt in dürftigen Verhältnissen, so übernimmt ein anderer den Vertrieb für ihn.
Dieses Zwischenglied ergänzt seine mangelnde Energie oder
Kraft und verwendet die eigenen Mittel bloß im Dienst
des Güterumlaufs, zum Erwerb der fertigen Waren und zu
ihrem Umtrieb. Je bedürftiger die Menge der Produzenten,
desto mehr Verleger werden aus dem Händlerstand, umso
weniger aus jenem der Erzeuger entstehen.

Im XIX. Jahrhundert vollzieht sich nun die Erweiterung des Marktes nicht allein durch den zunehmenden Verkehr, wiewohl sich dieser in früher nie geahnter Weise
entwickelt hat, sondern auch durch das enorme Anwachsen
einzelner Konsumzentren, der neuzeitlichen Städte, sowie
durch die Verschiebung der gesellschaftlichen Klassenver-
hältnisse. Zweifellos hängt es hiemit zusammen, daß gewisse Gewerbe in der modernen Großstadt sich so leicht
von der Hauswirtschaft ablösten, daß, wie Bücher [1]) es
ausdrückt, das Haus sich immer mehr der ihm aus alter
Zeit verbliebenen produktiven Elemente entledigt, um
sich allein auf die Regelung der Konsumtion zu beschränken.
Es genügt, sich das eine Beispiel zu vergegenwärtigen, das
die deutsche Hausfrau bietet: vormals ließ sie daheim
spinnen, weben, die Wämse wie Kleider für das Haus bereiten: heute bestellt sie die eigene Leibwäsche beim Konfektionär. Die Wohlfeilheit der Erzeugnisse der neuen, auf
Grund des Verlages entwickelten Gewerbe wirkte zu ihrer
Verbreitung mit und hält mehr und mehr von der eigenen
Herstellung ab, während zugleich mit der Berufsteilung und
dem Tausch die Zahl der Bedürfnisse jedes einzelnen zunimmt. Die Gewerbefreiheit begünstigte weiter diese Entwicklung, indem sie die Ausübung mehrerer Gewerbe, sowie
die gleichzeitige Führung eines Handels- und eines Gewerbebetriebes zuließ und dadurch das wirtschaftliche Über-

---

[1]) Die Entstehung der Volkswirtschaft, 3. Aufl. 1901, S. 288.

gewicht findiger Kaufleute beförderte, welche alsbald die Erzeugung in einzelnen Gewerben beherrschten. Hinzu kommt
die einheitlichere Gestaltung der Produkte nach festen
Typen, die Entwicklung der Kaufläden in den inneren Bezirken und die Höhe der Mietpreise, welche die Handwerksmeister in Vorstädte, Hinterhäuser und obere Stock-
werke zurückdrängt, wo die Konsumenten sie nicht mehr
aufsuchen, und, im Zusammenhang mit dem Kaufladen-
system, der unwiderstehliche Impuls, den die Moden
nun üben.

Zugleich strömt der Bevölkerungsüberschuß des Landes
in die städtischen Gewerbe. Diese aber vermehren bei jeder
Steigerung der Nachfrage ihre Betriebe und die Arbeitskräfte unbedenklich und planlos, ohne den Überschuß beim
Rückschlag der Konjunktur im gleichen Maße abstoßen zu
können. Seit der Auflösung der alten gewerblichen Verhältnisse heiraten die Leute früh oder haben in jungen
Jahren eine Anzahl Kinder aus wilder Ehe zu erhalten. Um
dieser Aufgabe leichter nachzukommen oder um ein eigenes
Heimwesen zu haben, wird bei gutem Geschäftsgang die
Verlagsarbeit leichthin begonnen; anderseits verwandeln
sich manche Gesellen, ohne die nötigen Betriebsmittel zu besitzen, im Vertrauen auf den Bestand der Konjunktur zu
Werkstattmeistern. In der matten Geschäftszeit hingegen
erbieten sich die beschäftigungslosen Gehilfen zur Heimarbeit, um noch Beschäftigung zu finden, während der Unternehmer dieses Verhältnis wegen seiner Bequemlichkeit,
namentlich in Hinsicht der leichten Lösung des Arbeitsverhältnisses, willig zugesteht: die Schar der nun unbeschäf-
tigten und mittellosen kleinen Werkstattmeister aber
trachtet von den noch aufrecht stehenden Meistern oder
von Händlern aller Art einen Auftrag zu erlangen.[1]

Aus dieser Planlosigkeit in der Erweiterung der Produktionsbereitschaft des Handwerks erklärt sich in den
stark besetzten Gewerben das Vorhandensein einer be-
dürftigen Arbeiterschar, welche gern bereit ist, Arbeit für

---

[1] Vgl. mein Buch: Kleingewerbe und Hausindustrie in Österreich;
Bd. II, Die wiener Muscheldrechsler.

Verleger aller Art, und bei sinkendem Geschäftsgang zu jedem Preis zu übernehmen.

Auf dem Lande wie in den Städten vollzieht sich zu Ende des XIX. Jahrhunderts mehr denn je die derivative Umbildung zum Verlag in allen Arbeitsgebieten; in den Dörfern wie in den Zinskasernen der modernen volkreichen Städte zugleich ihre originäre Entwicklung durch Ansetzung neuer Gewerbe. Den Markt versieht mehr und mehr der kaufmännische Verleger; ihm steht der Erzeuger in beiden Fällen in wirtschaftlicher und sozialer Abhängigkeit gegenüber. Der Verleger hat eine betriebsleitende Stellung und Unternehmerrolle inne, die unmittelbare technische Betriebsleitung aber steht beim »verlegten« Erzeuger, der Meister oder vereinzelter Arbeiter ist.

Hat so der Verlag ein Handwerk ergriffen, trachtet jeder Teil die Produktion zu verbilligen: der Verleger durch Herabdrückung des Arbeitslohnes, der noch selbständige, mit ihm konkurrierende Kleinmeister alten Schlages durch Aufwendung billigeren Materials, durch leichtfertige Arbeit, durch Verwendung zahlreicher Lehrlinge. Die Konkurrenz mit den Verlagsgesellen wird aber für ihn bald drückend, weil sein Kapital durch höhere Kosten (die Werkstattregie) belastet ist. Die vom Verleger abhängigen schwachen Meister aber stellen infolge ihrer kaufmännischen Unbildung die Preiskalkulationen oft zu niedrig oder gestehen den Kommis der Exporteure geradezu verderbliche Preise zu, um nur Aufträge zu erhalten und müssen sich auch oft unbillige Abzüge am Preis gefallen lassen.

Unter der Konkurrenz des Verlages geht daher ein Teil der selbständigen Handwerksmeister alten Stils zugrunde, läßt sich verlegen, fällt vom Gewerbe ab, während die größeren Arbeiter außer Hause beschäftigen. So löst sich der Stand der Kundenmeister in Verleger und in Verlegte auf und an Stelle der alten Handwerker treten häufig Verlagsarbeiter verschiedener Typen. Früher selbständige Meister liefern an noch aufrecht stehende und die seitens der Meister im Konkurrenzkampf massen-

haft herangezogenen Lehrlinge werden in ihrer Gehilfen-
zeit verlegte Heimarbeiter. Die sie beschäftigenden Handwerksmeister können dadurch ihr eigenes Betriebsrisiko
beträchtlich vermindern und ihr Betriebskapital ent-
lasten.

Die große Schar der vom Land dem Kleingewerbe
der Städte beständig zuströmenden Arbeitskräfte fällt
so dem Verlag anheim. Der Lehrling tritt oft schon
von vornherein bei einem verlegten Kleinmeister
ein; häufig wird er dann in der Gesellenzeit selbst Heimarbeiter, d. h. vollführt die Arbeit für Verleger daheim,
in seiner Behausung. Vielfach werden aus solchen Gesellen
später Liefermeister, die in ihrer Wohnung Hilfskräfte anstellen. Doch sogar wenn der Mann Werkstattarbeiter geblieben, kann er dem Verlag verfallen, sobald
aus ihm ein mit Gewerbeschein und Steuerbogen aus-
gestatteter, eine eigene Werkstatt besitzender und formell
selbständiger, materiell aber verlegter kleingewerblicher
Meister wird.

Auch Fabriken verwenden zur Vornahme von Vor-
bereitungs- und von Vollendungsarbeiten, sowie zur Herstellung des Hauptproduktes selbst, Arbeiter außer Hause.
So wird z. B. das Winden, Spulen und Weben verlagsmäßig, das Bleichen, Färben und Appretieren der Stoffe hingegen im Fabriksbetriebe vorgenommen. Der ökonomische
Vorteil des Verlages ist eben für industrielle, gewerbliche
wie Handelsunternehmungen der gleiche. Durch die Heranziehung der abhängigsten Lohnarbeiterklasse wird ein
Nebenunternehmen der eigentlichen Fabrik oder des Kaufladens geschaffen, das bloß Betriebs- und nahezu keinerlei
Anlagekapital erfordert und daher in der Bewegung
größere Freiheit gewährt als die Fabrik, deren Inhaber
schon durch die Rücksicht auf das fixe Produktivkapital
gegenüber seinen Arbeitern zur Nachgiebigkeit und im
Wettkampf mit seinen Konkurrenten zu Vereinbarungen
veranlaßt wird. Der Verleger ist zu ähnlichen Rücksichten
nicht gezwungen; je wolfeiler er verkaufen kann, desto
größer sind oft Umsatz und absoluter Gewinn: sein Vor-

teil ist größere Billigkeit; wird endlich das betreffende Handelsgebiet unergiebig, so verläßt er es.

Es ist nur eine logische Ausbildung des Systems, wenn Händler, Fabrikanten wie Handwerksmeister das Verlagswesen, dessen Vorteile ausbeutend, in die ländlichen Bezirke übertragen, um die Niedrigkeit der Wohnungsmieten und die Wohlfeilheit bäuerlicher Arbeitskräfte auszunützen. Mit dem Entstehen von Bahnlinien werden verlegte Betriebe aus der Stadt rasch auf das Land übertragen, indem verkrachte Meister dahin ziehen oder Gesellen in ihre Heimat wiederkehren, um von dort aus an ihre städtischen Verleger zu liefern. So erstreckt auch die Umwandlung des städtischen Handwerks ihre Wirkung auf das Land.

Manche Gewerbe werden überdies, wie wir bereits betont, von vornherein von Verlegern auf dem Land angesetzt; die bodenständige landwirtschaftliche Bevölkerung wird durch Faktore oder Werkmeister zum Korbflechten, zum Knopfdrechseln, zur Handhabung der Strickmaschine, zur Erzeugung von Haarnetzen oder von Strohbändern u. dgl. veranlaßt; so werden auf dem Land der Industrialisierung eben durch den Verlag neue Gebiete eröffnet.

Desgleichen wird auch in der Stadt die Herstellung von mancherlei weiblichen Handarbeiten, die Handmalerei für gewerbliche Zwecke und manche andere neuartige Arbeit von allem Anfang an in der Form des Verlages eingeführt. Die Erzeugnisse werden durch den Verleger, welcher ein Agent, ein Kaufmann oder gar ein Fabrikant ist, an die Zwischenhändler und Konsumenten im Reiche, wie ins Ausland verschickt.

Der Verleger (*entrepositaire, maître marchand; middleman*), der die Leute solcherart außerhalb seines eigenen Betriebsraumes beschäftigt, bezw. der Käufer ihrer Produkte ist, kann also reiner Händler, er kann aber auch Produzent sein.

Verlegende Händler sind: der Exporteur, der Großhändler, der Eigentümer eines modernen Kaufladens, welche die von kleinen Meistern und vereinzelten Arbeitern gefertigten Waren vertreiben, desgleichen Vermittler und endlich Rohstoffhändler, die zugleich mit fertigen Waren Handel treiben.

Verlegende Produzenten sind: der Handwerksmeister, welcher für die Zwecke seines Werkstattbetriebes Gesellen außerhalb der Werkstätte, in ihren eigenen Wohn- und Arbeitsräumen beschäftigt, desgleichen der Fabrikant, welcher Teil- wie Nebenarbeiten: das Spulen oder Winden, das Schleifen und Polieren von Messern und Bestecken, das Glätten und Politieren von Bugholz, das Aufnähen von Knöpfen, die Herstellung von Schachteln u. dgl. außer Haus vornehmen läßt.

Eine Mischform von verlegendem Händler und Erzeuger stellt der Kleider-, der Schuhwaren-, der Wäschekonfektionär dar, welcher die Stoffe oder das Leder im eigenen Betriebe zuschneiden und zurichten, jedoch außer Hause weiter verarbeiten läßt.

Der Kommis, der »Einkäufer« des Verlegers übernimmt in der Stadt die Waren von den Verlagsarbeitern und macht bei günstiger Konjunktur die Runde in den Betrieben, um Aufträge unterzubringen, zur Produktion anzuleiten und anzueifern. Seine Stelle vertritt auf dem Lande der »Faktor« oder »Fergger« *(facteur,* bezw. *factoresse*[1]*);* vlämisch: *uitgever),* der Bevollmächtigte des Verlegers, der von diesem die Aufträge und zu verarbeitende Stoffe empfängt und an seiner statt die Entlohnung vereinbart, das Garn, die Haare, Muscheln oder anderen Rohstoffe und Halbfabrikate an die verlegten Erzeuger austeilt, die daraus gefertigten Erzeugnisse (Gewebe, Netze, Knöpfe usw.) übernimmt, prüft und bezahlt, und mit dem Verleger verrechnet. Er wirbt und leitet neue Arbeiter an und findet seine Entlohnung nur selten in einem Zwischenunternehmer-Gewinn (indem er auf eigene Rechnung produzieren läßt und die Erzeugnisse dann selbst mit dem eigentlichen Unternehmer verrechnet), sondern zumeist durch im voraus vereinbarte, im Ergebnis feste oder schwankende Beträge. Je nach deren Höhe ist er Faktor

---

[1] Daneben in einzelnen Gewerben besondere lokale Bezeichnungen: Lieferant, *recoupeur, marcholais* u. dgl.

von Beruf oder zum Nebenerwerb. Der Faktor kann auch in seiner Werkstätte Arbeiter für eigene Rechnung halten, welche gewisse Teilverrichtungen an den abgelieferten Erzeugnissen vornehmen, und hiebei selbst mitarbeiten.[1])

In Österreich bildet die Verlagsarbeit außerhalb der Städte in weitem Umfang die Grundlage wichtiger Produktionszweige, die vordem handwerksmäßig betrieben oder originär verlagsmäßig angesetzt wurden. Auf dem Verlag beruht nahezu vollständig die (sehr erhebliche) Leinenweberei, zum großen Teil die Baumwoll-, Tuch- und Seidenweberei, fast ausschließlich die Glaskurzwarenerzeugung und die Veredlung von Hohlglas, in großem Maße die Drechslerei, Flechterei, die Holz-, Eisen- und Metallverarbeitung. Außerdem findet er sich in einer langen Reihe weiterer minder erheblicher Gewerbe, in welche die umfangreichen Erhebungen der österreichischen Gewerbeinspektoren aus den Jahren 1897/99 wertvollen Einblick gewähren, obwohl sie beiweitem nicht vollständig sind.[2]) Immerhin zeigt sich die Vielgestaltigkeit des Verlages in Österreich, was die Industriegebiete betrifft, von den eisenverarbeitenden Gewerben bis zur Approvisionierung, in erwünschter Weise. Die ziffermäßige Erfassung der verlegten Betriebe ist allerdings schwierig. Zunächst ist es schwer, den Begriff des Verlegers und des verlegten Produzenten für eine statistische Erhebung klar zu definieren. Sodann betrachten sich im einzelnen die verlegten Meister oft noch als Unternehmer, die verlegten Gesellen als Arbeiter gleich anderen, und die Verleger verleugnen mitunter ihre Hilfskräfte außer Haus aus Steuerrücksichten.

In Paris erhob die dortige Handelskammer im Jahre 1860 das Vorhandensein von 55.000 Verlagsmeistern und -arbeitern. In New-York soll es im Jahre 1893 nach einer behördlichen Schätzung 60.000 Verlagsarbeiter gegeben haben.

---

[1]) Les Industries à domicile en Belgique, 1900, I., S. 32—35.
[2]) Bericht der k. k. Gewerbeinspectoren über die Heimarbeit in Österreich. Herausgegeben vom k. k. Handelsministerium. Wien 1900/1901.

Die staatlichen Berufs- und Gewerbezählungen sind bis in die letzte Zeit den einschlägigen Verhältnissen nicht gerecht geworden.

Die schweizer Volkszählung von 1888 hat das Problem nicht erfaßt. Sie hat zwar den Beruf und die Stellung in diesem erhoben und weist demgemäß für jede Berufsart die Zahl der selbständigen und der unselbständigen Berufsangehörigen aus. Der Nebenberuf wurde aber nicht ermittelt. Die amtliche Publikation bedauert dies, weil dadurch die Vollständigkeit der Zählung inbezug auf die Hausindustrie eine starke Beeinträchtigung erfahren hat; namentlich bei Seidenwebern, Stickern und in der Stroh- und Roßhaarverarbeitung, zum Teil auch bei der Uhrmacherei finde die Verlagsarbeit häufig im Nebenberufe statt. Anderseits würde die Frage nach der »Stellung im Berufe« bei der Hausindustrie großenteils mißverstanden; endlich paßte die der ganzen Zählung zugrunde gelegene Schematisierung, welche Tätige im eigenen Geschäfte, im Geschäfte Familienangehöriger und in fremden Geschäften unterschied, nicht auf die Hausindustrie.[1]

Die französische Berufszählung von 1896[2] verlangte bei der Aufnahme von jeder Person die Angabe, ob sie »Inhaber oder Leiter eines Betriebes« oder »Angestellter, bezw. Arbeiter« in einem solchen war. Als Betriebsinhaber waren nach den Erläuterungen zur Zählkarte alle Arbeitgeber zu betrachten, sowie alle Personen, die in ihrer Wohnung oder anderwärts ein Gewerbe ausüben, ohne in fremden Diensten zu stehen, somit auch Verlagsarbeiter. Jeder Leiter eines Betriebes hatte die Bezeichnung seiner Unternehmung und die Zahl der im Betriebe beschäftigten Personen anzugeben, sowie die Frage zu beantworten, ob er etwa ein Heimarbeiter sei *(ouvrier à façon travaillant chez soi)*. Angestellte und Arbeiter hatten Namen und Adresse

---

[1] Die Ergebnisse der eidgenössischen Volkszählung vom 1. Dezember 1888; Band III, Die Unterscheidung der Bevölkerung nach dem Berufe. Bern 1894. S. 16* und 21*.

[2] Résultats statistiques du Recensement des Industries et Professions, Paris 1899. (Siehe besonders Band I und IV.)

ihres Arbeitgebers und die Art der von diesem betriebenen Unternehmung mitzuteilen.

Die auf den Zählkarten vorgenommene Unterscheidung
deckt sich somit im Wesen mit der in Österreich und in
Deutschland üblichen zwischen »Selbständigen« und »Unselbständigen«. Bei der Verarbeitung wich man aber hievon teilweise ab und betrachtete als Betriebsinhaber *(chef
d'établissement)* bloß diejenigen Personen, welche andere
beschäftigen oder mit mehreren Mitinhabern ein Unternehmen betreiben.

Inhaber von Alleinbetrieben wurden dieser Gruppe
nicht zugezählt. Der Grund dafür lag offenbar darin, daß
zahlreiche Lohnarbeiter von wechselnder Beschäftigung,
welche bald bei dem einen, bald bei dem anderen Unternehmer arbeiten, den Namen ihres Arbeitgebers nicht an-
geben konnten und an Stelle dessen die Angabe einsetzten
»für verschiedene Arbeitgeber«. Infolgedessen war es unmöglich, sie bei der Aufarbeitung einem bestimmten Unternehmer zuzuweisen, und deshalb bildete man eine Gruppe der
»travailleurs isolés, indépendants ou disseminés«, welche die Inhaber von Alleinbetrieben (darunter auch allein arbeitende Heimarbeiter), sowie alle Arbeiter mit wechselnder Beschäftigung umfaßt. Diese Gruppe, die nach der
Absicht der Bearbeitung eine Art Mittelstellung zwischen
den Betriebsinhabern und den Arbeitern einnehmen sollte,
umfaßte 23¹/₂% der erwerbstätigen Bevölkerung. In der
offiziellen Publikation wird jedoch die Befürchtung ausgesprochen, daß diese Ziffer zu groß sei, weil zahlreiche
Unternehmer unterlassen hatten, ihre Arbeiter anzugeben
und die mangelhafte Angabe der Adresse des Arbeitgebers auf Zählkarten der Angestellten es nicht immer
möglich machte, diese Angabe zu verbessern. Anderseits dürfte es auch vorgekommen sein, daß manche Verleger die von ihnen beschäftigten Heimarbeiter als ihre
Arbeiter zählten und daß endlich manche Heimarbeiter,
die ständig für ein bestimmtes Geschäft arbeiten, sich
als Bedienstete eintrugen und die Adresse ihres Arbeitgebers angaben.

Eine einheitliche Darstellung der Verlagsarbeit ist auf Grund dieser Aufnahme nicht möglich. Die Verlagsarbeiter sind, sofern sie selbst wieder Hilfsarbeiter beschäftigen — seien diese auch nur Familienangehörige — unter die Betriebsinhaber, sofern sie allein arbeiten, unter die Einzelarbeiter, sofern sie sich endlich als Bedienstete eines bestimmten Arbeitgebers eingetragen haben, unter die Arbeiter und Angestellten eingereiht worden, in allen drei Gruppen vermengt mit zahlreichen Personen ganz anderer Kategorien (z. B. die Einzelarbeiter mit allein arbeitenden selbständigen Gewerbetreibenden, mit Taglöhnern wechselnder Beschäftigung, mit Störarbeitern usw.).

Die Zählung ergab:

	Unternehmer (Arbeitgeber)	Angestellte u. Arbeiter	Alleinbetriebe
im pariser Gemeindegebiet	65.983	417.557	91.590
in den pariser Vororten	14.492	96.738	33.337
im Departement Seine et Oise . . .	14.554	57.251	27.672

Man trifft vielleicht das Richtige mit der Annahme, daß in Paris jeder fünfte gewerbliche Arbeiter unter das Verlagssystem fällt, aber die Statistik liefert keinen Anhaltspunkt für diesen Schluß. Man kann aus der Zahl der Alleinbetriebe auf jene der Verlagsarbeiter nur dort halbwegs schließen, wo man das Gewerbe kennt, auf das sich die Ziffer bezieht. Einen Teil der bezüglichen zahlenmäßigen Ergebnisse, welche zugleich die Verschiedenheit in den drei erwähnten Bezirken beleuchten, enthält der statistische (I.) Anhang dieser Schrift.

Die belgische Industrie-Statistik vom Jahre 1896[1]) baut auf den bei der Volkszählung von 1890 angelegten und seither evident geführten Bevölkerungslisten auf. Alle in diesen Listen als selbständige Gewerbetreibende (maître) eingetragenen Personen wurden auf Zählblätter ausgeschrieben, welche die Grundlage für die weitere Erhebung über die einzelnen Betriebe abgaben. Diese Erhebung wurde mittels besonderer, sehr umfangreicher

---

[1]) Recensement général des Industries et des Métiers (31 octobre 1896); Exposé général des méthodes et des résultats; Bruxelles 1902.

2*

Fragebogen vorgenommen, die außer der Darstellung des
Werkstattbetriebes auch die Angabe zu enthalten hatten,
ob der Betrieb Heimarbeiter beschäftigt und in welcher Zahl.
Anderseits wurden aus den Bevölkerungslisten Auszüge angefertigt, welche die Personaldaten der Mitglieder
der Arbeiterfamilien, bezw. der außerhalb ihrer Familie
lebenden Arbeiter enthielten. Diese Auszüge wurden durch
Besuch der Wohnungen auf ihre Vollständigkeit geprüft
und dadurch ergänzt, daß für jeden Arbeiter in einer besonderen Rubrik verzeichnet wurde, ob er »daheim, für
einen oder mehrere Unternehmer« arbeite. Überdies war
für sämtliche Werkstatt- wie Heimarbeiter der Arbeitgeber und der Standort seines Betriebes anzugeben; Heimarbeiter, welche für mehrere Verleger arbeiteten, hatten
alle diese anzugeben.
Wie aus dieser Darstellung der Zählungsgrundlagen
hervorgeht, leidet die ganze Erhebung an dem grundsätzlichen Fehler, daß die verlegten Kleinmeister, welche in
den Bevölkerungslisten als *maîtres* verzeichnet waren, was
wohl die Regel war, unter die (selbständigen) Unternehmer
eingereiht wurden. Eine Frage, welche die Abhängigkeit
dieser Kleinmeister von einem Verleger erhoben hätte,
wurde nicht ausgefüllt. Außerdem führt die officielle Publikation selbst eine Reihe von Mängeln an, welche sich
teils aus mißverständlicher Ausfüllung der Zählformulare,
teils daraus ergaben, daß deren Kategorien nicht vollständig
auf das Leben paßten. So waren Verlagsarbeiter einerseits
als Unternehmer, anderseits als Werkstattarbeiter angemeldet oder zum Teil auch verschwiegen worden, namentlich aber die Faktoren stets als Fabrikanten gezählt. Diese
Fehler sind durch Nachtragserhebungen und Spezial-
enquêten für die einzelnen Industrien großenteils berichtigt worden.
Im ganzen hat die belgische Statistik 619.000 Werkstattarbeiter, 34.000 im Betriebe beschäftigte Familienangehörige der Unternehmer und 118.000 Heimarbeiter
(*ouvriers à domicile*) gezählt. Die Zahl der letzteren beträgt
somit 14% der gesamten erwerbstätigen Arbeiterschaft.

Über die ganze Arbeitsgliederung des Verlages gibt die folgende Zusammenstellung Aufschluß:

Gesamtzahl der Verleger 7000

„ „ Faktoren 1400

„ „ Werkstattarbeiter der Verleger,
Zwischenmeister und Heimarbeiter . 6800

„ „ Heimarbeiter 118000

Die hauptsächlichsten Zweige der Verlegerei sind:

Spitzen- und Tüllstickerei . . . . mit 49000 Heimarbeitern

Kleiderkonfektion . . . . „ 12000 „

Leinenspinnerei und -weberei . . . . „ 11000 „

Schuhkonfektion . . . . „ 8500 „

Wollspinnerei und -weberei . . . . „ 8000 „

Handfeuerwaffen-Erzeugung . . . . „ 7000 „

Handschuherzeugung . . . . „ 4000 „

Baumwollspinnerei und -weberei . . . . . . „ 3500 „

Wirkerei . . . . „ 2600 „

Strohflechterei . . . . „ 2600 „

Die deutschen Berufs- und Gewerbezählungen (1882 und 1895) haben die Hausindustriellen bei der Berufszählung als selbständige Gewerbsinhaber behandelt, da sie in keiner fremden Werkstätte beschäftigt sind und infolgedessen in den Äußerlichkeiten das Bild eines eigenen Gewerbebetriebes geben. Diesem Grundsatze zufolge hatten sie sich in den Haushaltungslisten (Verzeichnis der in jeder Haushaltung anwesenden Personen) als »Selbständige« zu bezeichnen. Um sie von den übrigen selbständigen Betriebsinhabern zu unterscheiden, war anzugeben, ob das Geschäft in der eigenen Wohnung für ein fremdes Geschäft (zu Hause für fremde Rechnung) betrieben wird. Verwendeten die Verlagsarbeiter Gehilfen oder motorische Kraft, so war ein Gewerbebogen auszufüllen. (Für die Alleinbetriebe beruhten die gewerbestatistischen Zusammenstellungen auf den Eintragungen in der Haushaltungsliste.) Der Hausindustrielle mußte sich daher, wenn er als solcher erfaßt werden sollte, zunächst in der Haushaltungsliste als selbständiger Gewerbetreibender eintragen, dann die

Angabe einsetzen, daß er zu Hause für fremde Rechnung arbeite und die gleiche Angabe auch im Gewerbebogen wiederholen, wenn er infolge der Verwendung von Gehilfen oder Motoren einen solchen auszustellen hatte. Außerdem enthielt der Gewerbebogen auch eine an die Verleger gerichtete Frage nach der Anzahl der von ihnen beschäftigten Hausindustriellen. Die in hausindustriellen Betrieben beschäftigten Gehilfen gelangten somit nur auf dem Wege der Gewerbezählung zur Aufnahme, im Gewerbebogen von den einzelnen Hausindustriellen, welche Gehilfen beschäftigen, nachgewiesen.

Die auf der Aufarbeitung der Haushaltungslisten beruhende Berufsstatistik von 1895 enthält zwar gleichfalls einen Nachweis über den mithelfenden Familienangehörigen und sonstigen Gehilfen, doch beschränkt sich dieser naturgemäß auf die in derselben Haushaltung mit dem Inhaber des hausindustriellen Betriebes lebenden Personen, und stellt somit nur einen kleinen, den sogenannten Familienbetrieb umfassenden Ausschnitt aus der Gesamtheit der von Hausindustriellen beschäftigten Gehilfen dar. Vergleichbar mit den Zahlen der Gewerbestatistik sind nur die berufsstatistischen Ziffern über die »selbständigen«, d. i. einen verlegten Betrieb leitenden oder allein arbeitenden Hausindustriellen.

Die Gewerbestatistik selbst wieder enthält zwei verschiedene Nachweisungen über die Zahl der Hausindustriellen, von denen die eine sich auf die Angaben dieser hausindustriellen Betriebsinhaber, die andere auf die Angaben der Verleger über die Zahl der von ihnen beschäftigten Hausindustriellen gründet. Am 5. Juni 1882 betrug die Zahl der »selbständigen« Hausindustriellen nach den Übersichten der Berufsstatistik 339.646, nach jenen der Gewerbestatistik 348.008. Die Zahl der im Jahresdurchschnitt tätigen Hausindustriellen (einschließlich der von den »selbständigen« Hausindustriellen beschäftigten Gehilfen) betrug nach den Gewerbebogen der hausindustriellen Betriebsinhaber 476.080, nach denen der Verleger 544.980. Die Zählung von 1895 ergab folgende Ziffern:

	nach der Berufsstatistik			nach der Gewerbestatistik auf Grund der Angaben	
	im Haupt-beruf	im Neben-beruf	zu-sammen	der Hausindu-striellen	der Unter-nehmer
»Selbständige« , .	287.448	46.782	334.230	295.763	430.482
helfende Familien-angehörige . . .	11.570	10.001	21.571	23.153 ⎞	
sonstige Gehilfen	·43.493	2.669	46.162	139.063 ⎠	60.229
Im ganzen . . .	342.511	59.452	401.963	457.984	490.711

Die Differenz zwischen den Ziffern der Berufs- und Gewerbestatistik läßt sich aus einer Reihe von Umständen erklären. [1]) Schwerer als diese Abweichungen wiegen jedoch die grundsätzlichen Bedenken, welche gegen diese ganze Art der Erfassung der Verlagsarbeiter geltend zu machen sind. [2]) Der allein arbeitende Hausindustrielle mußte sich, um als solcher erkannt zu werden, in die Haushaltungs-liste als »selbständig« eintragen. Diese Bezeichnung wider-spricht in vielen Fällen seinem Gefühle und dem Sprach-gebrauch. Er fühlt und bezeichnet sich selbst nicht als selbständiger Gewerbetreibender, sondern als Arbeiter seines Verlegers. Es besteht daher die Möglichkeit, daß Personen, die nach den Zählungsvorschriften als selb-ständig zu behandeln waren, sich bei der Erhebung tat-sächlich als Arbeiter bezeichneten, ohne daß diese Be-zeichnung von den Zählorganen richtiggestellt wurde. Diese Vermutung erhält eine bedeutende Wahrschein-lichkeit, wenn man die Ziffern der Berufs- und Gewerbe-statistik über die Gesamtzahl der Erwerbstätigen ein-ander gegenüberstellt. Dabei muß man allerdings in Betracht ziehen, daß bei der Berufsstatistik jede Person nach ihrem individuellen Berufe, bei der Gewerbestatistik hingegen nach der Art des Betriebes, in dem sie beschäftigt ist, klassiert erscheint. Man wird sich daher bei der Vergleichung der Resultate auf Industriegruppen beschränken müssen, bei denen solche Verschiebungen nicht in großem Umfange

---

[1]) Statistik des Deutschen Reiches. Neue Folge. Band 119, S. 192 fg.
[2]) Vgl. R. Riedl, Die deutschen Gewerbezählungen und die Reform der Gewerbestatistik in Österreich. Wien 1898.

vorkommen. Vergleicht man aber z. B. innerhalb der Be-
kleidungsindustrie die Ziffern der Berufs- und der Gewerbezählung, so zeigt sich, daß sowohl im Jahre 1882 als 1895
die Zahl der Erwerbstätigen in der Gewerbestatistik bedeutend hinter jener der Berufsstatistik zurückbleibt, doch
liegt die Hauptdifferenz nicht bei den Selbständigen, sondern bei den Arbeitern. Im ganzen weist die Gewerbestatistik nach Abzug der Arbeitslosen i. J. 1895 um rund
100.000 Arbeiter weniger aus als die Berufsstatistik; bei
der Zählung vom Jahre 1882 betrug die Differenz 72.000.
Wenn nun auch eine Anzahl von Wäscherinnen, Plätterinnen
und Näherinnen in anderen Gewerben als der Bekleidungs-
industrie, so z. B. in der Textilindustrie oder im Gast- und
Schankgewerbe tätig und nachgewiesen sind, so reicht
doch diese Aufklärung nicht hin, um die große Differenz
zu erklären. Vielmehr liegt die Annahme nahe, daß bei
der Berufsstatistik eine Reihe von Leuten sich als Arbeiter anderer Betriebe bezeichnet hatten, die bei der
Gewerbestatistik nicht gezählt wurden. Man dürfte mit
der Annahme kaum fehlgehen, daß sich viele Hausindustrielle bei der Eintragung in die Haushaltungsliste nicht
als Selbständige, sondern als Arbeiter eines fremden Betriebes bezeichneten und infolgedessen die Zahl der Werkstättenarbeiter über das wirkliche Maß hinaus vermehrten,
während sie im Gewerbebogen von den Unternehmern
(weil nicht in der Werkstätte beschäftigt) nicht ausge-
wiesen wurden.[1] In dieser Nichtübereinstimmung der be-
rufs- und gewerbestatistischen Zahlen kommt also der
grundsätzliche Fehler der Zählung zum Ausdruck, daß dem
einzelnen Auskunftspflichtigen zugemutet wurde, selbst
über seine Einreihung unter die selbständigen oder un-

[1]) Dieser Sachverhalt ist auch offiziell zugegeben worden. In der Einleitung zur Darstellung der Hauptergebnisse der gewerblichen Betriebszählung
vom 14. Juni 1895 (Vierteljahrstatistische Hefte zur Statistik des Deutschen
Reiches, Jahrgang 1898, Ergänzungsheft zum 1. Heft, S. 44) heißt es: „Auch
ist anzunehmen, daß unter den zahlreichen Personen, die sich in der Haushaltungsliste als ‚Schneiderin unselbständig‘, ‚Näherin unselbständig‘ bezeichnet hatten, manche nicht zu einem Gewerbebetriebe gehörte und deshalb in der Gewerbestatistik nicht erscheint."

selbständigen Personen zu urteilen, u. zw. auf Grund
einer Vorschrift, welche von den Begriffen des gewöhnlichen Lebens abweicht. In einer großen Zahl von Fällen
blieb die den Zählungsvorschriften widersprechende Bezeichnung dieser Personen als unselbständige aufrecht und
die Zahl der Verlegten erscheint infolgedessen kleiner,
als sie wirklich war.

Ähnlich dürfte es sich mit der Beantwortung der
Frage verhalten, ob der Betrieb »zu Haus für fremde
Rechnung« geführt wird. Durch diese Frage sollen aus
der Gesamtzahl der »Selbständigen« die für einen Verleger Arbeitenden ausgesondert werden. Es ist zu besorgen,
daß auch diese Frage wegen ihrer allgemeinen Fassung
nicht richtig verstanden und vielfach falsch beantwortet
wurde, namentlich, daß verlegte Kleinmeister, welche selbst
wieder Arbeiter beschäftigen und infolgedessen einen Gewerbebogen auszufüllen hatten, diese Frage verneinten,
weil deren Bejahung ihrem Standesgefühl zuwiderlief.

Diesen Fehlern sucht nun die jüngste, im wesentlichen nach Vorschlägen Riedls [1]) durchgeführte österreichische Gewerbezählung vom Juni 1902 dadurch zu
begegnen, daß sie an die Stelle der allgemeinen Frage,
ob »zu Haus für fremde Rechnung«. gearbeitet wird, die
Frage nach einer Reihe von Tatsachen setzt, welche
den einzelnen Gewerbetreibenden in höherem oder ge-
ringerem Maße als abhängig von einem kaufmännischen
Verleger erscheinen lassen.

Die österreichische Gewerbezählung ist nicht an eine
Volks- oder Berufszählung unmittelbar angegliedert, sondern geht von einer Ermittlung der Betriebsstätten
aus. Für jedes Haus wurde festgestellt, welche Personen
daselbst (in einer Werkstätte, in einem Geschäftslokal oder
in ihrer Wohnung) eine gewerbliche Tätigkeit ausüben.
Für jede dieser Personen war entweder ein Betriebs-

---

[1]) A. a. O. sowie in den Protokollen über die Beratungen der
Sekretäre der Handels- und Gewerbekammern inbetreff der statistischen Berichte der Kammern und deren Mitwirkung bei der allgemeinen Betriebszählung. Wien (Staatsdruckerei) 1895 und 1900.

bogen oder eine Heimarbeiterkarte auszufüllen. Betriebsbogen wurden ausgefüllt für alle Handels- und Ver-
kehrsunternehmungen und für Erzeugungsgewerbe, welche
auf Grund irgendeiner behördlichen Bewilligung oder
Bescheinigung (Gewerbeschein, Patent, Lizenz usw.) ausgeübt werden. Für alle Personen, welche ohne eine solche
Bewilligung in ihrer eigenen Wohnung oder Werkstätte
Waren erzeugen oder Arbeiten verrichten, wurde eine
Heimarbeiterkarte ausgefertigt. Infolgedessen wurden
die verlegten Kleinmeister, die im Besitze von Gewerbe-
scheinen sind, durch Betriebsbogen — die eigentlichen
Heimarbeiter sowie die Störarbeiter und die unbefugten
Gewerbetreibenden durch Heimarbeiterkarten gezählt.
Die Aussonderung der Verlagsarbeiter aus beiden Kate-
gorien wurde aber durch eine Reihe besonderer Fragen
bewirkt.[1])

Der Zusammenhang unter diesen Einzelfragen gestattet nun eine ziemlich sichere Charakterisierung der einzelnen kleingewerblichen Betriebe inbezug auf ihre Abhängigkeit von einem Verleger. Ein Betrieb, der einen
Gassenladen besitzt oder ausschließlich für Konsumenten
arbeitet, stellt sich wohl noch als selbständiger Gewerbebetrieb dar; ein kleingewerblicher Unternehmer, der angibt, gleichzeitig für Privatkunden und für Wiederver-

---

[1]) Frage 16 im Gewerbebogen:

a) Gehört zu dem Betriebe außer der Werkstätte noch ein Laden (Ver-
kaufsgewölbe?) . . . . . .

b) Wird in dem Betriebe bloß unmittelbar für Konsumenten (Privatkunden) gearbeitet? . . . . . . oder auch für Händler, Agenten,
Fabrikanten, Gewerbetreibende, Faktoren, Lieferanten oder Wiederverkäufer irgendwelcher Art? . . . . oder ausschließlich für
Wiederverkäufer ? . . . . . .

c) Wird auf Vorrat gearbeitet? . . . . oder bloß über Auftrag?

d) Erhalten Sie von den Gewerbetreibenden, Fabrikanten, Händlern oder
Agenten, für die Sie arbeiten, Materialien (Roh- oder Hilfsmaterialien,
Hilfsstoffe) unentgeltlich zur Verarbeitung beigestellt? . . . . . .
Kaufen Sie irgendwelche Materialien (Roh- oder Hilfsmaterialien,
Hilfsstoffe) von den Gewerbetreibenden, Fabrikanten, Händlern oder
Agenten, für die Sie arbeiten? . . . . . .

käufer zu arbeiten, wird, wenn er bloß über Auftrag arbeitet
und die Roh- und Hilfsstoffe, sei es unentgeltlich, sei es
im Wege des Kaufes, von den betreffenden Wiederver-
käufern beigestellt erhält, auf dem abschüssigen Wege,
der zur Verlagsarbeit führt, ziemlich weit vorgeschritten
sein; wer ausschließlich für Wiederverkäufer arbeitet, wird,
wenn er angibt, auf Vorrat zu arbeiten und seine Rohstoffe nicht von dem betreffenden Wiederverkäufer zu beziehen, zum mindesten noch einen gewissen Grad von
Selbständigkeit besitzen, im entgegengesetzten Falle jedoch,
d. i. wenn er bloß über Auftrag arbeitet und seine Rohmaterialien (unentgeltlich oder in Form des Kaufes) von
dem Wiederverkäufer beigestellt erhält, mit ziemlicher
Sicherheit als Verlagsarbeiter zu bezeichnen sein.

Bei diesem System der Fragestellung können also
die zahllosen Mischformen und Zwischenstufen, welche
vom selbständigen Gewerbetreibenden zum verlegten Kleinmeister führen, soweit festgestellt werden, als dies im Wege
einer statistischen Erhebung überhaupt möglich ist.

Ein ähnlicher Weg wurde bei der Fragestellung auf
der Heimarbeiterkarte beschritten. [1])

Hier wird die Charakterisierung einer Person als Verlagsarbeiter dadurch bewirkt, daß sie angibt, für Wieder-

---

[1]) Sie enthält insbesondere folgende Fragen:

4. Welche Waren verfertigen Sie, und was für Arbeit verrichten Sie
daran? . . . . . .

5. Arbeiten Sie für Händler, Agenten, Fabrikanten, Gewerbetreibende,
Faktoren, Lieferanten oder Wiederverkäufer irgendwelcher Art . . . .
oder auch für Konsumenten (Privatkunden)?

6. Im Falle Sie für Händler, Agenten, Fabrikanten, Gewerbetreibende,
Faktoren, Lieferanten, Wiederverkäufer arbeiten, geben Sie nach-
stehend die Namen und Adressen der Firmen, Geschäfte, Händler
an . . . . . .

7. Arbeiten Sie auf Vorrat? . . . . . oder bloß über Auftrag?

8. *a)* Werden Ihnen von den Geschäften, für welche Sie arbeiten, Roh-
oder Hilfsmaterialien oder Halbfabrikate unentgeltlich zur Verarbeitung beigestellt? . . . . . .

b) Wenn ja, welche Materialien, bezw. Halbfabrikate?

9. *a)* Kaufen Sie Roh- oder Hilfsmaterialien oder Halbfabrikate, die Sie
für Ihre Arbeiten benötigen?

verkäufer zu arbeiten. Da in diesem Falle auch die Namen und Adressen der betreffenden Firmen angegeben werden, ist es möglich, durch eine entsprechende Sortierung der Karten die Gesamtzahl der von einem bestimmten Verleger abhängigen Leute festzustellen. Störarbeiter und selbständige Arbeiter, die, ohne ein Gewerbedokument zu besitzen, für Privatkunden arbeiten, haben den ersten Teil der Frage 5 zu verneinen, sind also gleichfalls scharf von den eigentlichen Hausindustriellen geschieden. Eine weitere Ausgestaltung der Heimarbeiterkarte behufs näherer Erfassung dieser Personen wurde unterlassen.

Sicher kann aber nach dem bei der österreichischen Gewerbezählung eingeschlagenen Vorgange die Ausscheidung der Verlagsarbeiter aus den übrigen Formen gewerblicher Tätigkeit mit größerer Sicherheit als auf irgend einem anderen Wege erreicht werden.

Die Ergebnisse der Erhebung liegen noch nicht vor. Es ist bis jetzt nur die Zahl der in Wien ausgefüllten Betriebsbogen und Heimarbeiterkarten veröffentlicht worden. Hienach wurden in Wien 104.586 Betriebsbogen und 29.050 Heimarbeiterkarten ausgefertigt. Da nach der letzten

---

b) Wenn ja, von den Geschäften, für die Sie arbeiten? und zwar welche Materialien?

c) Kaufen Sie außerdem Materialien anderwärts, und zwar, welche Materialien?

10. Arbeiten Sie allein?

	männlich		weiblich	
Wenn nein, so geben Sie die Zahl der bei Ihnen arbeitenden Personen an, nämlich:	über 16 Jahre alt	unter 16 Jahren	über 16 Jahre alt	unter 16 Jahren
A. Familienmitglieder	. . . .	. . . .	. . . .	. . . .
B. Fremde Personen, u. zw.:				
a) Gesellen, Gehilfen, gelernte Arbeiter	. . . .	. . . .	. . . .	. . . .
b) ungelernte Arbeiter . . .	. . . .	. . . .	. . . .	. . . .
im ganzen . . .	. . . .	. . . .	. . . .	. . . .

auf Grund der Gewerbekataster seitens der zuständigen niederösterreichischen Handels- und Gewerbekammer durchgeführten Zählung, die im Jahre 1896 vorgenommen wurde, die Gesamtzahl der auf Grund einer behördlichen Legitimation betriebenen Gewerbe für Wien mit 102.241 angegeben wurde, dürfte die Erhebung inbezug auf Vollständigkeit allen Anforderungen entsprechen. Auf dem Lande in Niederösterreich beträgt die Zahl der ausgefüllten Heimarbeiterkarten, soweit die Ergebnisse bisher vorliegen, durchschnittlich ein Fünftel der Zahl der Betriebskarten.

Die Vielfältigkeit der Verhältnisse im Verlagswesen läßt eine rein statistische Erfassung in der erwünschten Vollständigkeit und Zuverlässigkeit nicht zu. Mit den rohen Mitteln der Statistik können nur Anhaltspunkte gewonnen werden, auf Grund deren Spezialerhebungen einzusetzen haben. Solche Erhebungen hat bisher Belgien veranlaßt.

Trachten wir nun, an der Hand der heutigen Verhältnisse zu einer klaren Scheidung der Formen der Verlagsindustrie zu gelangen und sodann den Begriff dieser Betriebsform festzustellen.

I. Wir finden zunächst als verlegte Betriebe kleingewerbliche Werkstätten.[1]) Der Unternehmer ist gewerberechtlich (formell) selbständiger Handwerker: er besitzt als solcher Gewerbeschein und Steuerbogen, gehört der Genossenschaft (Innung) an und schaltet mit Gehilfen und Lehrjungen in eigener Werkstatt. Allein, er ist in seiner Produktion von einem oder von mehreren Verlegern abhängig, kauft nicht den Rohstoff nach freier Wahl, schafft nicht frei die Formen seines Erzeugnisses und verkauft dieses nicht selbständig, als unabhängiger Unternehmer auf dem Markt. Er richtet sich vielmehr nach den Wünschen eines bestimmten Kreises von Händlern; diese sind seine Auftraggeber, oder doch die ständigen und alleinigen

---

[1]) Beispiele für die folgenden Typen in Schwiedland, Formen und Begriff der Hausindustrie, Jahrbücher für Nationalökonomie und Statistik, Oktoberheft 1898.

Käufer; an sie ist er im Absatz angewiesen und ohne ihre
Tätigkeit beschäftigungslos; von ihnen empfängt er den
Kaufpreis, gegebenenfalls auch den Rohstoff, Werkzeuge,
Zutaten und Muster; sie muß er mitunter ersuchen, ihm
die Beschaffung des Rohstoffes zu erleichtern oder zu er-
möglichen; oft ist seine Entlohnung auch formell bloßer
Arbeitslohn.

Handelt es sich aber um einen Kauf, so steht bei der
Preisbildung die Nachfrage einer geringen Anzahl von
Käufern, welche zumeist Händler sind und in allen Fällen
die Marktlage kennen, dem Angebot einer großen Anzahl
meist bedürftiger und in Unkenntnis der marktmäßigen
Wertung befindlicher Verkäufer gegenüber.

So ist der Werkstättenbetrieb des verlegten Kleinmeisters, des *maître ouvrier*, beschaffen, der formell selbständig, materiell aber vom Verhalten einiger Verleger
abhängig ist.

Solche Handwerksmeister finden sich in Stadt wie
Land, die ländlichen abhängig von dortigen wie von
städtischen Händlern, Fabrikanten oder Handwerkern.

II. Diesem verlegten Kleinmeister am nächsten steht
der sogenannte Zwischenmeister, Liefermeister oder
Schwitzmeister *(appiéceur à cheval; sweater, contractor)*.
Die mit diesen Namen bezeichneten Leute — ihre Species
ist häufig weiblich — übernehmen von Verlegern die
Aufträge, sowie den einfachen, häufiger den zugerichteten
Rohstoff, sammt manchen Zutaten und lassen die übernommene Arbeit daheim durch andere zu wolfeileren
Bedingungen ausführen, wobei sie selbst zum Teil mitarbeiten. Zwischenmeistereien besitzen in den Städten auch
Frauen kleiner Beamten und Geschäftsleute. Sie lassen in
ihrer Wohnung durch (eingemietete wie durch außer Haus
übernachtende) Arbeiterinnen Krawatten anfertigen, Wäsche
nähen u. dgl. m.

Verlegte Kleinmeister (I.) wie diese »Schweißtreiber«
(sweater) machen sich die Differenz zunutze zwischen dem
vom Auftraggeber empfangenen und dem von ihnen selbst
bezahlten Lohn. In beiden Gruppen kann der »Meister« seine

Hilfskräfte (Lehrlinge, Gehilfen) mit Wohnung und Kost versorgen. Bei beiden Formen sind diese Arbeiter um ein Zwischenorgan gruppiert, das die technische Leitung des Betriebes (Beistellung von Arbeitsmaschinen, Aufnahme, Entlohnung und Entlassung der Arbeitskräfte, Beaufsichtigung ihrer Arbeit) innehat und auch eine kaufmännische Tätigkeit entfaltet (Beschaffung der Aufträge, oft Einkauf der Rohstoffe und Zutaten, Preisberechnung gegenüber dem Verleger, Lohnbestimmung gegenüber den Hilfskräften).

Dennoch sind beide Arten morphologisch zu scheiden.

Der verlegte Kleinmeister hat einen größeren Schein von Selbständigkeit, er entstammt sozial der Schichte der Handwerker alten Stiles, ist wie diese befugter Meister, besitzt Gewerbeschein und Steuerbogen und verfügt vielfach noch über ein vom Wohnraum irgendwie unterscheidbares Arbeitslokal. Die Abhängigkeit des Zwischenmeisters vom Verleger ist auffälliger, er erscheint deutlich als Vermittler zwischen diesem und einer Arbeiterschar, besitzt meist keine Meisterbefugnis, hat auch nicht das Standesgefühl des Meisters und läßt die Hilfskräfte in seiner Wohnung arbeiten. Er ist ein Produkt der großstädtischen Hausindustrie; der kaufmännische Verleger hat ihn neben dem Handwerk erschaffen: nicht aus diesem herangezogen, sondern spontan angesetzt; so der Strickwaren-, der Wäsche-, der Krawatten-, der Kunstblumen-, der Galanteriewarenhändler.

Sind auch beide Typen für Verwaltungszwecke kaum scharf gesondert zu definieren, gehören auch in manchen Gewerben, wie in der Kleider- und Schuhkonfektion die verlegten Arbeitgeber bald dem einen, bald dem anderen Typus an, morphologisch sind sie, wie mir scheint, zu scheiden. Ihre wirtschaftspolitische Behandlung kann gleichwol dieselbe sein: die ökonomische Lage ihrer Vertreter ist gleichermaßen ungünstig, deren soziale Stellung in beiden Fällen eine abhängige.

III. Einen ungemein häufigen Typus der Verlagsarbeit stellt der verlegte Einzelbetrieb dar.

a) Hieher gehört vor allem der »Heimarbeiter«, »Logisarbeiter« oder Sitzgeselle *(ouvrier en chambre*[1]*); homeworker)*: der vereinzelte Verlagsarbeiter, ein allein arbeitender verlegter Gewerbetreibender oder ein vom Verleger beschäftigter Gehilfe, der in seiner eigenen Behausung arbeitet; ihm steht der weibliche »Typus der armen Näherin« zur Seite. Dieser Verlagsarbeiter hat zumeist keine Meisterbefugnis, zahlt keine Gewerbesteuer und arbeitet auf seiner Stube, sei es allein, sei es unter gelegentlicher oder auch ständiger Mithilfe der Familie.

Auf dem Lande bewirtschaftet sein Weib ein Stückchen Acker, zieht Ferkel auf, hält Ziegen oder eine Kuh. Teilt die Familie die gewerbliche Arbeit, so hilft das Weib nach Beendigung der häuslichen Verrichtungen an des Mannes eigener Arbeit (Weben, Knopfdrechseln etc.), oder vollführt Nebenarbeiten (näht die gedrehten Knöpfe auf, windet das Garn u. dgl.). Auch Mägde wie Knechte schneidern im Winter mit dem Bauern, welcher eine Lieferung für den Faktor des Konfektionärs übernommen hat.

Solche Familienbetriebe kann man als Arbeitsstätte eines Liefermeisters mit Gehilfen (II) oder als Erweiterung eines Heimbetriebes (III) auffassen; wenn sie fremde Hilfskräfte beschäftigen, gehören sie meines Erachtens zur Gruppe II; die bloßen Familien- oder Haushaltungsbetriebe der Halbbauern würde ich der Gruppe III zuzählen.

In diese letztere fällt daher auch ein großer Teil der lokal-traditionellen Betriebe, welche man gemeinhin als idyllische oder »ländliche Hausindustrie« bezeichnet. Haben diese Produzenten einen Verleger, der ihre Ware aufkauft und verhausieren läßt, so sind sie als Verlagsarbeiter zu bezeichnen; verkehren sie aber mit den Konsumenten, so sind sie selbständige Erzeuger: ländliche Handwerker, gleich dem Bauern, welcher im Nebenbetrieb Hanf kauft, ihn verspinnen läßt und verwebt, die Leinwand bleicht und diese sodann in die Dörfer, zu Kunden wie Krämern verträgt.

---

[1]) Der ältere französische Ausdruck „*chambrellan*“ bezog sich vorwiegend, vielleicht sogar ausschließlich, auf die städtischen Störarbeiter (Bönhasen).

Solche Erzeuger können noch selbständig sein, selbst wenn sie ihren Absatz beim Dorfkrämer finden. Ein Aufkäufer oder Hausierer ist oft der Vorläufer des Verlegers, ohne daß man ihn selbst bereits als Verleger bezeichnen könnte. Ebenso standen ehedem die Meister für den Export tätiger städtischer Handwerke den Großhändlern ihrer Zeit selbständig gegenüber, verfielen aber zu Verlagsmeistern der Exporteure unserer Tage. Es gibt also hier Übergänge, und man wird die Entscheidung, ob noch ein aufrechtes Handwerk oder bereits Verlegerei vorliegt, individuell, von Fall zu Fall beurteilen und Kriterien hiefür etwa nach der weiter unten zu gebenden Definition der Verlagsindustrie suchen müssen.

b) Einen verlegten Einzelbetrieb repräsentiert auch der »Platzgeselle«. Dieser steht, wie der Sitzgeselle, im direkten Verkehr mit dem Verleger oder dessen Bevollmächtigten und arbeitet, gleich jenem, auf eigene Rechnung, jedoch weder bei seinem Arbeitgeber, noch in seiner Behausung, sondern er hat bei einem Dritten einen Platz zur Arbeitsstätte gemietet. Wir begegnen solchen Leuten in den sofort zu besprechenden Sitzgesellengruppen, sowie in Kraftvermietungs- oder sonstigen, mit anderen geteilten Lokalen. Hunderte von Platzgesellen gibt es unter den Glasschleifern des Gablonzer und des Haida-Steinschönauer Bezirkes in Böhmen. Sie mieten in Schleifmühlen ihren Arbeitsplatz am Radstuhl, um dort Ringe, Prismen, Knöpfe, Vasen, Flakons, Aufsätze u. dgl. zu schleifen (Örtelpächter). Andere, welche erwärmte Glasstäbe in Formen zu Knöpfen drücken, mieten in gleicher Weise einen Ofen, bezw. Platz am Ofen in einer fremden Druckhütte.

Mitunter tritt der verlegte Kleinmeister als Platzgeselle mit Gehilfen auf. So nimmt der Örtelpächter oder der Stahlschleifer in Nixdorf einen Gehilfen oder einen Lehrling oder auch zwei, und mietet dann für sich und für jeden seiner Hilfskräfte je einen Schleifstand in der fremden Schleifmühle. Dieser verlegte »Meister« hat keine eigene Werkstätte; seine Gehilfen nächtigen in seiner

Wohnung und erhalten meist auch Verpflegung in seiner Häuslichkeit. [1])

IV. Die Sitzgesellengruppe. Diese stellt eine bloß äußerliche oder eine organische Vereinigung von Heimarbeitern dar. Selbst im ersteren Falle verbindet die Teilnehmer eine engere Beziehung miteinander als die einzelnen Benützer der Kraftvermietungsstätte.

a) Eine ganz äußerliche Form ergibt sich, wenn Heimarbeiter, deren jeder seine Werksvorrichtungen zu eigen oder in Miete besitzt, lediglich gemeinsam wohnen; der eine ist nominativer Wohnungsinhaber, der andere formell sein Aftermieter; in Wahrheit sind sie gleichgestellte Nebengesellen, die inbezug auf ihre Lieferungen von einander unabhängig sind oder größere Aufträge derart teilen, daß jeder das Entgelt seiner Leistung erhält.

b) Den Anlaß zur Gruppierung kann aber auch das Vermieten von Werksvorrichtungen seitens eines Heimarbeiters bieten. Drechslergesellen, welche im Wohnraum eines Nebengesellen dessen Drehbänke benützen, bezahlen ihm dafür ein sogenanntes »Bank- und Platzgeld«. Wohnt, d. h. übernachtet der Nebengeselle überdies beim Eigentümer der Bank, so tritt ein Entgelt für die Schlafstätte hinzu: der Heimarbeiter ist dann vollständig bei einem anderen Heimarbeiter eingemietet. Hier liegt ein tatsächliches Mietverhältnis zwischen Verlagsarbeitern vor. Der Wohnungsinhaber übernimmt neben der Miete noch andere Lasten des Betriebes (Beheizung, Beleuchtung, Arbeitsmittel), an denen der Aftermieter bloß durch das Bank- und Platzgeld teilnimmt; seine Arbeitsbehelfe (Bohrer, Säuren, Lappen) beschafft dieser selbständig.

c) Eine Sitzgesellengruppe ergibt sich, wenn Platzgesellen in Kraftvermietungsstellen unter der Leitung eines Genossen auf gemeinsame Rechnung arbeiten. So mietet der Glasschleifer in Gablonz oder in der Gegend von Haida und Steinschönau in fremder Schleifmühle einen

---

[1]) Bericht der k. k. Gewerbeinspektoren. I., S. 82.

Radstuhl mit vier Plätzen und benützt ihn gemeinsam mit anderen.

Der Hauptgeselle — mitunter Meister genannt — versorgt die Aufträge und beschafft manche Arbeitsbehelfe (Sand, Schmirgel, Polierscheiben, Lappen, Beleuchtungsmittel) und verteilt deren Kosten, wie auch seine Einnahmen auf jeden Teilnehmer der Gruppe. In der Schleifmühle nehmen die Leute die Mahlzeiten ein, dort finden ihre Frauen und oft auch ihre Kinder eine Beschäftigung. Der Hauptgeselle und seine Nebenarbeiter sind meist Verwandte und die Brüderlichkeit unter ihnen geht nicht selten soweit, »daß der *Meister* nur den intellektuellen Teil des Kompagniegeschäftes darstellt, die Einnahmen und Auslagen aber unter Meister und Gehilfen redlich und gleichmäßig geteilt werden.« [1]

d) Dem Typus der Sitzgesellengruppe können die Zentralisationen der Verlagsarbeiter in Zentralwerkstätten oder Gewerkschaftsateliers zugerechnet werden. Solche besitzen die organisierten Schneider in Genf, Lausanne und Zürich, die münchener Konfektionärsgehilfen, die Meerschaumschnitzer, die Pfeifendrechsler, sowie die Muschelknopfdrechsler in Wien und die Horndrechsler in Rumburg. Diese Zentralisationen sind Vereinigungen von Sitzgesellen in einer eigenen gemeinsamen Arbeitsstätte, um die Nachteile der Heimarbeit in gewerblicher, sozialer und wirtschaftlicher Hinsicht fernzuhalten. [2]

Bildet sich eine engere Verbindung zwischen den Teilnehmern der Sitzgesellengruppe heraus, so kann diese zu einer Zwischenmeisterei (II) werden. Der Hauptgeselle beschafft dann die Aufträge und läßt diese zum Teil gegen Lohn durch die bei ihm eingemieteten Nebengesellen ausführen. Er erzielt einen gewerblichen Unternehmergewinn, kann aber noch nebenher einen festen Mietbetrag einheben, ist den anderen gegenüber Mietherr und Unternehmer; ihre Abhängigkeit ist größer als die der unabhängigen Nebengesellen *(a)* und solcher, die tatsächlich Aftermieter

---

[1]) K. Hauck, ebendort, S. 26.
[2]) Näheres im Anhang III dieser Schrift.

des Wohnungsinhabers in Hinsicht auf Arbeitsraum, Werkzeuge und Wohnraum sind *(b)*; wir haben in Wahrheit eine
Zwischenmeisterei oder »Schwitzmeisterei« vor uns. [1])

Gleichwie Verleger, welche selbst Produzenten sind,
einen Teil ihrer Arbeiter in geschlossener Werkstätte beschäftigen und den anderen verlegen, somit eine Art Ar-

---

[1]) Das sogenannte Faktorei-, Gruppen- oder Atelier-System
auf dem Lande, bei dem der Unternehmer in seinem eigenen Lokal durch
Faktore abgerichtete Hilfskräfte vereinigt, gehört nicht hieher. Beim
einzelnen Faktor — er führt den Namen »Meister«, im Elsaß *contre-maître*
— versammelt sich die ländliche Bevölkerung zur Arbeit; Werksvorrichtungen
und Rohstoffe sind Eigentum des Unternehmers. Die Zurichtung und Verpackung der in solchen Fabriksfilialen hergestellten Erzeugnisse wird im
Hauptbetrieb des Unternehmers besorgt. Dieser ist aber kein Verleger; sein
Betrieb ist eine dezentralisierte Manufaktur, mit dem weiteren Unterschied
vom alten Typus der Manufaktur, daß die Arbeitsteilung innerhalb des
einzelnen geschlossenen Betriebes wenig entwickelt ist und der (im Besitze
sämmtlicher Produktionsmittel befindliche) Kapitalist hier nicht selbst den
Betrieb leitet, sondern dies einem seiner Organe überläßt. Wir haben da die
geteilte Manufaktur eines Fabrikanten oder eines Händlers vor uns. Die
Leute, welche sich im Lokale des Faktors einfinden, sind, gleich diesem
selbst, wirtschaftlich und rechtlich Werkstattarbeiter; man kann, wenn
ein Unternehmer mehrere Faktoreien hat, von einer dezentralisierten
Fabrik, bezw. Manufaktur, niemals aber von einem Verlagsbetrieb reden.
(Formen solcher Art in meinem zitierten Buch, Bd. I, S. 113 bis 116 oder in
meiner Abhandlung in Heft I der Zeitschrift für Volkswirtschaft, Verwaltung
und Sozialpolitik von Böhm-Bawerk, Inama und Plener, Wien 1892.) Ähnliches
findet man bereits in einer Entfernung von zwei Schnellzugsstationen von
Wien. Gleichwol hat R. Liefmann, welcher dieser Betriebsart bei der
markircher Weberei im Elsaß begegnet ist, darüber (Schriften des Vereins
für Sozialpolitik, Bd. 84. S. 191 fg. und in einer besonderen Schrift: Über
Wesen und Formen des Verlags, 1899) im Tone und mit dem Eifer des
Entdeckers geschrieben. Ungewöhnlich ist nur der Fall, wo der »Faktor«
(contre-maître à façon) selbst Eigentümer des Lokales und der Werksvorrichtungen ist. Hier liegt allerdings ein Verlagsverhältnis vor: der Faktor hat
da die Rolle eines verlegten Kleinmeisters inne. Im Angesicht dieser Betriebsart hielt Liefmann den Begriff der Verlagsarbeit für überholt, irrig oder
revisionsbedürftig und seine Vertreter für offenbare Ignoranten oder für
methodologische Stümper. Die letztere Gattung vertritt im Sinne Liefmanns
der Verfasser der vorliegenden Schrift. Dieser beruhigt sich indes bei seiner
Beurteilung der fraglichen Betriebsart umso eher, als der mehrfach genannte
Herr die in tönenden Worten zugesagte Rekonstruktion des Begriffes der
Verlagsarbeit einfach schuldig geblieben ist.

beitsteilung zwischen geschlossenem Werkstattbetrieb und Heimgesellenquartier durchführen, kann auch der verlegte Werkstattmeister (I) oder Zwischenmeister (II) seinerseits noch einen weiteren Ableger verlagsindustrieller Art haben; der verlegte Betrieb beschäftigt dann selbst wieder Heimarbeiter. Das Gleiche tut mitunter auch der Einzelgeselle (III). [1]) Doch können Nebenarbeiten von verlegten Meistern und Gesellen — auch selbständigen Kleinmeistern übertragen werden. [2])

Wenn wir nun fragen, was alle diese Typen des Verlages: den verlegten Kleinmeisterbetrieb, die Zwischenmeisterei, die Heimarbeit, wie die Sitzgesellengruppe, in gleicher Weise charakterisiert, sie vom Handwerk scheidet und gemeinsam zu einer besonderen Betriebsform zusammenfaßt, so ist die Antwort: der Verleger.

»Dem selbständigen Gewerbe eigentümlich ist die Kundschaft, und dieser Begriff, dem bei der Hausindustrie der des Arbeitgebers gegenübersteht, ist hinreichend klar — z. B. aus den Formen des Verkehrs zwischen beiden Beteiligten — erkennbar,« sagt ein Schriftsteller, der als Gewerbegerichtsbeisitzer in Berlin und als Magistrats-

---

[1]) Diese auf Verlagsarbeit aufgesetzte Verlagsarbeit tritt uns in der Gewerbezählung der pariser Handelskammer vom Jahre 1860 (Statistique de l'Industrie à Paris, Paris 1864, Handelskammer, S. 257 fg., 289 fg., 311 fg. u. 322 fg.) in großem Umfang entgegen. Nach dieser Quelle beschäftigten die damaligen 12.629 Stückmeister (*appiéceurs*) der Schneiderei in ihren Betrieben 250 männliche und 435 weibliche Arbeiter, sowie 18 Lehrburschen und 60 Lehrmädchen. Außerdem beschäftigten sie 9 Männer und 30 Frauen außer Hause. Desgleichen verlegten die Verlagsarbeiter der Schuhmacherei 118, jene der Wäschekonfektion 613 Personen mit Arbeit außer Hause. Derlei ist in der Wäschekonfektion sehr häufig; auch in der pariser Spielwarenindustrie und in der wiener Drechslerei kommt die auf Heimarbeit aufgesetzte Heimarbeit vor. Der verlegte kleine Werkstattdrechsler (I) oder Sitzgeselle (III), der eine größere Bestellung erhielt oder dem der Knopfhändler den bereitwilligen Ankauf größerer Warenmengen, in Aussicht gestellt, verpfändet mitunter Wertsachen (Lose und Schmuck und auch Warenvorräte), um möglichst viel Rohstoff zu kaufen und um seinerseits beschäftigungslose Drechsler zu verlegen.

[2]) So das Schleifen von Kleineisenzeug in Ybbsitz (Niederösterreich).

referent für die Arbeiterversicherung alle Formen der Hausindustrie kennen gelernt hat. [1])

Der Käufer der Verlagsarbeiter aller Kategorien ist
nicht »Kunde«, sondern »Verleger«. Er erwirbt die Ware
nicht zur Verwendung gemäß ihren technischen Zwecken,
sondern um aus ihrem Umsatz Handelsgewinn zu ziehen.
Deshalb bewirkt er die vertragsmäßige Kombination aus
mehreren gewerblichen und einem kaufmännischen Betriebe, deshalb gruppiert er eine Anzahl Erzeuger um sich.

Freilich gibt es auch zwischen den selbständigen
Handwerkern alten Stils und den verlegten Werkstattmeistern Übergangstypen. Eine Mittelgruppe von Gewerbetreibenden, deren Angehörige bereits vorwiegend im großen
und für Exporteure oder Handlungshäuser erzeugen und
nicht mehr direkt mit den Konsumenten zu tun haben,
befindet sich auf dem Wege der Unselbständigkeit. Die
Händler sind stets bereit, entsprechende Waren bar zu
kaufen und beherrschen den Markt; die Erzeuger aber ver-
körpern in zahlreichen Abarten Übergänge zwischen Handwerkern und Verlagsarbeitern. Solche finden sich auch,
wie wir schon betont haben, zwischen den ländlichen gewerblichen Produzenten für Aufkäufer oder Hausierer und
für Verleger.

Dem vollendeten Typus der Verlagsindustriellen steht
aber stets der Auftraggeber gegenüber, sammt seinem Anhang an Agenten, Faktoren und Kommis. Zwischen dem
Verlagsindustriellen und dem Detailhändler, bezw. zwischen
ihm und dem Konsumenten, ist er eingeschaltet, »Produzent dem wahren Verbraucher, Konsument dem Erzeuger gegenüber.« [2]) Er begehrt die Waren, um sie weiter
zu veräußern, erteilt deshalb Arbeitsaufträge, stellt Rohstoffe, Musterstücke, ja Arbeitsmittel bei. Und da er die
bestellten oder aufgekauften Waren selbständig zu Markte
bringt, der einzige Käufer oder einer der wenigen vor-

---

[1]) Blankenstein im Archiv für soziale Gesetzgebung und Statistik,
Bd. X, Berlin 1897.

[2]) A. Swoboda im Bericht der österreichischen Gewerbeinspektoren,
Bd. III, S. 119.

handenen berufsmäßigen Käufer ist, verkehrt er alsbald mit den Verlegten wie der eigentliche Unternehmer.

Die vorwiegend kaufmännische Leitung des Verlegers und die technisch betriebsleitende Tätigkeit der Gewerbetreibenden ergänzen sich; der Unternehmeranschein dieser verblaßt jedoch ihm gegenüber und ist höchstens ihren Hilfskräften gegenüber vorhanden; sobald man das Verhältnis zum Verleger ins Auge faßt, tritt die entschiedene und entscheidende Abhängigkeit zutage, in der ihm gegenüber — sei er Kaufmann, Fabrikant oder größerer Handwerker — Verlagsmeister wie sonstige Verlagsarbeiter sich befinden.

Wol bringt das Großmagazin wie der Großhändler auch Fabrikanten in geschäftliche Abhängigkeit von sich: Zola hat das Gewicht, das der Besitz des großen Absatzes dem Händler leiht, in seinem monographischen Roman »Au Bonheur des Dames« vortrefflich geschildert. Allein, den mit den Mitteln der Großindustrie arbeitenden, ein eigenes Produktionsgebäude besitzenden Fabrikanten betrachtet man heute nicht als verlegten Unternehmer.

Scheiden wir, der allgemeinen Auffassung folgend, den vom Großhandel abhängigen Fabrikanten aus dem Kreise der Verlagsmeister aus, so gewinnt für den Verlag das Moment der kleingewerblichen Technik besondere Bedeutung. Da ist aber zu bemerken, daß die »kleingewerbliche« auch motorische Technik sein kann und heute schon vielfach ist. Die Einführung eines elektrischen Antriebes in der Hausweberei oder bei der verlagsmäßigen Uhrenerzeugung ändert nichts an der ökonomischen Eigenschaft des Arbeiters; die Entwicklung der elektrischen Kraftübertragungsmethoden derart, daß die Anwendung motorischer Kraft in dezentralisierten Arbeitsstellen der Weber, Drechsler, Tischler rentabel erschiene, würde dem Verlagsbetriebe neuen Aufschwung leihen, die Stellung der Heimarbeiter jedoch nicht verändern.

Auch Betriebe zur Erzeugung von Rohstoffen, von Halbfabrikaten oder sonstigen einander ergänzenden Produkten sind wirtschaftlich von einander abhängig.

Deren Abhängigkeit ist aber eine andere, als die, welche uns hier befaßt. Ihre Abhängigkeit ist gegenseitig und die Kontrahenten stehen sich sozial ebenbürtig gegenüber: ihre Abhängigkeit ist die wirtschaftliche Folge der auf Arbeitsteilung und freiem Tausch beruhenden Organisation der Produktion und greift nicht dem Wesen nach auf das soziale Gebiet über, sie bedeutet nicht ein »auf kapitalistischer Grundlage beruhendes Herrschaftsverhältnis der einen über die andere Klasse«, [1] wie es sich etwa zwischen verlegenden Händlern und verlegten Kleinmeistern ergibt, sie ist keine die Person des einen Kontrahenten erfassende Abhängigkeit. Da sprechen wir nicht von »Abhängigkeit«, sondern von »Arbeitsteilung« zwischen mehreren Erzeugern, gleichwie wir von einer »Arbeitsteilung« zwischen Fabrikanten und Händlern reden können. Die Textilgewerbe bieten das Beispiel einer Reihe solcher Betriebe, welche zur Herstellung des Endproduktes zusammenwirken: die Wollwäscherei, die Reißerei, die Wolferei, die Karderie, Spinnerei, Zwirnerei und Flammerei, dann die Lohnweberei und die Lohnarbeiten der Sengerei Bleicherei, Färberei, Appretur, Schererei, Dekatur, Presserei, — alles Industriezweige, welche für sich betrieben werden können und fremde Rohstoffe oder Halbfabrikate im Lohn verarbeiten. Ihnen gliedert sich an die gewerbsmäßige Herstellung von Textilzeichnungen und von Jacquardkarten im Lohn. Die Grenze zwischen selbständigen und verlegten Betrieben mag freilich mitunter verschwommen sein. So ist z. B. Gewerbeinspektoren ein Fall als Verlagsbetrieb erschienen, der sicher ebensogut als Beispiel eben vollzogener Berufsspaltung und dadurch bewirkter Produktionsteilung gelten kann: unter den wiener Lithographen besitzen etliche keine Konzession für Druckpressen, sondern arbeiten lediglich für solche Steindrucker, welchen die Geringfügigkeit ihres Betriebes nicht gestattet, eigene Lithographen zu halten. Diese letzteren schicken also den ersteren im Bedarfsfall die Steine ins Haus und lassen sie nach Vollendung der Arbeit

---

[1] P. Voigt, im Band 87 der Schriften des Vereines für Sozialpolitik, S. 65.

wieder abholen. Sie besitzen wohl Druckpressen, welche den ersteren fehlen, ermangeln jedoch der lithographischen Fertigkeit, über welche jene verfügen. Ich meine nun, daß hier nicht notwendig ein Verlagsverhältnis vorliegt; ebensowenig, wie wenn ein Besteckfabrikant seine Waren zum Herstellen der Monogramme zum Graveur sendet oder etwa ein Bäckermeister dem anderen zeitweilig mit seinem Backofen aushilft. Das Entscheidende ist das Moment der wirtschaftlichen und sozialen Abhängigkeit, das zwischen Verlegern und Verlegten sich ergibt, sich jedoch kaum in eine Definition fassen, sondern nur durch Anschauung der Verhältnisse erkennen läßt. Hier spielt das »Taktgefühl« des erfahrenen Kenners eine Rolle; man kann dies ohne die Empfindung wissenschaftlicher Degradation sagen; es schadet auch der wissenschaftlichen Stellung des Arztes nicht, daß er zum Beurteilen eines Krankheitsfalles der Anschauung und Erfahrung bedarf und sich anstatt auf eine abstrakte Anweisung, auf konkrete Erinnerungsbilder und auf sein persönliches Forschergefühl verläßt.

Wollte man die verlegten Erzeuger selbst als Unternehmer auffassen, so müßte man zugeben, daß sie von einer den Absatz vermittelnden Person abhängig sind. Betrachtet man jedoch diese als den eigentlichen Unternehmer, so fällt als bezeichnende Erscheinung auf, daß die Erzeuger außerhalb der Betriebsstätte des Unternehmers tätig sind.

Nun tritt aber das den Absatz vermittelnde Organ, da es auch die Erzeugung leitet, tatsächlich den Erzeugern wie der eigentliche Unternehmer gegenüber. Deren Tätigkeit besteht in der Bearbeitung oder Verarbeitung von Stoffen und kann durch vereinzelte wie durch vereinigte Produzenten erfolgen, sowie mehr oder weniger vollständig mit Mitteln kleingewerblicher Technik vor sich gehen. Die verlagsmäßige Erzeugung wäre sonach zu beschreiben als die gewerbliche Bearbeitung oder Verarbeitung von Stoffen durch Produzenten, welche, im Absatz ihrer Erzeugnisse unselbständig, dessen Vermittlern in wirtschaftlicher wie sozialer Abhängigkeit gegenüberstehen und ihre Produkte außerhalb der Betriebsstätten dieser für den ganzen Betrieb wesentlichen Organe mit Mitteln kleingewerblicher Technik herstellen.

Will man jedoch aus dieser Umschreibung das Wesentliche herausheben, so ist die verlagsmäßige Produktion zu definieren als

.   gewerbliche Arbeit für Unternehmer außerhalb der Betriebsstätten dieser vollführt, durch Personen, welche gleichwol den Unternehmern in wirtschaftlicher und sozialer Abhängigkeit gegenüberstehen.[1])

＊

So wenig die vertragsmäßige Betriebsform neu ist, ist es das Problem ihrer öffentlich-rechtlichen Regelung. Die Politik des XVII. und XVIII. Jahrhunderts stand bereits dieser Aufgabe gegenüber. Freilich nicht von jenen Erwägungen erfüllt, die uns heute leiten. Ihre Lösung war für sie in erster Linie ein Gebot der Wirtschafts-, nicht der Sozialpolitik.

Von merkantilistischen Gesichtspunkten ausgehend: um einen möglichst großen Teil der als feste Größe betrachteten »Gold- und Silberdecke« im Lande zu erhalten oder ins Land zu ziehen (attirer l'argent), unmittelbar zur Gewinnung und Sicherung des Absatzes strebte damals der Staat eine Regelung der Erzeugungstechnik

---

[1]) Diese Anschauung wurde in einem Punkte bekämpft. Die Herren C. Bonnevay und J. Godart wollten in einem Berichte an den brüsseler Arbeiterschutzkongreß von 1897 (Le travail à domicile à Lyon) daraus die »soziale und wirtschaftliche Abhängigkeit der Heimarbeiter« ausgeschaltet wissen. Gleichwohl glaube ich die vorstehende Definition aufrechterhalten zu sollen und betone bloß, daß wirtschaftliche Abhängigkeit nicht in jedem Falle zu wirtschaftlichem Elend führt. Das letztere will ich keineswegs als wesentliches Kriterium der Verlagsindustrie anführen, mag es auch, und das werden auch die genannten Autoren zugeben, überaus häufig sein. Das Moment ökonomischer wie sozialer Abhängigkeit bezeichnet jedoch begrifflich jene in der Praxis oft verschwimmende Grenze zwischen selbständigen und verlegten Meistern.

an. Eine jede Ware, so sagt Justi[1]), von der man sich
Hoffnung machen will, daß sie in die auswärtigen Com-
merzien gehen soll, muß mit Reglements und Ordnungen
über ihre Güte, Beschaffenheit und Gleichförmigkeit versehen sein. »Diese Reglements und Ordnungen sind nicht
allein nötig, damit wirklich gute und tüchtige Waren verfertigt werden, sondern auch vornehmlich deshalb, damit
die Waren in dem Großhandel gangbar werden.«[2])

Zur Hebung der Volkswirtschaft, zur Förderung des
Absatzes ihrer gewerblichen Erzeugnisse, fand die staatliche Reglementierung in England, Holland, Frankreich,
Belgien, Deutschland und Österreich statt. Die Menge
und Qualität der Rohstoffe und der Zutaten, die Art
der Farben zur Erzeugung bestimmter Waren, die Werksvorrichtungen, sowie einzelne Arbeitsverrichtungen,
dann Länge, Breite, Gehalt (Fadenzahl), Schwere, Bezeichnung und Verpackung der Erzeugnisse werden
genau vorgeschrieben. Die Einhaltung dieser Vorschriften
prüft vornehmlich die staatliche, wie die zünftige Beschau.
»Haben die Waren große Fehler und Mängel,« sagt
Justi[3]), »so müssen sie gar nicht passiret werden. Haben

---

[1]) J. H. G. v. Justi, Vollständige Abhandlung von den Manufakturen
und Fabriken. Zwote Ausgabe von Buckmann, Berlin 1780, Bd. II, S. 375,
und Bd. I, S. 121. Vergl. dazu Justi, Abhandlung von denen Manufaktur- und
Fabriken-Reglements, Berlin 1762, S. 5 fg. und S. 87 fg.

[2]) So sagt die Leinwandbeschauordnung für Oberösterreich vom
17. Dezember 1766 in ihrer Einleitung, um ihre Erlassung zu begründen: es
sei »ohnehin eine jedermänniglich bekannte Sache, daß die Wohlfahrt jedes
Landes hauptsächlich auf der Errichtung und Verbreitung aufrecht und gut,
folgsam wahrhaft ächter Manufakturen beruhe, weil der größte Teil der
Landesinsassen aus selben nicht nur die ihnen und den ihrigen benötigte
Nahrungen, sondern auch ihre landesfürstliche und obrigkeitliche Abgaben
herholen kann; daher auch unumgänglich erforderlich sein will, daß derley
erzeugenden Manufakturen ein sicherer Verschleiß verschaffet und somit
ein beständiger Geldeinfluß erhalten werde«. Die Erfahrung bezeuge,
daß nichts mehr einen Verschleiß der Manufakturen versichern könne, als
wenn durch deren genaue Beschau »sowohl In- als Ausländer nicht nur von
der innerlichen guten Qualität, sondern auch von der festgesetzten Länge,
ohne sich mit der Abmessung beschäftigen zu dürfen, sichergestellet werden«,
(Codex Austriacus, Suppl. VI, S. 968.)

[3]) Manufakturen und Fabriken, Bd. I, S. 124, Reglements, S. 118 fg.

sie aber nur einen geringen Fehler: so muß wenigstens
dieser Fehler bemerket, und dem Orte, wo er sich befindet,
gegenüber am Rande ein Stempel aufgedruckt werden,
wiewohl auch diese letzteren Waren nicht zum Commercio
außerhalb Landes gebraucht, sondern nur im Lande selbst
consumiret werden sollen.«

Diese Reglements (in Österreich: »Verfertigungs-
ordnungen«, später »Qualitätenordnungen«) galten vielfach für die betreffende gewerbliche Erzeugung
schlechthin, sie trafen also die fabriks-, manufakturs-,
handwerks- und verlagsmäßige Produktion.

Neben diesen staatlichen Ordnungen enthielten
vielfach auch die zünftigen Statuten Vorschriften über
die Materialien und Arbeiten.

Diese technischen Vorschriften über die Beschaffenheit
der Roh- und Hilfsstoffe, über die Art ihrer Bearbeitung
und über die Qualität der Waren, die zu Markt gebracht
werden durften, sollten, wie Held es prägnant ausdrückt:
die gewerbliche Kunstfertigkeit erhalten, die Kundschaft
befestigen und das Publikum gegen Übervorteilung
schützen.

Von dieser technischen Regelung abgesehen, enthielten aber die autoritären Ordnungen wie die autonomen
Innungsartikel zugleich Bestimmungen, welche den
Menschen als Produzenten berührten, also von sozialer
Bedeutung waren. Und diese sind uns hier wichtiger. Sie
betreffen die Zahl der Lehrlinge und der Gesellen,
die Dauer der Lehrzeit und Kündigungsfrist, die
Lohnfestsetzung durch Gesetz oder durch periodi-
schen Spruch der Behörden, Preistaxen für unentbehr-
liche Nutzdienlichkeiten, Abgrenzungen der den einzelnen
Gewerben zukommenden Arbeiten und die Stellung der
Erzeuger zu ihren Verlegern.

Mit dem Entstehen der Verlagsorganisation mußte
ja das Zunftrecht naturgemäß Änderungen erleiden. Das
Eintreten der Verleger verändert die Rolle und die Stellung
der Meister, das Verlagssystem sprengt die ökonomischen

Formen des zünftigen Handwerkes; es modifiziert daher allgemach auch dessen Recht.

Je nachdem die Meister die Stellung der Verleger durch das Zunftrecht bekämpften oder ihrem Einfluß nachgaben, gewannen die Innungsstatuten verschiedenen Inhalt. In Wien wollte man 1792 in der Wirkerei durch Innungsbeschluß die Heimarbeit gänzlich aus der Welt schaffen [1]. Auch anderwärts wehrte man sich gegen ihr Aufkommen durch die Zunftautonomie und schuf mit ihrer fortschreitenden Entwicklung eine Regelung zur Festlegung und Sicherung der Rechte der Meister gegenüber Verlegern und Heimarbeitern. Die Innung ist noch eine Macht: die Verleger und die Zunftmeister schließen daher Kompromisse miteinander und die Statuten werden demgemäß schrittweise geändert. Die soziale Atmosphäre, der von zünftigen Traditionen beherrschte Geist der Zeit und die neuen tatsächlichen Verhältnisse bewirken da örtlich eine Neugestaltung des Gewerberechtes, »Verfassungen der Hausindustrie«, wie Schmoller sich ausdrückt [2].

Die Statuten regelten den Produktionsumfang der Meister, setzten die Zahl der Stühle fest, die sie verwenden durften, und trafen Bestimmungen über den Ersatz etwa verkaufter Stühle u. dgl.; sie gestatteten die Arbeit verlegter Meister für Verleger, welche dem Handwerke angehörten und verboten die Arbeit für Juden und andere, der Zunft nicht angehörige Leute; sie verboten alle Scheinmanipulationen der Meister untereinander und zwischen Meistern und Verlegern; sie setzten ausdrücklich fest, welche Arbeiten Verleger machen durften, und führten einen Markenzwang für die von ihnen versendeten Waren ein usw. [3]

[1] Schwiedland, Eine alte wiener Hausindustrie. Zeitschrift für Volkswirtschaft, Sozialpolitik und Verwaltung, Wien 1892. S. 485 fg.

[2] Schmoller, Die geschichtliche Entwicklung der Unternehmung, VI. Jahrbuch für Gesetzgebung, Verwaltung und Volkswirtschaft, 1891. Bd. XV, S. 26.

[3] Schanz, Zur Geschichte der Kolonisation und Industrie in Franken Erlangen 1884, S. 297, 303—307, 329 etz.

Die »Verfassung der Hausindustrie« auf Grund und
im Rahmen der Zunftartikel bestimmte sonach 1. die Organisation der Erzeugung, 2. das Verhältnis der Meister
zu ihren Hilfsarbeitern, 3. das Verhältnis der Meister
untereinander, 4. das Verhältnis der Meister zu den Verlegern und 5. die Organisation des Absatzes.

Auch in den staatlichen Ordnungen begegnen wir in
der Schweiz und in Österreich frühzeitig Arbeiterschutzbestimmungen, welche zum Teile auch die Verlegerei
ergreifen[1]).

Diese ganze polizeiliche Regelung der Produktions-
und Arbeitsbedingungen verlor jedoch bald ihre geschichtliche Grundlage.

Wichtige Änderungen der Wirtschaftsverfassung vollzogen sich mit Ende des XVIII. und im Verlaufe des
XIX. Jahrhunderts. Die Völker treten sich nun ökonomisch
näher, ihre Tauschbeziehungen nehmen zu. Technische
Neuerungen folgen aufeinander und machen im Verein mit
einer fortschreitenden Kapitalskonzentration die Fabrik
zur wichtigsten Betriebsform der Zeit. Die Bevölkerung
wächst beständig, schafft Hilfskräfte und stellt immer
mehr Abnehmer bei[2]). Eine ungeahnte Vervollkommnung
und Steigerung des Verkehres folgt, die wirtschaftlichen
Beziehungen der einzelnen Völker vervielfältigen sich und
umspannen den Erdball, dessen Dimensionen die Dampf-
kraft verringert. Damit nimmt die Erzeugung nach Mengen
und Arten beständig zu. Die Fortschritte des Verkehrs
und der Technik modifizieren aber zugleich die alten Wirt-
schaftsformen; mit ihnen stürzt auch deren geschriebene
Verfassung: autoritäre Ordnungen wie Zunfstatuten werden
bald beseitigt, die liberale Wirtschaftspolitik beherrscht
die Welt.

---

[1]) M a t a j a, Das Arbeitsverhältnis nach österreichischem Recht zu
Beginn des XIX. Jahrhunderts. Deutsche Wochenschrift, Wien, 23. April 1887.
— B ü c h e r, Arbeiterschutzgesetzgebung in der Schweiz, Handwörterbuch der
Staatswissenschaften, Bd. I, 2. Aufl. S. 589 fg.

[2]) Die Bevölkerung Deutschlands hat sich trotz der Auswanderungen
von 1840 auf 1891, jene Österreichs von 1820 auf 1890 um die Hälfte
vermehrt.

Den Verfall der Zünfte und der staatlichen polizeilichen Regelung begleiteten auch Änderungen in der sozialen und wirtschaftlichen Stellung der Verleger. Der entstehende Weltmarkt einerseits und ein Überangebot von Arbeitskräften anderseits gaben ihnen ein entscheidendes Übergewicht. Demgemäß vergrößerte sich die soziale Differenzierung zwischen Verlegern und Verlagsarbeitern und die persönlichen Beziehungen wurden lockerer. Heute läßt der Verleger oft in großer Entfernung von seinem Wohnsitze, auf dem Lande, vielfach in einer anderen Provinz, arbeiten. Dort entsteht der Stand der ihn vertretenden »Faktore«. Und selbst wenn Erzeuger und Exporteur dieselbe moderne Großstadt bewohnen, kennt dieser die Meister, deren Produkte er in die Welt versendet, großenteils persönlich gar nicht, sondern verkehrt mit ihnen bloß durch die einkaufenden Kommis. Ebenso verhält sich der spezialisierte Verleger: das Großhandelshaus, das (zum Unterschiede vom sogenannten berufsmäßigen »Exporteur«) nur Waren einer bestimmten Gattung vertreibt.

Anderseits verminderte sich die Widerstandskraft der verlegten Arbeiter. Dem Handwerke und vielmehr noch dem Verlage, ist eine planlose, überstürzte Erhöhung der Produktionsbereitschaft, eine rasche Vermehrung der Arbeitskräfte in Zeiten günstiger Konjunkturen eigen[1]). In der Großstadt veranlaßt der Verleger leicht durch einen geringen Vorschuß und die Zusicherung seiner Kundschaft junge Gehilfen, sich als Sitzgesellen oder als verlegte Meister, mit Gehilfen und Lehrlingen zu etablieren[2]). Abgesehen von dem Preisdrucke, der sich hieraus beim ersten Rückschlage der Konjunktur ergibt, läßt auch die Industriali-

---

[1]) Vergl. die Ausführungen in meinem angeführten Buche, Bd. II, S. 154—160.

[2]) In den Verlagsgewerben, welche nicht aus dem alten, durch Zuzug zahlreicher Arbeitskräfte geschwächten Handwerke entstehen, sondern in der Stadt von vornherein, originär, als verlegte Betriebe auftreten, findet der Verleger in den unteren Schichten des Mittelstandes gleichfalls arbeitswillige Kräfte genug.

sierung des Landes dem städtischen Verlagsarbeiter bald
wohlfeilere Konkurrenten in entlegenen Gegenden entstehen.

Selbst das menschliche Interesse schwand, das der
Verleger ehedem den Verlegten gegenüber aus dem
Grunde empfunden haben mochte, weil er in ihnen kräf-
tige Gegner sich gegenüber sah.

Und endlich kommt dazu, daß der Verleger sich
heut leicht von seinem Berufe trennen, zumindest seine
Erwerbsquellen spielend ändern kann. Er verläßt rasch
das keinen Profit mehr bietende Gewerbe, um sich ganz
anders gearteten Erwerbsgelegenheiten zuzuwenden, oder
ändert die Grundlage und Organisation seines Geschäftes.
Der große Kleiderkonfektionär kann Bankier werden,
in seinem eigenen Gewerbe vom Verlag zum Fabriksbetrieb
übergehen, Fabriken welcher Art immer erbauen oder
erwerben, vollends seine Söhne zu Gutsbesitzern, Beamten
oder Vertretern liberaler Berufe erziehen.

So ist denn auch der Verleger in seinem Konkurrenz-
drang heut jeder Regelung feindlich gesinnt. Ist es auch
der einzelne nicht, sein Stand als Gesamtheit ist es
sicher und hemmt alle Organisierung.

Die Handwerksmeister aber sind, sofern sie für den
Fernabsatz oder für den großen Markt einer modernen
Riesenstadt erzeugen, zu einem stets wachsenden Teil
auf Verleger angewiesen.

Ehedem verkehrte der Meister mit den lokalen Konsumenten und mit zugereisten Kaufleuten selbständig, in
seiner Werkstätte oder auf den Märkten, welche er mit
den auf Vorrat erzeugten Waren bezog.

In Wien wurden die Waren zunächst bei dem sie
verfertigenden Schuhmacher, Strumpfwirker, Kürschner
usw. gekauft. Im Werkstattlokal oder im anschließenden
kleinen Gassenladen, an dem ein einfacher Schaukasten
hieng, verkaufte der Handwerker seine Produkte den
Konsumenten wie den von fernher zugereisten Kaufleuten
— der wiener Schuhmacher z. B. noch im XIX. Jahrhundert
Handelsleuten aus Griechenland, Polen, Rußland usw. Dazu
kam der Meßhandel im eigenen Orte wie außerhalb

desselben. Noch in den Zwanzigerjahren des vorigen
Jahrhunderts trieben die Schneider mancher größeren
Städte Österreichs einen bedeutenden Handel mit
fertigen Kleidungsstücken nach dem offenen Lande; die
Marktschuster fuhren von Markt zu Markt; die Wirker-
meister im besonderen bezogen vor altersher die Märkte
von Pest.

Soweit Verleger eintraten, besuchten diese namentlich die größeren und ferneren Märkte, ließen auch in
der Fremde hausieren, und hatten in den Hafenstädten Ge-
schäftsfreunde, welche ihre Waren für den überseeischen
Absatz übernahmen.

Der auswärtige Großhändler — etwa Leipzigs oder
Hamburgs — versorgte den Großhändler Wiens mit
fremden, dieser jenen mit wiener Waren. Jeder der beiden
besorgte sonach den Import und den Export und hielt im
wohlassortierten Lager größere Mengen von Erzeugnissen
ausländischer wie inländischer Herkunft für den Bedarf der
Kleinhändler aus der Provinz bereit, welche bei ihnen
Waren beiderlei Ursprungs suchten. Im Exportverkehr
vertrat dieser Großist den Gewerbetreibenden gegenüber
auch die ausländischen Kaufleute: er übernahm die vom
Ausländer beim wiener Gewerbsmann bestellten Waren
und bezahlte sie nach ihrer Annahme seitens des Käufers
oder, bei Gestattung eines Abzuges von 2%, sofort.

Neben dem »Großhändler« kommt der »Exporteur«
auf. Dieser spezialisiert sich für den Ausfuhrhandel und
trachtet die Fahrt des fremden Käufers nach Wien überflüssig zu machen. Er trägt ihm die Proben wiener Waren
entgegen, besucht vor allem die Messe zu Leipzig und
bereist den Kontinent, um heimischen Produkten neue Ab-
satzgebiete zu eröffnen. Als der Bau der Eisenbahnen das
Reisen bedeutend weniger kostspielig und zeitraubend
gestaltete, verdoppeln sich sein Eifer und seine Rührig-
keit, um die Käufer sich zu erhalten, neue zu werben,
und indem er so den neuen Verhältnissen sich anschmiegt,
gewinnt er noch an Bedeutung. So wenden sich heute
die zugereisten fremden Kaufleute vielfach in erster Linie

an ihn, um die Waren, die sie in verschiedenen Stadtbe-
zirken bei den einzelnen Erzeugern aufsuchen müßten, bei
ihm in Musterstücken vereint vorzufinden, oder um von
ihm sich alle Einkaufsquellen weisen, die unter seiner
Vermittlung dort bestellten Waren durch ihn übernehmen
und bezahlen zu lassen. Der Besitz kaufmännischer Bildung
und die Übung kommerzieller Gepflogenheiten, sowie die
Kreditgewährung des Exporteurs, als Kommissionärs
wie als Verkäufers, endlich sein Bestreben, die möglichste
Wolfeilheit und Anpassung der Produkte an den fremden
Geschmack zu erreichen, machten ihn bald in manchen
Zweigen des Handels zu einem wichtigen Organ. Heute
liefert der Gewerbsmeister seine Waren ebenso am Schalter
des Exporthauses wie in der Hinterstube des modernen
Bazars ab, ohne die weiteren Kunden auch nur zu kennen.
Die Händler vereinigen die Waren bei sich und während
sie einerseits dem Geld- und auch dem Kreditbedürfnis
der Erzeuger abhelfen, versorgen sie anderseits den Markt.

Je mehr aber die Beziehungen sich mehren und
zur Bildung eines »Weltmarktes« sich verdichten, je
mehr Personen an der Versorgung der einzelnen Absatz-
gebiete sich beteiligen und diese sich erweitern, desto
ungleichartiger und schwankender wird die Nachfrage.
Auf dem Weltmarkt kann jeder mächtige Produzent,
jeder geldkräftige Händler seine Berufsgenossen zur
Preisermäßigung zwingen. Die Unsicherheit des Marktes
entspringt so unmittelbar der Zunahme der Verkäufer, zum
Teil aber auch dem reichen Angebot an gewerblichen Hilfskräften, das sich ergibt. Dieser letztere Umstand ermöglicht
es, an Stelle einer mittleren Anzahl von Leuten, die man
voraussichtlich das ganze Jahr über beschäftigen könnte,
viel zahlreichere während einer kürzeren Frist, der Arbeits-
saison, einzustellen. Das Bestreben, den Markt möglichst
rasch zu befriedigen, sich seinem Bedarf in Mengen
wie Qualitäten möglichst rasch anzupassen, läßt sich nun
verwirklichen und führt dazu, die Produktion in der
Saison möglichst zu steigern. Man erzeugt infolgedessen
stets rascher; dadurch wird aber auch die Zahl der n a c h

der Saison eines Auftrages harrenden Arbeitskräfte vergrößert. Die Konkurrenz erzwingt die Einführung von
Maschinen und einer strengeren Arbeitsteilung, aber
auch die Einstellung mindergelernter männlicher sowie
weiblicher Hilfskräfte — in verlegten Gewerben oftmals
im Wege von Zwischenmeistern, die sich im Produktions-
prozeß einschalten. Die Stetigkeit der alten Verhältnisse
in nun dahin; die Saisonarbeit wird stets intensiver und
ihre Gesamtdauer stets kürzer — verschärft und verkürzt durch das Übergebot von Arbeitskräften.

Zu den periodischen Stockungen, den matten Geschäftszeiten, die sich infolgedessen in regelmäßiger Wiederkehr einstellen, kommen auch die unregelmäßigeren Krisen.
Sie tragen wesentlich bei zur Unsicherheit des modernen
Marktes und entstammen zufälligen Gründen, wie: Kriegs-
wirren (im Erzeugungs- oder im Konsumtionsgebiet),
Zollerhöhungen (aus wirtschaftspolitischen wie finanz-
politischen Gründen[1]), dem Wechsel des Geschmackes,
Währungsänderungen und -schwankungen, einer Verteuerung der Rohstoffe — oder sie entstehen aus
inneren Gründen, aus Verhältnissen, welche der einzelnen
Industrie selbst eigentümlich sind, das ist aus der übermäßigen Vermehrung der Produktion — sei es, daß
die Produktionsbereitschaft der Betriebe sich zu stark entwickelt hat, dem Konsumbedürfnisse zu sehr vorausgeeilt
ist oder daß die Zahl der produzierenden Unternehmungen
erheblich vermehrt wurde, z.B. eine Konkurrenz von Staaten
eintritt, welche die fragliche Industrie neu entwickeln oder
in erhöhtem Maße betreiben, weil sie im Bezug des Rohstoffes, durch die Kapitalskraft der Unternehmer, durch
Wolfeilheit oder Eignung der Arbeiter, durch die Nähe
des Absatzgebietes oder etwa durch einen Schutzzoll begünstigt sind. Auch mit dem Aufkommen von Surro-
gaten oder einer ökonomisch überlegenen Technik treten
neue Produzenten plötzlich zahlreich auf.

---

[1] Zollerhöhungen des Absatzlandes bedingen nach ihrem Eintreten,
Zollermäßigungen bevor sie zu Kraft erwachsen, Krisen in der Erzeugung.

Diese aus der Produktion für den unsicheren Weltmarkt sich ergebenden Verhältnisse wirken aber auf die
Lage der Erzeuger zurück.

In der guten Geschäftszeit ist der verlegende Kaufmann auf sie angewiesen: von ihrer Arbeit hängt sein
Gewinn ab. In der schlechten aber sind sie noch viel mehr
von ihm abhängig, denn davon, ob er nun kauft, hängt
nur zu oft ihre Existenz ab. Je häufiger aber Stockungen
und Krisen sind, je drängender das Angebot der an ihr
Gewerbe gefesselten Erzeuger sich gestaltet, desto mehr
werden sie vom beweglicheren Kaufmann, der nun diktieren kann, abhängig. Daher das Bestreben des größeren
Handwerksmeisters, selbst Verleger zu werden. Die Unsicherheit des Absatzes und die Konkurrenz auf dem
internationalen Markte, das Bestreben, ihn durch Wolfeilheit zu beherrschen, ferner die durch diese Verhältnisse
verstärkte einseitige Verfolgung kaufmännischer Interessen
bringen ihn in einen stets wachsenden wirtschaftlichen Widerstreit zu seinen Lieferanten. Dies gilt vom
Verleger, der bloß Händler ist, noch mehr, da die Zahl
seiner Konkurrenten heutigen Tages rasch zunimmt.[1])

So wirken in der Gegenwart vielfach Einflüsse mit,
die in der Vergangenheit nicht bestanden und die Lage
des Erzeugers beeinträchtigen.

Verschieden wie die Verhältnisse ehedem und heute,
sind denn auch die Wege, auf denen eine Besserung der
bewirkten Übel versucht wird.

Die staatlichen Ordnungen, Erzeugnisse des merkantilistischen Geistes, regelten den technischen Erzeugungs-
prozeß. Sie betrafen aber, den Neigungen des absoluten
Staates entsprechend, auch die Verhältnisse der Arbeiter. Nach diesen beiden Richtungen schaffen sie Recht
für Handwerks-, Fabriks- und Verlagsbetriebe.

Heute herrscht indes Massenproduktion und Freiheit
im wirtschaftlichen Kampf. Eine Analogie finden jene Maß-

---

[1]) Ebendort II, S. 195 fg.

nahmen, was die einheitlichere Gestaltung der Erzeugnisse betrifft, erst in den gesetzlichen Bestrebungen wider Qualitäts- und Mengenverkürzungen bei Waren, welche unter bestimmten Gattungsnamen, bezw. unter bestimmten Maßbezeichnungen gehandelt werden.

Die Regelung der Arbeiterzahl wie der Löhne aber hat in Arbeiterschutzgesetzen noch kein Gegenstück, bis auf Australien.

Doch heischen die Übel der Hausindustrie dringend Milderung.

Die Regelung dieser regellosesten gewerblichen Betriebsform erstreben vor allem die Fabrikanten und die Werkstattmeister, denen die Verleger Konkurrenz bereiten; desgleichen deren Arbeiterschaft, die gleichfalls der Unterbietung durch die Verlagsarbeiter ausgesetzt ist. Dem geschlossenen Betrieb und seinem Arbeiterstand ist der Verlag häufig unbequem und mitunter verhängnißvoll. Daher das Mitleid, das die Interessenten des geschlossenen Betriebes mit den gewerblich tätigen Organen des Verlages empfinden, ihr Bestreben, die öffentliche Aufmerksamkeit auf die soziale Schwäche und wirtschaftliche Abhängigkeit jener und auf die gesundheitswidrigen Verhältnisse zu lenken, unter denen sie ihrer Arbeit obliegen.

Die der Verlagsorganisation anhaftenden ökonomischen und sozialen Nachteile wecken sodann, vermöge der sozialistischen Propaganda, allmälig das bewußte Interesse der zunächst Beteiligten, der verlegten Erzeuger und Arbeiter selbst. Ihre Bestrebungen setzen erst später ein, denn sie befinden sich zum großen Teil unter dem Niveau derjenigen, die einer Organisation aus eigener Kraft fähig sind. Auch verhallt ihre Stimme, selbst wenn sie erhoben wird, fruchtlos, weil sie kein politischer Faktor sind.

Endlich gewinnt an diesen Zuständen das scheinbar unbeteiligte Publikum ein allmälig wachsendes soziales, wirtschaftliches und, in seiner Eigenschaft als Konsument, auch ein hygienisches Interesse. Diesem Faktor obliegt es, den Ausschlag zu geben zu Gunsten einer Regelung.

Die Verleger selbst erscheinen heute durch die beklagten tatsächlichen Verhältnisse am wenigsten bekümmert.
Sie bringen ihnen teilnahmsvolles Interesse erst dann entgegen, wenn sie sich persönlich in wirtschaftlicher Hinsicht
völlig gesichert fühlen oder von der Verlegerei zu einem
— Werkstattbetrieb übergegangen sind ...

Prüfen wir jetzt die Anwürfe, welche von den anderen
drei Interessentengruppen wider die heutigen Zustände
erhoben werden.

Die Werkstattunternehmer — Fabrikanten wie selbständige Handwerksmeister — führen lebhafte Klage über
die Konkurrenz, welche ihnen die technisch rückständigen
Betriebe der verlegten Erzeuger bereiten. Ebenso hebt
die Arbeiterschaft der Groß- und Kleinbetriebe die schlechte
Lage der verlegten Erzeuger wie Arbeiter hervor. Diese,
ein Übel an sich, hindert auch die Erreichung der Ziele
der Werkstattarbeiter.

Betrachten wir zunächst das Kleingewerbe.

Man kann sagen, daß es von zwei Seiten her bedroht wird. Ihm steht vor allem feindlich gegenüber der
Fabriksbetrieb, soweit er Waren erzeugt, welche vordem
handwerksmäßig hergestellt wurden, oder die, wennauch
anders geartet, dennoch kleingewerbliche Erzeugnisse ver-
drängen. Auch läßt die Fabrik vielfach gewerbliche Arbeiten in eigener Regie als Hilfsgewerbe ausüben (Haus-
sattlerei u. dgl., Anstreichergewerbe in Waggonfabriken,
Binderei in Brauereien usf.) und verengt dadurch einen
Teil des Absatzgebietes der Handwerke.

Anderseits übt der Verlag einen Druck auf das
Handwerk aus. Die Konkurrenz der zugrundegehenden
Meister, derjenigen, die von der Hand in den Mund leben,
bei welchen Notverkäufe häufig sind, wird in manchen
Gewerben von den Meistern heut ebenso und noch mehr
gefürchtet, wie in anderen Gebieten die Konkurrenz der
fabriksmäßigen Großindustrie. Denn, scheint der Kampf
gegen die Fabrik zum großen Teil bereits abgeschlossen,
so dauert die Bedrängnis von Seite des Verlegers noch in
voller Stärke an. Sie äußert sich für den einzelnen

Werkstattmeister als Konkurrenz der Kapitallosigkeit, besonders in Handwerken, welche ihre Waren an städtische Kaufhäuser, an Agenten und Vermittler, an Exporteure — somit an besondere Organe des Absatzes — liefern. In Gewerben, in denen der Erzeuger noch direkt mit dem Konsumenten verkehrt, besitzt die Unterbietung, angesichts der Geringfügigkeit des Absatzes an den einzelnen Kunden, lang nicht die Bedeutung wie dort, wo ein Massenabsatz an einzelne geschäftskundige, verhältnismäßig kaufkräftige und ihre Geschäftsinteressen wahrende Abnehmer stattfindet. Der wolfeile Konkurrent ist nur gefährlich im Falle des Absatzes im großen, sowie als Großindustrieller. Im letzteren Falle haben wir es aber mit einer Konkurrenz des stärkeren Kapitales, nicht mehr der Kapitallosigkeit zu tun, wie bei der Verlagsindustrie.

In manchen Gewerben ist die Zersetzung zum Verlag bereits zum größten Teil vollzogen; so z. B. in der Schirmerzeugung und in der Posamentiererei. Hier ist es daher denkbar, daß der größere Teil der Unternehmer die Arbeit außer Hause als eine lobenswerte Einrichtung betrachtet. Die meisten haben sie eingerichtet und fühlen sich lediglich als Verleger. Ebenso ist es dort, wo das Handwerk alten Stils der Fabrik gegenübersteht, wie in der Wirkerei oder bei der Banderzeugung, und den Meistern somit nur noch die Verwendung von Arbeitern außer Hause die Existenz sichert. Auch ihnen erscheint der Verlag als ersprießlich, nützlich, unentbehrlich.

Anders, wo die verlagsmäßige Zersetzung eines alten Gewerbes zwar schon im vollen Gang ist, aber noch nicht feststeht, wer Verleger, wer Verlagsarbeiter wird: wie in der Tischlerei, bei der Erzeugung von Blas- und Saiteninstrumenten, in der Fächermacherei, Spielzeugindustrie, Kürschnerei, Schuhmacherei, Schneiderei usw. Hier empfinden die aufrecht stehenden Werkstättenbesitzer alten Schlages die Konkurrenz der Verleger (welche Werkstattmeister wie Händler sind) höchst unliebsam. Daher wird von ihrer Seite zuerst der Wunsch laut, daß der Konkurrenz formell unbefugter und die Preise unterbietender Unternehmer Einhalt getan werde: 1. durch den Ausschluß der verlegenden Händler vom Verlag und 2., was die Gewerbetreibenden betrifft, durch ein Verbot der Verwendung von Arbeitern außer Haus.

Eine Abhilfe, die manchen von vornherein denkbar schien: die Einrichtung von Rohstofflagern und Verkaufsgenossenschaften zur Verwolfeilerung der Werkstattproduktion, erweist sich meist unpraktisch. Derlei Unternehmungen scheitern nach der Überwindung der oft erheblichen Schwierigkeiten ihrer Schaffung am Mangel an Initiative, an geistiger Regsamkeit, an kaufmännischem Sinn und vielfach auch am Mangel an Gemeinsinn der kräftigeren, sowie an der Mittellosigkeit der kleinen und selbst der mittleren Meister. Es läßt sich daher nicht leugnen, daß die freien Wirtschaftsgenossenschaften nur für eine Minderheit und Elite von Gewerbegenossen Bedeutung erlangen können, für Leute, welche geistig und sittlich besonders sowie materiell doch einigermaßen hervorragen.

Der Verleger aber genießt im Vergleich zu einem Werkstattmeister alten Schlages und selbst gegenüber einem Fabrikanten mancherlei Vorteile, welche der Betriebsform des Verlages innewohnen. Diese Vorteile sind erheblich und bestehen in der vergleichsweisen Niedrigkeit des Kapitals wie der Betriebskosten des Verlages im Verhältnis zur Werkstatterzeugung, und in der Möglichkeit, das Risiko sinkender Konjunkturen auf die Verlagsarbeiter abzuwälzen.

Durch den Übergang zum Verlag erspart ja der Werkstattunternehmer die Miete sowie die Beleuchtung und Beheizung von Arbeitsräumen. Er benötigt also nicht mehr Kapital, als die Arbeitsmittel darstellen, die er dem Heimarbeiter übergibt, und die Anschaffung der Rohstoffe sowie die Löhnung jeweils erforden. Oft entfällt auch die Beistellung von Arbeitsmitteln und Rohstoffen ganz, da das feste wie das umlaufende Kapital des verlegten Erzeugers an der Produktion mitwirkt.

So beschaffen sich die Stückmeister der Schneiderei meist selbst die Nähmaschinen und liefern Zwirn und

Nadeln aus eigenem; die verlegten Perlmutterdrechsler besitzen oder mieten zumeist selbst Drehbank oder Schleifstein und beschaffen stets die übrigen (rasch abgenützten) Werkzeuge und sonstigen Hilfsmittel (Lappen und Säuren); ebenso hat die verlegte Modistin oder Fächermonteurin ihre Utensilien und Werkzeuge, und bringt die geringeren Zutaten selbst auf. Auf dem Land rechnen mitunter die Arbeiter die Miete sowie den aus eigenem beigestellten Rohstoff (Holz und Stroh u. dgl.) für nichts. In zahlreichen Fällen kauft der Verlegte das Rohmaterial, alle Hilfsstoffe und Arbeitsbehelfe; mitunter nötigt ihn sogar der Verleger, Roh- und Hilfsstoffe bei ihm zu kaufen und macht daran einen Handelsgewinn.

Ähnliche Vorteile genießt der Verleger im Vergleich zum Fabrikanten. Verlegende »Erzeuger«, welche Seiden und Jacquardkarten an ländliche Weber ausgeben und das Gewebe durch besondere Unternehmungen färben und appretieren lassen, ersparen gegenüber Seidenzeug- oder Bandfabrikanten die Spesen des Baues, der Erhaltung und Amortisierung (bezw. der Miete und Versicherung) eines Fabriksgebäudes, die Kosten der Dampfmaschinen oder des sonstigen Motors sowie des Transmissionsmechanismus, die Sorge für deren Wartung, die Auslagen für die Anschaffung von Reservemaschinen sowie der komplizierten (eisernen) mechanischen Stühle selbst, welche das Sechs- und Achtfache eines Handstuhles erfordern. So sehen wir die immanenten Vorteile des Verlages hier in vergrößertem Maße wiederkehren.

Der Verleger fixiert somit sein Kapital bloß in den fertigen Waren, nicht aber in den zu ihrer Erzeugung erforderlichen Anlagen, Behelfen, Materialien. Der kapitalschwache Unternehmer bedarf als Verleger geringerer Mittel wie als Werkstattunternehmer; der kräftigere aber behält die seinigen für den Handel disponibel.

Diese Ersparnis an Anlagekapital erlangt naturgemäß besondere Wichtigkeit in Gewerben, welche regelmäßig eintretenden Stockungen oder häufigeren Krisen ausgesetzt sind, oder deren Absatz so gering ist, daß im

Falle der flinkeren Produktion während eines Teiles des
Jahres ein Arbeitsstillstand sich ergäbe.

Der Verleger kann sich, da sein im Betrieb ge-
bundenes Kapital nur geringfügig ist, in Zeiten absoluter
Arbeitsstockung vom Gewerbe zurückziehen, ohne die Verluste zu erleiden, welche sich für den Fabrikanten aus
dem Zinsenentgang für das investierte ruhende Kapital
ergeben. Auch der kleingewerbliche Unternehmer, dessen
Gewerbe dem Wechsel der Saisons unterworfen ist,
braucht als Verleger nicht Arbeitsräume zu halten, die
ihm außerhalb der Saison — so dem Kundenschneider —
leer ständen. Der verlegende Webwaren-»Erzeuger« gibt
an die Halbbauern oder städtischen Sitzgesellen, die er
beschäftigt, einfach keine Ketten aus; der Kundenschneider
behält nur Zuschneider und Anprobierer, und die zur Saison
herangezogenen Stückmeister müssen während der stillen
Zeit sich um Aufträge von Kleider-Exporteuren und Ver-
kaufsgeschäften bekümmern.

Doch der Verleger erspart auch an Betriebskapital.
Während der Handwerksmeister seine Leute mitunter auch
bei geringerer Beschäftigung voll entlohnen muß, reduziert
der Verleger ohneweiters seinen Betrieb. Ein weiteres:
brüchiges und schlechtes Material wird vom Heimarbeiter
mit größter Sorgfalt behandelt, wenn es ihm bei der Erteilung des Auftrages verkauft oder gegen Verrechnung
übergeben wurde, und wird dadurch verwendbar. Wichtig
ist ferner, daß der Verleger der Einrichtungen enträt,
welche der Arbeiterschutz erfordert und häufig keine Beiträge zur Arbeiterversicherung entrichtet. Die Unfallversicherung ist oft rechtlich ausgeschlossen, wenn die
Leute zum Teil außer Hause beschäftigt sind, die Krankenversicherung teilweise rechtlich und mitunter darüber
hinaus faktisch, durch Verheimlichung der Hilfskräfte. Auf
dem Lande entfallen die Beiträge zur Arbeiterversicherung
von selbst, wenn die Behörde die Heimarbeiter als selbständige Gewerbetreibende auffaßt und registriert.

Der ländliche Verleger entgeht sodann der entsprechenden Gewerbesteuer, da die Verlagsarbeiter, wo

sie zur Besteuerung herangezogen werden, diese Last aus eigenem tragen, und auch in der Stadt genießt der verlegende Gewerbetreibende meist namhafte Vorteile hinsichtlich der Besteuerung, da die Zahl seiner Heimarbeiter nur ihm selbst bekannt ist.

Auch die Verbote der Arbeiterschutzgesetzgebung zwingen den Verleger nicht. Die Vorschriften über Maximalarbeitszeit, Sonntagsruhe, Beschränkung der Kinder- und Frauenarbeit läßt der Heimarbeiter, von rechtswegen oder tatsächlich, unbeachtet. Durch Verlängerung der Arbeitsdauer, durch Mitarbeit von Weib, Kind und Gesinde kann die Arbeitsleistung oft namhaft vermehrt werden. Dem Verlag ist daher unter Umständen eine hervorragende »Elastizität« im Umfang der Leistung eigen. Der Verleger kann so die Arbeitsmenge, die er dem einzelnen zuweist, leicht vermehren oder vermindern. Die Entlassung von Fabriksarbeitern kann moralischen wie wirtschaftlichen Schwierigkeiten begegnen, sofern man sie seit langem beschäftigt oder ihrer beim Wiederbeginn der Konjunktur neuerlich bedarf und ihr Verschwinden dann unangenehm empfände; Verlagsarbeiter hingegen stehen in einem loseren Verhältnis zum Verleger. Sie werden häufig zur gleichen Zeit von verschiedenen Verlegern beschäftigt und gelten daher dem einzelnen Unternehmer nicht gerade als seine Arbeiter, und die Wahrscheinlichkeit. daß sie sich während der arbeitslosen Zeit verziehen, ist sehr gering, hält sie doch auf dem Lande ihr kleiner Besitz, in der Stadt ihre absolute Bedürftigkeit fest. Durch diese dem Verlag eigentümliche Elastizität wird der einschneidende Charakter der Saison verschärft.

Die Vorteile der Verlegerei sind also für den Unternehmer sehr namhaft. Er ist eines großen Teiles der Lasten des geschlossenen Betriebes überhoben, kann sein Unternehmen ohne Risiko ausdehnen und ohneweiters wieder einschränken, und genießt anderseits, bei namhafterem Umfange seines Geschäftes, die Vorteile des großen Unternehmers beim Einkauf der Rohstoffe, sowie beim Vertrieb der fertigen Waren.

Wir sehen in Österreich häufig, wie die allgemeinen

Verhältnisse eines Gewerbes dazu drängen, diese Vorteile zu benützen, d. h. ausschließlich Verlag zu treiben oder diesen mit dem Werkstätten-, bezw. Fabriksbetrieb zu kombinieren, etwa im geschlossenen Betriebe nur jene Arbeiter zu beschäftigen, deren man jahraus jahrein bedarf. Sind jene Industrien, deren Erzeugnisse Gegenstand des beständigen Massenkonsums sind, bereits in ihrer Gänze oder doch nahezu ganz zum mechanischen Betrieb übergegangen (Woll- oder Baumwollweberei), so erhält sich die Hausindustrie noch in sehr weitem Maße in anderen Gebieten der Textilindustrie, wo die Absatzmöglichkeit der Waren noch wechselt oder wo die betreffenden Erzeugnisse überhaupt einen großen Absatz auf dem Weltmarkt noch nicht erlangt haben.

Ja, infolge dieser Vorteile kommt es sogar, wie wir schon erwähnt haben, vor, daß unter Umständen der Fabriksbetrieb aufgelassen und an seiner Stelle eine hausindustrielle Erzeugung neu begründet wird.

Im allgemeinen erhält sich der Verlag auch in Industrien eines gesicherten Massenabsatzes desto länger, je genügsamer die hausindustrielle Arbeiterschaft ist. Abgesehen hievon wird er umsomehr Verbreitung neben der Fabrik finden, je weniger Kapitalskraft, Unternehmungsgeist und Wagemut die Unternehmerklasse besitzt.[1]

Die Summe dieser Vorteile ist indes gleich dem Druck, den der geschlossene Betrieb von Seiten des Verlages erleidet. Die Maschine des Fabrikanten muß die Konkurrenz der mit ihr um die Wette arbeitenden Verlagsindustriellen überwinden, was infolge der höheren Regie des Maschinenbetriebes nicht immer leicht fällt. Beweis dessen die große Ausdehnung des Verlages in der Textilindustrie.

---

[1] Eine Eigentümlichkeit Österreichs dürfte die teilweise Entlohnung der Heimweber durch Garne bilden (Mähren). Wenn der Weber beim Spulen und Winden sorgsam vorgeht und beim Reißen der Kette stets den Faden anknüpft, anstatt neue Fäden einzulegen, kann er mit dem so erübrigten und den im Lohn erhaltenen Garn einzelne Stücke Gewebe für sich herstellen, welche er entweder verhausiert oder — wieder dem Verleger verkauft.

Noch eine Ermäßigung der Betriebskosten für den Verleger haben wir jedoch zu besprechen: sie besteht in den niedrigeren Lohnsätzen, mit denen sich Verlagsarbeiter in aller Regel begnügen.

Die Werkstattarbeiter befehden aus diesem Grund die Verlagsindustrie mit Erbitterung. Ihnen ist sie das Mittel, das sich Unternehmen bietet, um die Löhne zu drücken, die Organisation der Arbeiter zu erschweren, die gesetzlichen Vorschriften über Arbeiterschutz und Arbeiterversicherung zu umgehen und bei günstigem Geschäftsgang die Zahl der Arbeitleistenden leichten Mutes zu vermehren, wodurch bei schlechter Konjunktur die Zahl der Arbeitsuchenden, mithin der Lohndruck, empfindlich vergrößert wird.

Der Verlagsbetrieb gestattet dem Unternehmer zunächst, die wolfeilen Arbeiter auf dem Lande aufzusuchen, weithin zerstreute Hilfskräfte zu benutzen, welche sich dem Gewerbe nicht zuwenden würden, wenn sie stundenweit in eine Fabrik zu gehen hätten. Oft in noch halb bäuerlichen Verhältnissen befindlich, sind diese Produzenten sehr genügsam, und wenn sie sich einmal der gewerblichen Spezialisierung zugewendet, auch gegen Lohndruck nachgiebiger als eine räumlich vereinigte Arbeiterschaft. Ein Solidaritätsgefühl kann unter ihnen ebenso schwer aufkommen, wie unter den zerstreuten Sitzgesellen der Stadt. Während sich unter 30 Gehilfen der Werkstatt ein Korpsgeist bald herausbildet, ist das zwischen ebensovielen vereinzelten Arbeitskräften oder zwischen den vereinzelten Gruppen von vier bis fünf Personen nicht der Fall, selbst wenn sie alle für denselben Unternehmer arbeiten. Ohne Kenntnis der Konjunktur, jeder Widerstandskraft entbehrend, sind sie stets bereit, sich gegenseitig zu unterbieten.

Verwendung von Frauen und Kindern vermehrt das Angebot an Arbeit und verbilligt an sich die Löhne.

Dem Einfluß der organisierten Gehilfen sind die Hausindustriellen nur schwer zugänglich, besonders auf dem Lande. Das Ansehen des Arbeitgebers, die ganze geistige und sittliche Sphäre, in welcher der Gehilfe lebt, ist dort

eine andere. Die Achtung für den Meister erscheint vielfach noch als ein Gebot der Selbstachtung; die Entlassung
sozial unruhiger Elemente bewirkt überdies häufig ihre
Entfernung aus dem Ort. Dazu kommt in Österreich, daß
die Arbeiter der verlegten ländlichen Gewerbe, fern von
Industriezentren und unorganisiert, den städtischen Genossen
mitunter auch in der Sprache fremd sind. Die Agitation
züngelt erst allmählich, durch die Propaganda der Presse,
der Delegiertentage und einzelner Agitationsreisender der
Arbeiter, bis zu ihnen und greift viel langsamer und
schwerer durch als in der Stadt. Das Organisieren der
kleingewerblichen und der verlegten Arbeiter ist deshalb
schwieriger als hier. Und noch eine Erschwerung der
Organisation der Verlagsarbeiter macht sich allgemein
geltend: die prinzipiell verschiedene Betrachtung der Verhältnisse seitens der Werkstattarbeiter, welche bisher die
Organisatoren und Führer der Arbeiterschaft stellen, und
seitens der Verlagsarbeiter selbst. Die Werkstattarbeiter
sehen die Heimarbeit eben als Werkstattgehilfen an,
welchen durch die Außerhausarbeiter empfindliche Konkurrenz erwächst und finden daher nicht unbedingt die
Worte, welche Heimarbeiter packen können; die oberste
Leitung der Arbeiterpartei konnte daher in Österreich
jahrelang die Parole ausgeben, die Heimarbeit sei — zu
verbieten. Die Heimarbeiter wieder fühlen sich mit den
Werkstattarbeitern oft schon von vornherein nicht solidarisch.

Wol ist der Verlagsarbeiter, von Liefertagen abgesehen, stets daheim, bei Weib und Kind. Er braucht
auf dem Lande den oft langen Weg in die Fabrik nicht
täglich zurückzulegen, und kann seine Familie zur Arbeit
heranziehen. Ist sein Verdienst zu karg und geht das
Weib in die Fabrik oder ins Tagwerk, so überwacht er
von seiner Arbeit aus die Kinder, überträgt auf sie sein
technisches Können und verwendet den Erlös ihrer Arbeit
für die Familie. Allein, wenn der ländliche Arbeiter von
einem kleingewerblichen Meister beschäftigt wird, so
drückt die prekäre Lage dieses Verlegers sich in den
Verhältnissen des Sitzgesellen deutlich aus. Der Verleger

wirkt stets — aus Übermacht oder, wenn es ein selbst in schlechten Verhältnissen befindlicher Kleinmeister ist, aus Not — wie eine lebende Lohnschraube. Auch das Überwälzen des Transportes der Rohstoffe und der Erzeugnisse vom Verleger und zu ihm auf den Arbeiter begründet für diesen oft eine empfindliche Last. Schließlich wird der aus Erwerbssinn freiwillig verlängerte Arbeitstag zur normalen Einrichtung, ohne daß deshalb die Löhne eine auskömmliche Existenz gewährleisten, und die frühzeitig ausgebeuteten Kinder bleiben allzu oft an ein aussichtsloses Gewerbe gekettet.

Allein abgesehen davon, daß die Lage der Verlagsgesellen mit der Abhängigkeit des verlegenden Meisters sich verschlechtert, wird sie noch durch die nachteilige Lage seiner Arbeitsgenossen höchst ungünstig beeinflußt: bei steigender Konjunktur wird der Lohn infolge der risikolosen Ausdehnung des Betriebes seitens der Unternehmer niedrig gehalten, bei Krisen aber wirkt die Konkurrenz der vermehrten Schar von Hilfskräften intensiv, und die Löhne fallen dann bis zum Existenzminimum der Mindestbedürftigen unter den freigewordenen Kräften. Die stoßweise Überspannung der Produktion und die dann folgenden schweren Krisen — Folgen der leichten Ausdehnung des Betriebes — verhindern die Arbeiter, die Vorteile der günstigen Konjunktur auszubeuten, und vermehren anderseits für sie wie für die mit ihnen konkurrierenden Werkstattgehilfen in besonders empfindlicher Weise die Nachteile der sinkenden Nachfrage.

Die Sitzgesellen sind daher bis auf wenige Ausnahmen weit davon entfernt, vom Verleger einen Mietbeitrag oder einen höheren Lohn zu erhalten als Werkstattgehilfen, welcher sie für die Unsicherheit ihrer Lage entschädigen würde; vielmehr ist ihre Lebenshaltung in aller Regel viel ungünstiger als die von Werkstattgehilfen oder Fabriksarbeitern ihres Faches [1]). Ihre Schwäche und

---

[1]) Zur Bezeichnung der in der Hausindustrie und auch im Handwerke sich bildenden Ausbeutung durch geringe Löhne wurde der Ausdruck Sweatingssystem« erfunden. Er bedeutet »Ausbeutung«. Anfangs wurde

Abhängigkeit verleitet sodann zu Mißbräuchen. Das Truckwesen findet seine Zufluchtstätte in dieser Betriebsart[1]); die
willkürlichen, unter den nichtigsten Vorwänden erfolgenden
Abzüge an dem vereinbarten Lohne werden hier ungeahndet
vorgenommen. Unredlichkeit auf Seite der Arbeiter ist die
Folge dieser Verhältnisse.[2])

Mit Ingrimm spricht denn auch Karl Marx inbezug
auf die Heimarbeit von den »Arbeitslöchern«, worin
Weiber, Mädchen, Kinder in verdorbener Luft über-
angestrengt arbeiten, und bezüglich der ländlichen Hausindustrie Österreichs sagte ein liberaler Abgeordneter
schon im Jahre 1882 bei der Beratung der ersten Gewerbenovelle im Reichsrate: »Da ist der Pauperismus in ganz
anderem Maße wie beim Kleingewerbe, da finden Sie

---

allerdings selbst in England darüber gestritten, ob es zum wesentlichen
Begriffe des »Sweating« gehöre, daß ein Vermittler sich zwischen dem Organ
des Absatzes und jenem der Erzeugung einschalte, der vom Schweiße seiner
Opfer sich nährt, wie etwa die auf ihrem Netze lauernde Spinne vom Blute
ihrer Gefangenen. Man ist indes bald einig geworden, daß unter *sweating*
jede empörende Ausbeutung auf dem Gebiete der Verlagsindustrie und des
Handwerkes — um die entsprechenden deutschen lokalen Bezeichnungen
wiederzugeben: das »Aussaugen«, »Auspressen«, »Ausschinden« der Arbeitskraft — zu verstehen sei. So sagt auch der verlegte pariser Arbeiter: *nous
sommes sangsurés*, indem er diesen bildlichen Ausdruck vom Blutegel (sangsue)
herleitet = »wir werden ausgesaugt«. Desgleichen meint der Engländer, wenn
er sagt, diese oder jene Leute seien *sweated*, daß sie über die Maßen aus-
gebeutet werden. Ein Mittelsmann besonderer Art braucht der Ausbeuter
just nicht zu sein. Der Verleger kann diese Rolle selbst spielen.

[1]) Vgl. im »Bericht der k. k. Gewerbeinspektoren über die Heimarbeit
in Österreich«, Bd. I (Böhmen), S. 89, 112, 135, 171, 201, 241, 395.

[2]) In manchen Gegenden ist das unrechtliche Aneignen fremden Eigen-
tums schon geradezu als ein »zum Geschäft gehöriger« Mißbrauch anzusehen. So das »Matzen« der nordböhmischen Weber. Sie suchen durch einen
leichten Schlag am Stuhle, dadurch, daß sie den Stoff um ein weniges
schmäler machen usw. am Schußgarn zu sparen und verkaufen das Ersparte
an gewisse »Meister«, die daraus mit billigem Material neue Gewebe herstellen. Wird dem Weber infolgedessen vom Verleger das Garn vorgewogen, so
weiß er die Gewichtsdifferenz dadurch zu beheben, daß er das Zeug vorher
in den feuchten Keller legt oder durch eine besondere Schlichte hygro-
skopisch macht oder daß er es beschwert (»Schwerschlichte«). Ein großstädtisches
Gegenstück hiezu ist das bekannte »Schmuhmachen« der berliner und das
Austauschen von Zutaten seitens der londoner verlegten Konfektionsschneider.

achtzehnstündige Arbeit, die am Schlusse nichts liefert als Kartoffeln, da finden Sie Seuchen und Blutarmut bei der Bevölkerung ganzer Täler ausgebreitet.« Die heutigen Verhältnisse sind jedenfalls kulturwidrig. Ein Kenner der Hausindustrien Nordböhmens schreibt mir in den letzten Tagen folgende charakterisierende Worte: »Schon im Wiegenalter wird den Kindern oft Schnaps eingeflößt, damit sie schlafen und die Eltern nicht durch Schreien stören. Im frühesten Kindesalter werden sie durch Arbeit ihrer Jugend beraubt, oft gesundheitlich geschädigt, nur mit Brot, Kartoffeln, schlechtem Kaffee und Margarin ernährt. Dabei können sie in ihrer freien Zeit oft zucht- und zügellos in zweifelhafter Gesellschaft außer Hause tollen. Später verbringen sie einen immer größeren Teil ihres Lebens in höchst sanitätswidrigen Wohngelassen, worin aus ihnen geistig, seelisch und physisch verkrüppelte Individuen werden, die schon bei der Zeugung der nächsten Generation schädigend, degenerierend auf diese wirken.«[1])

In den letzten Jahrzehnten haben Schilderungen und offizielle Erhebungen hinreichenden Einblick in die Niede-

---

[1]) Aus dem Bericht der Gewerbeinspektoren mag (II. S. 103) die folgende Stelle über die Heimweberei in den mährischen Bezirken Schönberg, Römerstadt, Sternberg, Littau und Proßnitz angeführt werden: »Die unmittelbare Folge des Umstandes, daß der Weber im allgemeinen nur soviel zu verdienen vermag, als er zum Lebensunterhalte braucht, ist der Mangel jeglicher Reserve für ungewöhnliche Fälle. Bei Krankheiten, Verletzungen, Brandschaden und anderen Unglücksfällen, bei Vergrößerung der Familie, bei Mangel an Arbeit usw. erschöpft der Weber in kurzer Zeit den geringen Kredit, den er beim Kaufmann und Greisler beanspruchen kann, versetzt oder verkauft das Wenige, das einen Wert besitzt, manchmal sogar das zur Verarbeitung übernommene Material und kommt so immer tiefer ins Elend, bis er schließlich der Gemeinde zur Last fallen muß. Diese ungesunden Verhältnisse sind häufig die Ursache, daß der Heimarbeiter mit seiner Frau die Rolle tauscht und daß, während diese in die Fabriksarbeit geht, der Mann neben seiner Arbeit die Mittagskost zubereitet und die Kinder hütet; solche Fälle kommen namentlich häufig in Sternberg vor, wo viele Frauen in der Tabakfabrik arbeiten«. Einblick in das Arbeiterleben der Glaskleinindustrie Nordböhmens bieten die Skizzen Max Winter's: „Zwischen Iser und Neiße!« Wien 1900. — Was die Städte betrifft, finden sich über das Einkommen aus einer durch Not veranlaßten Prostitution in der Literatur hinreichende Nachweise. Vgl. meinen auf S. 45 zitierten Aufsatz.

rungen der Verlegerei gewährt. Die Enquête über die Frauenarbeit in Wien, die analoge offizielle newyorker Enquête,
Schilderungen aus dem pariser Kleingewerbe wie aus der
berliner Konfektion haben insbesondere das Elend der
gedrückten weiblichen Heimarbeiter grell beleuchtet. Die
Verhältnisse der städtischen wie ländlichen Verlagsindustrien führen von Zeit zu Zeit zu gerichtlichen Verfolgungen wegen kleiner Eigentumsdelikte hungernder
Heimarbeiter, welche vorübergehend öffentliche Aufmerksamkeit erregen. Erhebungen verschiedener Art haben
über die Verhältnisse der Verlagsarbeit in entlegenen
Tälern und in den Dörfern Mitteilung gebracht. Auch
haben die organisierten Kleinmeister in Österreich auf die
obwaltenden Verhältnisse agitatorisch hingewiesen; desgleichen tun dies die organisierten Arbeiter mit Nachdruck.

Die Übelstände sind überall dieselben und beruhen
auf unzureichenden, ja mitunter empörend geringfügigen
Löhnen, auf übermäßiger, die Kräfte verzehrender Arbeitsdauer, bei gesundheitswidriger Frauen- und vorzeitiger
Kinderarbeit, wovon erschütternde Beispiele zu beob-
achten sind, auf ungesunden Arbeitsstätten und auf Ausbeutung aller Art durch den Unternehmer und seine
Organe. Geben die Heimarbeiter oft dem Lohndrucke nach,
weil sie keine Mittel außer dem Ertrage ihrer Arbeit besitzen, so unterbieten sie einander anderwärts, eben weil
sie einen solchen Rückhalt, z. B. auf dem Lande an einem
kleinen Grundstück oder, was die heimarbeitenden Frauen
der Städte betrifft, am Lohne des Mannes oder an ander-
weitigem Einkommen haben.

Da aber die kleingewerblichen und verlegten Meister,
sowie die Heimarbeiter unorganisiert sind und die Verleger
Organisationsbestrebungen nicht zuneigen, ist die Erlangung einer wirtschaftlichen Verfassung der verlegten Gewerbe erschwert. Die Verhältnisse heischen indes Schutz
für die Verlegten. Diesen wird der Staat dekretieren und
im Gegensatz zu manchen Interessenten durchsetzen
müssen. Die öffentliche Meinung, das konsumierende Publikum, bildet bereits ein Agens, das impulsiv auf die Gesetz-

gebung einwirkt, wennauch in Europa noch in geringem
Maße, so doch anderwärts sehr erheblich. Diese Einwirkung
der Öffentlichkeit kann aus demokratischer Gesinnung erfolgen, wie in Australien, oder aus sanitärer Besorgnis,
wie in Nordamerika.

Wirtschaftlich bekundet der Einzelne gewiß nicht
immer ein erleuchtetes Selbstinteresse, wenn er die
wolfeilen Produkte der Heimarbeit anstatt besserer kauft,
und fährt nicht immer gut, wenn die Qualität der Erzeugnisse infolge des Preisdruckes sich stetig verschlechtert.

Volkswirtschaftlich wirken die Verlagsbetriebe in
mannigfacher Hinsicht nachteilig. Ihre technische Rück-
ständigkeit, welche zugleich die Möglichkeit zu einer Verschlechterung der Produkte und zur Lohndrückerei bietet,
mithin die Grundlage für das Aufkommen niedrig quali-
fizierter Unternehmer abgibt, ist kein nationaler Vorteil.
Die risikolose Konkurrenz der Verleger verschlechtert beständig die Qualität der Erzeugnisse, indem sie Können
und Lebenshaltung der Arbeiterschaft untergräbt, und begründet einen volkswirtschaftlichen Raubbau. Die Produktion der Heimarbeit ist nicht ökonomisch im höheren Sinn:
ihr Wettbewerb beruht nicht auf größerer Leistungsfähigkeit,
sondern auf Anspruchslosigkeit und Genügsamkeit der Verbraucher wie der Erzeuger. Die Überleitung der Produktion
zu konkurrenzfähigen höheren Formen des Betriebes wäre
daher eine Aufgabe, über welche die Verwaltung nach-
zusinnen alle Ursache hätte.

Inbezug auf die Konsumenten und die Arbeiter nahmen
einzelne Staaten, welche sich der Regelung der Verlagsarbeit bisher zugewandt haben, zumeist sanitätspolizeiliche Gesichtspunkte ein. Der Verbraucher ist gefährdet,
wenn er, seine Familie, der Kreis seines Verkehres,
Kleidungsstücke tragen, die aus einer Schwitzbude stammen,
worin, wie dies so häufig sich ereignet, ansteckende Krankheiten wüten. Aber auch die Heimarbeiter, welche Aus-
fertigungsarbeiten an verseuchten Gegenständen vornehmen,
werden (in Australien) sanitärem Schutz unterstellt.

Die Gewerbepolitik im besonderen kann sich die
Aufgabe stellen, zum Schutze der durch Verleger kon-
kurrenzierten Unternehmer oder zum Schutze der von
den Verlegern Beschäftigten Maßnahmen zu treffen.
Der erstere Gesichtspunkt des Meisterschutzes ist Österreich eigen. Diesem zunftpolitischen Gesichtspunkt gegenüber gewinnt aber mit dem Anwachsen der Zahl der verlegten Erzeuger wie Arbeiter der sozialpolitische
Standpunkt, von dem aus deren Schutz in den Vordergrund
rückt, zunehmende Bedeutung. Dabei wird aber mehr die
großstädtische Verlagsarbeit, das sogenannte Schwitz-
system oder Sitzgesellenwesen, weniger die ländlich-loka-
lisierte Verlagsindustrie beachtet.

Was indes Erzeuger, Arbeiter und das Publikum berührt, berührt das öffentliche Wohl und dessen äußerlichen
Vertreter, die Staatsgewalt. Ihre Intervention wird aus
sozialpolitischen Gründen mit besonderem Nachdruck gefordert, damit nicht Söhne und Töchter des Volkes in ihrem
Wohn-, Koch- und Waschraume gewerbliche Arbeiten leisten, im staub-, dunst- und gestankerfüllten Raume nach ge-
taner Arbeit die Nacht verbringen, in übermäßiger, schlecht
entlohnter Tätigkeit, bei unsicherem Erwerb verkommen,
nicht ihr jugendlicher Nachwuchs, anstatt Freiheit zu ge-
nießen oder Unterricht zu erhalten, vorzeitig zu gewerblicher Mühsal herangezogen werde, seine Jugend ohne
heitere Lust verbringe, heranwachse, ohne die Jugend zu
kennen. Ein erheblicher Teil der gewerblichen Lohnarbeiter entbehrt in den industriell fortgeschrittensten
Staaten, obwohl sie unter den ungünstigsten Verhältnissen
ihrem Erwerbe obliegen, des Schutzes, den die Werkstattarbeit genießt und dessen jeder Staat sich gern berühmt.
Diese Verhältnisse müßten den Staat namentlich in Österreich aufrütteln, dessen Wirtschaftskörper wie der keines
anderen Landes hausindustriell durchsetzt — man kann
angesichts der Tatsachen leider fast sagen »hausindustriell
durchseucht« — ist und dessen offizielle Erhebung über die
einschlägigen Verhältnisse vielleicht gar noch zu ihrer
Festlegung führen kann, da sie findigen Unternehmern

mühelos den Weg in die Gegenden mit wolfeiler Menschen-
kraft weist, in Gegenden also, wo sich mit Profit — noch
neue Hausindustrien einbürgern ließen! Hier muß den
Staat als politischen Körper die Rücksicht auf die in vielen
Gebieten zu beobachtende körperliche, wirtschaftliche und
moralische Zerrüttung der Verlagsarbeiter von dem Grundsatz des *quieta non movere* abbringen, trotzdem jene, die
der Fürsorge bedürfen, ruhig sind.

Die meist kulturwidrigen, oft beschämend jammervollen,
mitunter ganz menschenunwürdigen Bedingungen und Verhältnisse, unter denen ihre Arbeit vor sich geht, erfordern
gebieterisch Berücksichtigung durch die Gesetzgebung,
durch die Verwaltung und durch die Gesellschaft, welche,
zumal was die Gesetzgebung betrifft, in Europa diesen
Mißständen bisher im allgemeinen unfähig und untätig
gegenüberstanden. Und doch befindet sich der Staat
gegenüber der Heimarbeit durchaus nicht an der Grenze
seiner Macht. Mit etwas mehr Sachkenntnis und Interesse
in bürgerlichen Kreisen wären ihre Fragen auch in Europa
der Lösung weit näher gerückt, als sie es derzeit leider sind.

Um den Ansprüchen der Konsumenten wie der Arbeiter zu entsprechen, hat die heutige Gesetzgebung,
namentlich in Australien und in Nordamerika, zur Regelung der Verlagsarbeit eine Anzahl von Mitteln angewandt.
Diese werden noch wesentlich zu vervollkommnen und in
ihrer Zahl zu vermehren sein. Die bisherigen Ansätze
weisen aber bereits den gangbaren Weg. Noch Raum
bietend neuen und ergänzenden Gedanken, bilden sie
bereits, wenn wir sie logisch anordnen, von selbst eine
Folge von Vorschlägen. Man muß aber beachten, daß
die Verhältnisse nicht bloß von Gewerbe zu Gewerbe,
sondern oft im nämlichen Gewerbe von Stadt zu Land
verschieden sind, und daß man daher ohne Anschauung
der Dinge am allerwenigsten in diesem Gebiete brauch-
bare und wirksame Gesetze machen kann.

Oft handelt es sich ferner darum, die ökonomische Lage des betreffenden Gewerbes zu prüfen und

‚solche Mittel zur Hebung der verlegten Erzeuger und Hilfskräfte zu finden, welche die Lebensfähigkeit des Gewerbes nicht beeinträchtigen, sondern, im Gegenteil, sie womöglich noch erhöhen. Solche Maßnahmen kann eine lebens- und interessevolle Verwaltung, freilich nicht durch bloßes Grübeln und Debattieren am grünen Tisch, im einzelnen Falle wol ersinnen.

Im allgemeinen ist daher zu sagen, daß die Lage der Verlagsarbeiter gebessert werden kann:

durch Mittel, welche in allgemeine Vorschriften festgelegt werden können und entweder die Gesamtheit der Verlagsindustrien oder einzelne Gewerbe treffen — Mittel der Gesetzgebung, denen sich solche der Selbsthilfe organisch anschließen,

dann durch besondere, den einzelnen Fällen angepaßte Maßnahmen der Verwaltung,

endlich durch Werke der sozialen Hilfe im weitesten Sinne (mit Einschluß der Armenpflege und Woltätigkeit), welche wieder der Gesamtheit der Verlagsindustrien zugute kommen.

Maßregeln, die sich in allgemeine Vorschriften fassen lassen, sind heute zum Teil bereits in der Spezialgesetzgebung einzelner Länder vorgesehen. Sie bieten vor ihrer Anwendung Anlaß, zu erwägen, ob sie für alle oder inwieweit sie nur für besondere Verlagsgewerbe zweckdienlich erscheinen. Tatsächlich ergreift diese gesetzliche Regelung in den verschiedenen Staaten nicht alle Verlagsgewerbe oder doch nicht alle im gleichen Maße. Die Forderung einer gesetzlichen Vorsorge erwuchs aus konkreten Mißständen, und nach diesen haben sich die Gesetzgeber gerichtet. Doch auch wenn man die Regelung der Heimarbeit aus allgemeinen Prinzipien fordert, ist es angezeigt, zu prüfen, ob die ersonnenen Mittel auf alle verlegten Gewerbe gleichmäßig anzuwenden seien.

DIE MITTEL

ZUR

REGELUNG DER VERLAGSARBEIT.

I. Registrierung der Verlagsarbeiter.

Vor allem ist ein im Wesen vorbereitender Schritt der Gesetzgebung anzuführen. Um die Verlagsindustrie überhaupt regeln zu können, empfiehlt es sich, ihre Träger, die Heimarbeiter und Verleger, in Evidenz zu halten. Diese Verbuchung ist wegen der an sie anzuschließenden weiteren Maßnahmen wichtig, für sich allein jedoch unerheblich.

Schreitet man dazu, so ist zunächst darüber ein Entschluß zu fassen, ob alle Gewerbe der Regelung unterliegen sollen oder nur einige. Die Beantwortung dieser Frage wird sich nach den vorhandenen Mißständen und dem Umfang der Heimarbeit richten, also nach der Notwendigkeit einer Regelung und der Schwierigkeit, welche sich für diese aus dem großen Kreis von Personen ergibt, auf welche sie sich erstrecken müßte. Bisher haben bloß australische Kolonien die Heimarbeit in allen Gewerben registerpflichtig gemacht.

Eine zweite Frage ist, ob in dem besonderen registerpflichtigen Gewerbe alle Verleger und Verlagsarbeiter zu fassen seien? England hatte zuerst bloß gewerbliche Verleger, später auch kaufmännische registerpflichtig gemacht, stets jedoch bloß in bestimmten Gewerben. Was die Verlegten betrifft, kann man alle Verlagsarbeiter — ob sie Werkstattmeister, Liefermeister, vereinzelte oder in Gruppen vereinigte Heimarbeiter sind — eintragen lassen, oder etwa Werkstattmeister, die einen Gewerbeschein als Unternehmer besitzen, oder aber Betriebe, welche lediglich Mitglieder der nämlichen Familie beschäftigen, von der Eintragung ausnehmen. Eine solche Ausnahme wird

davon abhängen, ob die an die Verbuchung sich anschließende weitere Regelung der Verlagsarbeit, also die
eine Regelung bedingenden Umstände bei diesen Kategorien etwa außer Betracht bleiben. Tritt eine solche (im
allgemeinen nicht gerechtfertigte) Ausnahme nicht ein,
wird jeder, der Leute außer Haus mit gewerblicher Arbeit
beschäftigt, um ihre Erzeugnisse weiter zu verarbeiten oder
zu veräußern, sei es, daß er ihnen einen Lohn bezahlt oder
daß er ihnen den Ankauf ihrer Erzeugnisse in Aussicht
stellt, diese Personen sämtlich anzugeben haben. Die
von ihm beschäftigten Verlagsarbeiter, welche ihrerseits
weitere Außerhausarbeiter verwenden, müssen zur Bekannt-
gabe dieser verhalten werden.

Was die Eintragung selbst betrifft, wurden bisher
zwei Systeme angewendet: das private und das behördliche. Die private Listenführung obliegt den Verlegern.

Private Listenführung. A. *Auf einzelne Gewerbe oder
bestimmte Betriebe beschränkt.* Die Staaten New York [1]),
Maryland [2]), Pennsylvania [3]), Ohio [4]), Michigan [5]), Wisconsin [6]),
Illinois [7]) und Missouri [8]), die Provinz Ontario in Kanada [9]),
ferner die Kolonien Neuseeland [10]) und Victoria [11]) verpflichten die Verleger in einzelnen Gewerben oder die
werkstattbesitzenden Verleger schlechthin, Listen ihrer
Außerhausarbeiter zu führen. Sie haben deren Namen und
Adressen vorzumerken und die Liste (New York, Maryland, Pennsylvania, Illinois, Ohio, Neuseeland) auf Wunsch
dem Gewerbeinspektor oder (Illinois) auch den Sanitäts-

---

[1]) § 101 des Gesetzes vom 1. April 1899 — Vgl. den Anhang II
dieser Schrift.
[2]) § 1 des Gesetzes vom 27. März 1902.
[3]) 6 1 des Gesetzes vom 11. Mai 1901.
[4]) § 4 des Gesetzes vom 27. April 1896.
[5]) § 17 des Gesetzes vom 13. Mai 1901.
[6]) § 4 des Gesetzes, Z. 239, aus 1901.
[7]) § 7 des Gesetzes vom 17. Juni 1893
[8]) § 10.096 des Gesetzes vom 2. Juni 1899.
[9]) § 20 a des Gesetzes vom 30. April 1900.
[10]) § 28 des Gesetzes vom 8. November 1901.
[11]) § 13 des Gesetzes vom 28. Juli 1896.

beamten vorzuweisen, oder sogar (Maryland, Pennsylvania, Wisconsin, Missouri, Neuseeland, Victoria) auf behördlichen Wunsch deren Abschrift einzusenden. In Kanada ist die Liste im Betrieb des Verlegers auszuhängen.

B. Allgemein angeordnet. Südaustralien[1]), Neu-Südwales[2]) und Queensland[3]) führen die private Registrierung in allen Gewerben durch: jeder Verleger hat die Liste zu führen. Sie unterliegt ebenfalls der Einsicht des Fabriksinspektors und hat nicht bloß Namen und Adressen der verlegten Personen, sondern — eine Bestimmung, die auch bezüglich der Listen in Neuseeland gilt — sowol eine Beschreibung und Mengenbezeichnung der den Leuten zugewiesenen Arbeit zu enthalten, als auch das Entgelt anzugeben, das ihnen dafür gebührt. Auch in diesen Gebieten besteht die Verpflichtung des Unternehmers, auf Verlangen des Gewerbeinspektorates Abschriften dieser Listen einzusenden.

Behördliche Register. *A. Auf Grund von Angaben der Unternehmer.* England stellt[4]) für bestimmte, vom Staatssekretär zu bezeichnende Gewerbe, und zwar für Werkstätteninhaber sowie für deren Liefermeister die Verpflichtung auf, alljährlich bis zum 1. Februar oder 1. August oder an diesen beiden Tagen selbst, dem für die Verleger zuständigen Bezirksamt (Distriktsrat) eine Abschrift der Namen und Adressen ihrer Außerhausarbeiter einzusenden. Solche Gewerbe sind derzeit: die Herstellung, das Reinigen, Waschen, Abändern, Aufputzen, Ausfertigen oder Ausbessern von Bekleidungsgegenständen, die Erzeugung, Ausfertigung, Verzierung oder Ausbesserung von Spitzen, Vorhängen und Netzen, die Kunst- und Möbeltischlerei sowie die Tapeziererei, die Versilberung, die Feilenhauerei und das Enthaaren von Tierhäuten.

B. Auf Grund von Selbstmeldungen der Heimarbeiter. Die Kolonien Südaustralien und Victoria haben außer der pri-

---

[1]) § 11 des Gesetzes vom 5. Dezember 1900.
[2]) § 14 des Gesetzes vom 16. November 1896.
[3]) § 14 des Gesetzes vom 21. Dezember 1896.
[4]) Factory and Workshop Act 1901, § 107.

vaten Listenführung, welche für alle Gewerbe angeordnet wurde, auch noch die behördliche Katastrierung auf Grund von Selbstmeldungen der Heimarbeiter durchgeführt, und zwar Südaustralien für alle [1]), Victoria hingegen [2]) nur für die Bekleidungsgewerbe. Zu diesem Zwecke haben die Heimarbeiter selbst ihre Namen und Adressen sowie vorkommende Adreßänderungen der Fabriksinspektion persönlich oder schriftlich bekanntzugeben, ohne Rücksicht darauf, ob der Verleger einen Werkstattbetrieb führt oder nicht.

Gleichzeitig bieten England, Südaustralien und Victoria das Beispiel einer Vereinigung beider Systeme, der behördlichen Register und der privaten Listenführung.

Die Vorschrift, Verzeichnisse im Verlagskontor zu führen, kann keine Schwierigkeiten verursachen. Wol die meisten, jedenfalls alle mittleren und größeren Verleger führen ohnehin bereits solche Verzeichnisse in der einen oder anderen Form für den privaten Gebrauch. Deren behördliche Vorlage würde ihnen keine besondere Belastung verursachen.

England hatte bis zum Jahre 1895 [3]) die private Listenführung der Verleger bestimmter Gewerbe vorgeschrieben. Die Ursache des Überganges zur behördlichen Katastrierung der Heimarbeiter ist weder dem Entwurfe zum 1896er Gesetz, noch den Parlamentsberichten zu entnehmen. Erwähnt wird bloß, daß die Registrierung hiedurch wirksamer sein werde [4]), eine Voraussetzung, die sich als irrig erwiesen hat. [5])

Zweifellos käme den privaten Registern in jedem einzelnen Augenblick, sowol in Hinsicht der Adressen als der sonstigen Angaben, weit eher das Attribut der Richtigkeit zu, als dem behördlichen Verzeichnisse. Das behördliche Register, das (in England zweimal im Jahre) zur Zeit der Saisonarbeit erneuert wird, genügt gleichwol

---

[1]) § 12.   [2]) § 14.
[3]) Factory and Workshop Act 1891, § 27.
[4]) The Parliamentary Debates, 1895, Bd. XXXII, Sp. 1409.
[5]) Annual Report of the Chief Inspector of Factories and Workshops for the year 1900; London 1901, S. 17.

in städtischen Bezirken für allfällige Inspektionsdienste. Zu seinen Gunsten spricht, daß manche Verleger vor einem systematischen Verleugnen von Außerhausarbeitern in schriftlichen Eingaben vielleicht eher zurückschrecken, als vor der Vorweisung unvollständiger Listen im Falle ein Inspektor den Betrieb besucht, ferner, daß die Zusammenstellung der Heimarbeiter nach ihrer örtlichen Verteilung für Inspektionsgänge aus den bei der Behörde gesammelten Listen viel leichter erfolgen kann, als aus den von Fall zu Fall beim Verleger ermittelten Adressen. Das »behördliche Register« brauchte vielleicht aus nichts weiter zu bestehen, als aus den geordneten Verzeichnissen der Verleger. Deren periodische Einsendung an die Gewerbebehörde würde aber auch jedwede anders geartete Zusammenstellung des behördlichen Katasters leicht ermöglichen.

Die Vorlage der Listen an die Behörde ließe sich in bestimmten städtischen Gewerben allenfalls durch die Vorschrift der Selbstmeldung der Heimarbeiter ergänzen. In diesem Falle wäre beiden Teilen, Verlegern und Heimarbeitern, vorzuschreiben, daß sie zu bestimmten Terminen dem Gewerbeinspektor des Bezirkes die betreffenden — bezw. die eigenen — Namen und Adressen bekanntgeben. Solche Anmeldungen könnten (wie in Victoria und Südaustralien) postfrei befördert werden, wenn der Umschlag einen bezüglichen Vermerk trägt.

Man könnte auch den Arbeitern ein Zertifikat über die Anmeldung, bezw. Eintragung übermitteln. Dann ließe sich eine Kontrolle über die Registrierung gewinnen, indem die Hauseigentümer und Hausverwalter verpflichtet würden, von jedem Mieter, welcher einen gewerblichen Betrieb zu eröffnen beabsichtigt, entweder die Vorlage eines Gewerbescheines als Unternehmer oder einer derartigen Heimarbeitsbescheinigung zu verlangen.

In England hat man noch weitergehende Bestimmungen vorgeschlagen. So hat Ch. Booth[1]) in London empfohlen, das Registrierungszertifikat in drei Exemplaren auszu-

---

[1]) Minutes of Evidence taken before the Royal Commission of Labour (sitting as a whole), 1893; question 5430.

stellen und je eines dem Hausbesitzer, dem Verlagsarbeiter
und dem Gewerbeinspektorat zuzumitteln. Der Verlagsarbeiter hätte sein Exemplar im Arbeitsraum, im Ange-
sichte seiner Hilfskräfte, an auffälliger Stelle anzubringen.
Dadurch würden der Hausbesitzer sowie die Arbeiter des
verlegten Meisters oder Gehilfen zu Organen der Kontrolle
darüber, ob die Registrierung erfolgt ist.

Eine weitere Kontrolle läge in der Öffentlichkeit
des Registers. Bestände diese, so könnte jedermann im
Orte an der Aufsicht darüber teilnehmen, ob bestimmte
Arbeitskräfte tatsächlich vermerkt sind.

Diese Kontrolle würde noch verschärft werden, wollte
man den Vorschlag befolgen, die registrierten Arbeitsstellen mit einem ihre Eintragung bestätigenden Abzeichen
der Behörde zu versehen.[1]) Dann würde eine weitgreifende
Mithilfe der Bevölkerung eintreten und die Kontrolle
darüber erheblich erleichtern, ob die Arbeitsstätten tatsächlich registriert sind, sowie in der Bevölkerung das
Interesse für diese Eintragung der Arbeitsstätten sozusagen mechanisch geweckt werden. Freilich darf die Bedeutung dieses Schildchens nicht überschätzt werden. Die
Heimarbeiter bilden ein fluktuierendes Element der Bevölkerung, und es ist leicht denkbar, daß der Heimarbeiter
das Schildchen beim Ausziehen stecken läßt und es sein
Nachmann benutzt, oder daß er es mit sich nimmt und
anderwärts anbringt, ohne dort neu registriert zu sein.
Der Hausherr aber wäre versucht, in beiden Fällen ein
Auge zuzudrücken, um seinen Mietern Ungelegenheiten
zu ersparen. Das Schildchen hätte also als Beweis erfolgter
Eintragung der Arbeitsstelle keinen unbedingten Wert.
Seine Bedeutung wäre größer als Kennzeichen dessen,
daß im Hause sich ein verlegter Betrieb befindet, d. h. als
Mittel, die Aufmerksamkeit der Gewerbeinspektoren an-
zuziehen. Dann wäre es gleichgiltig, ob das Schildchen
vom (nicht registrierten) Nachmanne benutzt wird oder ob

---

[1]) Vgl. Miers in der Sweating-Enquête (First Report from the Select
Committee of the House of Lords on Sweating System, 1888, Minutes of
Evidence) qu. 4270/1; Booth in der Labour Commission, a. a. O., qu. 5460.

der Heimarbeiter es an einer nicht registrierten Wohnung befestigt; es diente eben nicht mehr der Kontrolle über die bloße Eintragung; es setzte aber dann die Ausdehnung der Inspektion auf alle Heimbetriebe voraus. Man könnte den Hausbesitzer auch verhalten, jede Änderung rücksichtlich seiner hausindustriellen Mieter binnen drei Tagen beim Haupteingang des Hauses auffällig zu machen.

Die private und behördliche Registrierung, die Öffentlichkeit der Register und namentlich die behördlichen Abzeichen auf dem Hause oder am Eingange der Werkstelle wären sehr wichtig, wenn der Arbeiterschutz auf die Heimarbeit ausgedehnt würde. Sie wären ohne eine solche Maßregel nur insoweit von unmittelbarer Bedeutung, als sie der freien Organisation der Heimarbeiter einigen Vorschub leisten würden.

Der Zweck der Katastrierung der Zwischenmeistereien und Heimbetriebe ist, in Erfahrung zu bringen, an welchen Orten außerhalb der bereits bekannten Werkstätten gewerbliche Arbeit verrichtet wird, im besonderen, in welchen Arbeitsstätten die Verleger Leute beschäftigen. Diese Kenntnis ermöglicht es, gegebenenfalls die Beschaffenheit jener Örtlichkeiten zu erheben und die Durchführung der für sie etwa geschaffenen Vorschriften zu kontrollieren.

Freilich böte die Führung behördlicher Register bei den örtlichen wie beruflichen Fluktuationen, denen die Heimarbeiter zuneigen, in Österreich, das eine Hypertrophie von Hausindustrien hat, besondere Schwierigkeiten. Findet der nordböhmische Weber im März eine passende Maurerarbeit, so gibt er die Weberei auf. Verliert er die Arbeit nach einigen Wochen, so kehrt er zur Hausindustrie zurück, findet er aber eine dauernde andere Beschäftigung, so kann es sein, daß er monate- oder jahrelang bei dieser bleibt. Bei solchen Fluktuationen amtliche Nachweise zu führen und darin etliche tausend Heimarbeiter in Evidenz zu halten, wäre für die Behörden, wie für die Verleger, welche die Leute fort an- und abmelden müßten, mitunter eine nicht unwesentliche Last.

Zu deren Verringerung böten sich zwei Mittel. Einmal könnte man auf dem Lande die Führung der Heimarbeiterlisten den Gemeinden übertragen, wodurch die amtliche Arbeit mehr verteilt würde, als wenn man sie einer staatlichen Behörde überließe. Dabei könnte zugleich der Verleger auf Kosten der Hausbesitzer entlastet werden, indem man diese zur Anmeldung der verlegten Betriebe bei der Gemeinde veranlassen würde. Ein anderer Weg wäre, die Verleger amtlich zu registrieren und diese dazu zu verhalten, ihre Leute zu verzeichnen. Ihre (privaten) Verzeichnisse müßten dann im Ablieferungsraum öffentlich ausgehängt sein und stets auf dem Laufenden gehalten werden.

Allein die behördliche Registrierung würde bei uns noch andere Schwierigkeiten begründen. Zunächst blieben wol sehr viele Verleger unbekannt — vor allem alle die zahlreichen Kleinhändler, welche Näherinnen, Schuhmachergehilfen usw. beschäftigen und sich kaum zur Anmeldung als Verleger entschließen würden. Anderseits hätte die Registrierung auch rücksichtlich der Verlegten oft Nebenwirkungen, welche sich aus unserer Gewerbegesetzgebung ergäben, die für die Betroffenen keineswegs als sozialpolitische, sondern als polizeiliche und fiskalische Maßregeln fühlbar würden — so die Heranziehung der sehr zahlreichen, von gewerblicher Arbeit lebenden Personen, denen es bisher gelungen ist, ihre Existenz neben der Gewerbeordnung zu führen. Alle diese würden offenbar zur Gewerbeanmeldung, zum Nachweis der gewerberechtlichen Befähigung, zum Beitritt zur Gewerbegenossenschaft und zur Leistung der jährlichen Umlage für deren Zwecke, eventuell auch zur Erwerbsteuerleistung verhalten werden.

Hieraus ergibt sich, daß die Registerpflicht bei der Bevölkerung Mißtrauen und Widerstreben wecken würde. Diese Abneigung auf Seite der Verleger wie der Verlegten würde die entsprechende Durchführung der Registrierung verhindern, zumal eine wirksame Überwachung der Beteiligten praktisch unmöglich ist. Im allgemeinen scheint

eine so massenhaft und dabei zugleich zersplittert auf-
tretende Erscheinung, wie die Verlagsarbeit in Österreich,
an sich einer fortlaufenden Registrierung, namentlich bei
der sonstigen Art und Auffassung unserer Bevölkerung, nicht
zugänglich zu sein.

Sie wäre daher nur mit örtlichen und gewerblichen
Beschränkungen und bei einer einfachen Methode möglich,
welche psychische Antriebe, die den Vorschriften ent-
gegenwirken, vermeidet. Eine solche bestände darin, die
Hauseigentümer zu veranlassen, beim Hausbesorger zur
Einsicht für die öffentlichen Organe ein Verzeichnis aller
Wohnungen und sonstigen Lokale und ihrer Inhaber auf-
legen zu lassen, mit einer Bezeichnung jener, in welchen
gewerbliche Arbeit verrichtet wird. Überdies könnte ihre
oder der Wohnungsinhaber Verpflichtung ausgesprochen
werden, derartige Lokale mit einem Abzeichen zu versehen. Diese Vorschrift könnte bei uns einfach an die
bestehende Verpflichtung, gewerbliche Betriebsstätten entsprechend zu bezeichnen (§ 44 G.-O.), anknüpfen.

Die Vorschrift solcher (privater) Registrierung beim
Hauseigentümer einerseits, anderseits die Verpflichtung des Verlegers, seine Leute zu verzeichnen, wäre
dasjenige, was in Österreich erwogen werden könnte.

Ein Vorgang, bei dem sogar zum Teil psychische
Antriebe zu Gunsten der Vorschriften geschaffen würden,
wäre aber die Verbindung der Registrierung mit der obligatorischen Krankenversicherung für Verlagsarbeiter. In
diesem Falle hätten die Verleger ohnehin ihre Verlagsarbeiter der versichernden Kasse bekanntzugeben und die
besondere Anmeldung für den behördlichen Kataster könnte
dann unterbleiben. Man könnte dann erwarten, daß die
Krankenkassen, autonome Interessentenvereinigungen, das
Bestreben zeigen würden, Lücken in den Anmeldungen
auszufüllen. Sie könnten ermächtigt werden, die vorhin
erwähnten Listen der Verleger und der Hauseigentümer zu benützen . . . Auch könnte die Selbstmeldung
der Versicherten bei der Krankenkasse zur Kontrolle vorgeschrieben werden.

II. Ausdehnung der Zwangsversicherung auf die Verlagsarbeit.

Die Ausdehnung der Arbeiterversicherung auf die Verlagsindustrie und ihre Einführung unter Bedachtnahme auf diese, wo sie nicht besteht, wäre eine große Woltat. Sie entspräche auch dem Prinzip der Arbeiterversicherung welche bisher mit Unrecht mehr oder minder zahlreiche Kategorien von` Verlagsarbeitern von ihrer Wirksamkeit ausschloß. Bildet diese Institution, wie Bödiker sagt, einen integrierenden Bestandteil des Kulturfortschrittes der Menschheit, so sprechen alle Gründe dafür, diesen Fortschritt auf die unteren Schichten der Arbeiterklasse auszudehnen, nicht aber gerade diese von jener Fürsorge auszunehmen. Und ist das Bedürfnis nach Versicherung der Arbeiter, wie er sagt,[1] »ein zu großes, die Arbeitsstellung des einzelnen zu sehr wechselnd und die wirtschaftliche Lage manches Arbeitgebers — von dem guten Willen gar nicht zu reden — zu unsicher, als daß mit privater individualistischer Willens- und Tatkraft ein ganzer Erfolg erzielt werden könnte«, so treffen diese Argumente in besonderem Maße bei Verlagsarbeitern zu!

Für die Unfallversicherung der Heimarbeiter ist bereits Dr. Ziegler[2] warm eingetreten. Er hob hervor, daß die Arbeit der Nagelschmiede, Feilenhauer, Messer- und Scherenschläger, sodann der Korkschneider, Holzschnitzer, Näherinnen usw. mehr oder weniger Betriebsunfälle mit sich führt. In augenfälliger Unfallsgefahr schweben die Tafel- und Griffelmacher im Meininger Oberlande, welche die planlos betriebene Brucharbeit auf den Schieferbrüchen verrichten, die Glasarbeiter in Lauscha, sofern sie am Schmelzofen hantieren, die Metall- und Achatschleifer, welche dem Zerspringen der Schleifsteine ausgesetzt sind. Gefahrvermindernde Vorrichtungen bei Werkzeugmaschinen fehlen; schlechte, unebene Fußböden, unbe-

---

[1] Die Arbeiterversicherung in den europäischen Staaten, Leipzig 1895.
[2] Die sozialpolitischen Aufgaben auf dem Gebiete der Hausindustrie Berlin 1890.

queme, unsichere Treppen, mangelhafte Beleuchtung, schlechte Ventilation, räumlich unzulängliche Arbeitsstätten vermehren die Unfallsanlässe.

Man wird daher sagen können, daß die Ausdehnung der Zwangs-Unfallversicherung, wennauch nicht auf die gesamte Verlagsindustrie, so doch auf einzelne Zweige dieser ebenso berechtigt sei, wie ihre Ausdehnung auf gewisse Handwerksbetriebe.[1])

Was die Invaliditäts- und Altersversicherung betrifft, wurde in Deutschland schon bei deren Einführung allgemein betont, daß sie für die Hausindustriellen von besonderem Werte wäre. Die Verschiedenartigkeit der Verhältnisse hat jedoch hier zu einem gesonderten Vorgehen nach den einzelnen Gewerben geführt. Bisher wurde diese Versicherung auch auf die Tabak- und auf die Textilindustrie ausgedehnt.[2]) Es ist zu hoffen, daß diese Anordnungen, nachdem sich ergeben haben wird, wie sie in der Praxis wirken, als Vorbilder für die Einführung dieser Versicherung für alle Verlagsindustriellen dienen werden.

Rücksichtlich der Kleider- und Wäschekonfektion hat die deutsche Kommission für Arbeiterstatistik die »Erweiterung der Versicherungspflicht der hausindustriellen Heimarbeiter bezüglich der Kranken- sowie der Invaliditäts- und Altersversicherung« für notwendig erklärt.[3])

Die allgemeine Arbeiter-Krankenversicherung empfiehlt sich — zumindest was Deutschland und Österreich betrifft — schon dadurch, daß sie mit der geringsten Abweichung vom heutigen Zustand durchführbar ist; ihre Verwirklichung wird Beamten wie Politikern aus diesem Grunde vor anderen Schritten opportun erscheinen.

In der Tat: das humanitäre Prinzip, welches die Krankenversicherung zum Ausdruck bringt, ist auch bei den Werkstattunternehmern zur Anerkennung gelangt. Es hat

[1]) Vgl. die Statistische Monatsschrift, Wien 1898, S. 442 f., über »Betriebsunfälle im wiener Kleingewerbe«.

[2]) R.-G.-Bl. S. 395 aus 1891, bezw. S. 324 aus 1894.

[3]) Protokoll über die Verhandlungen der Kommission für Arbeitsstatistik vom 9. und 11. Januar 1897, Berlin 1897, S. 4 fg. und 23 fg

sich bei ihnen umso rascher eingelebt, als sie bloß ein Dritteil der Kosten dieser Versicherung tragen. Unternehmer, welche versicherte Werkstätten besitzen, werden daher, gleichermaßen aus Menschlichkeitsgründen wie vom Standpunkte des Wettbewerbes aus, die Heranziehung des Verlages zur Versicherung seiner Arbeiter als entsprechend bezeichnen.

Die sachliche Begründung der Krankenversicherung — welche darin liegt, daß bei einem großen Teile der Nation Krankheit mit dem Versiegen des Einkommens und, infolge der Mittellosigkeit der Betroffenen, mit einem Notstand für die Familie einhergeht — ist für Verlagsindustrielle nicht minder vorhanden, als für Fabriksarbeiter oder Handwerksgehilfen. Im Gegenteil, sie macht sich weit mehr geltend. Denn da die Löhne der Verlagsarbeiter geringer sind, muß bei ihnen auch Möglichkeit wie Neigung zu freiwilliger Krankenversicherung geringer sein. Anderseits dürfte eine verhältnismäßig starke Disposition zu Erkrankungen bestehen. Sie erlangen ja ihren geringen Verdienst, aus dem noch mancherlei Regieauslagen zu bestreiten sind, welche im Werkstattbetrieb den Unternehmer treffen, nur durch längere Arbeit. Vermöge der Saisons und Krisen wechseln Perioden der Arbeitslosigkeit — des baren Elends — mit solchen maßloser Anstrengung. Die körperliche Widerstandskraft wird schon durch vorzeitige Heranziehung zu gewerblicher Mühsal in der Kindheit herabgesetzt, während dieser und späterhin überdies durch niedere Lebenshaltung und schlechte Wohnräume verringert. Die Einheit von Wohn- und Arbeitsstätte steigert die Nachteile, welche der berufsmäßige Aufenthalt im Arbeitsraume oft begründet, zu ununterbrochener Wirksamkeit. In der Luft, in welcher tagsüber gewerbliche Arbeit geleistet worden, wird die Nacht verbracht; der entstandene (vegetabilische, metallische oder mineralische) Staub setzt sich in den Lungen auch während der Arbeitspausen, auch zur Schlafenszeit fest. So finden Berufskrankheiten leichter Eingang. Die Krankenpflege aber läßt, namentlich in der ländlichen Hausindustrie, fast alles zu wünschen übrig. »Erkrankt ein Mitglied der Familie, so müssen die übrigen umso angestrengter arbeiten, um den Ausfall zu decken; dabei wird naturgemäß der Kranke vernachlässigt,« sagt mit Recht ein Autor.

Was die Verleger betrifft, werden auch sie mit dieser Versicherung sich befreunden; sie werden finden, daß dieses Übel manche gute Seiten hat — *à quelque chose malheur est bon*. Fürs erste tragen sie bloß einen Teil der Kosten; dann erleichtert ihnen die Versicherung die Last, welche das Erkranken der Arbeiter immerhin bedeutet. Heute gewähren die Verleger in Österreich vielfach ihren erkrankten Hausindustriellen regellose Unterstützungen. Das Weib des Arbeiters meldet die Erkrankung beim Faktor oder beim Verleger an und bittet zugleich um Vorschuß. Das Darlehen, das sie hierauf erhält, würde in Zukunft durch Leistungen der Kasse ersetzt werden; es wäre dann kein Vorschuß »auf das Gesundwerden« des Arbeiters; seine Höhe hinge nicht vom guten Willen des Verlegers ab, sondern die Unterstützung würde in festgesetzter Höhe fortlaufen. Freilich müßte zu derselben der Arbeiter in gesunden Tagen beitragen, desgleichen der Verleger; allein für jenen entfiele der Abzug des vorschußweise Dargeliehenen nach seiner Genesung, für diesen der Verlust des Darlehens im Falle des Todes. Geregelte Verhältnisse, ordentliche Pflege und sicheres, entsprechend hohes Krankengeld könnten die Gesundung, wo sie möglich wäre, beeilen. Dadurch lägen sie gleichfalls im Interesse des Verlegers. Und übernehme er gleich eine neue Last, so träfe diese doch alle Konkurrenten und die Werkstättenerzeugung schon seit langem. Sie wäre daher hie und da wol auf die Käufer zu überwälzen. Bei der Konkurrenz mit ausländischen, der Versicherung nicht unterworfenen Gewerben würden diese geringen sozialpolitischen Lasten nicht ins Gewicht fallen. In der Regel sind da die älteren Gewerbe, ohne Rücksicht auf ihre Lohnsätze, konkurrenzfähiger, weil deren Arbeiter durch Übung und Geschmack überlegen sind und überdies, infolge des größeren Absatzes, auch eine entsprechende Spezialisierung gewinnen.

Für den Staat erscheint die Einführung zweckmäßig, weil die Ausschaltung der Verlagsarbeiter aus der Zwangsversicherung geradezu die Entwicklung der Heimarbeit befördert.[1] Ihre Einbeziehung ist aber auch technisch vorteilhaft, weil sie unter einem zugleich eine zweite Maßregel verwirklicht, welche die Vorbedingung jeder weiteren Regelung der Hausindustrie bildet: die Registrierung der Verlagsarbeiter.

Was aber im besonderen die Arbeiterschaft betrifft, zu deren Gunsten die Neuerung zu schaffen ist, muß in Österreich innerhalb der hausindustriellen Gebiete zwischen verschiedenen Kulturschichten unterschieden werden.[2] Auf dem Lande müßte sich die Krankenversicherung überall erst allgemach einleben.

In Städten stände es besser. Die organisierte Arbeiterschaft würde die Neuerung rasch zur Durchführung bringen; dabei wäre eine weitere kulturfördernde Wirkung der Institution zu erhoffen, da ihr Verwaltungsapparat den Ansatz zu freien Organisationsbestrebungen wirtschaftlicher und sozialer Art abgeben kann. Freilich würde in dem Maße, als die Krankenversicherung sich einlebt, auch die Neigung zur Simulation mehr und mehr wachsen, doch weiß man dieser in den Städten, wo sie sich vornehmlich zeigen wird, bereits zu begegnen.

Endlich hätte die Durchführung der Krankenversicherung den erziehlichen Wert, daß die Bevölkerung durch sie auch nach anderen Richtungen an Voraussicht und Sparsamkeit gewöhnt, dem Verleger hingegen mehr soziales Pflichtgefühl anerzogen würde. Was aber die Gefahr einer Überwälzung der ganzen Beitragslast auf den Arbeiter betrifft, ist der Beitrag des Verlegers, wenn es beim jetzigen Verhältnis von 1 zu 2 bleibt, wol zu gering, um die Abwälzung allgemein zu versuchen; auch wirkt ihr die Be-

---

[1] Vgl. den Bericht über Handel und Industrie von Berlin im Jahre 1897, erstattet von den Ältesten der Kaufmannschaft, Berlin 1898, S. 226.

[2] Siehe Schwiedland, Die Krankenversicherung der Verlagsarbeiter. Schmoller's »Jahrbuch« 1901, S. 178 fg.

lastung des Arbeiters entgegen, welcher zwei Drittel des Betrages aufbringen und daher schon einen gewissen Widerstand gegen Lohnermäßigungen bekunden muß.

In Österreich, dessen Krankenversicherungsgesetz [1] unklare und ungenügende Bestimmungen enthält, ist durch die Praxis eine Ausdehnung der Vorschriften bewirkt worden. Immerhin macht sich der Mangel einer klaren und bündigen gesetzlichen Regelung fühlbar. Auch stehen die verlegten Kleinmeister ganz außerhalb der Zwangsversicherung und nach dieser Richtung erschiene eine Verfügung notwendig.

Eine gesetzliche Neuregelung hätte die Verlagsarbeiter prinzipiell zu versichern. Heute werden sie bestenfalls durch die Behörden sozusagen einzeln herangezogen. So sagte ein Unternehmer bei der Konfektionsenquête im Arbeitsstatistischen Amte des österreichischen Handelsministeriums bezüglich zweier von einander wenig entfernter Orte Mährens: »In Proßnitz weiß der Arbeitgeber, daß er sich um die Krankenversicherung gar nicht zu kümmern braucht; in Boskowitz will der Bezirkshauptmann die Konfektionäre zur Versicherung zwingen.«[2] Mit diesem letzteren Beamten hat das Unternehmen des Experten eine Rechtskontroverse über die Versicherungspflicht seiner Verlagsarbeiter dadurch zu Ende gebracht, daß es, »da ein plausibler gesetzmäßiger Ausweg nicht zu finden war«, nunmehr an die Krankenkassen der zuständigen Genossenschaften von jedem Lohngulden drei Prozent zur Versicherung seiner Verlagsarbeiter abführt[3]. Ob und mit wie vielen Gehilfen der ländliche Stückmeister arbeitet, entzieht sich da der Kenntnis des Verlegers; sein Beitrag richtet sich nach den jeweils ausbezahlten Lohnsummen. Für diesen Beitrag leistet die genossenschaftliche Krankenkasse dem Stückmeister, nicht

---

[1] Vgl. meine vorzitierte Abhandlung.

[2] Stenographisches Protokoll der im k. k. arbeitsstatistischen Amte durchgeführten Vernehmung von Auskunftspersonen über die Verhältnisse in der Kleider- und Wäschekonfektion. Wien 1899, Sp. 52.

[3] Vgl. ebendort, Sp. 56.

aber, wie ich höre, seinen Hilfskräften, die statutenmäßige
Aushilfe.

In Niederösterreich sind die Mitarbeiter verlegter
Meister auf dem Lande zum Teil versichert. So faßt die
Behörde die verlegten Schmiede in und um Waidhofen
a. d. Ybbs und Ybbsitz als Handwerksmeister auf, erteilt
ihnen als solchen einen Gewerbeschein und läßt demgemäß
ihre Arbeiter und Lehrlinge versichern.

Anders im Osten, in Galizien. Dort ist das lokalisierte Handwerk sehr verbreitet und nimmt zum Teil
die Formen des Verlages an. Da wird denn der tradi-
tionelle Gewerbebetrieb einer Gegend mitunter insgesamt
als Hausindustrie im Sinne der Gewerbeordnung betrachtet
und gemäß § 1, Absatz 3, derselben einfach von der
Einreihung unter die Gewerbe ausgenommen[1]). Sonst
dürfte die Beteilung eines Gewerbetreibenden mit dem
Gewerbeschein vom Umfang des Betriebes abhängen.
Größere Meister mit fremden Gehilfen müssen ihn lösen,
kleinere, welche nur mit ihrer Familie arbeiten, nicht. Die
Gehilfen jener sind versichert, diejenigen der letzteren
nicht; Betriebe dieser Art gelten juristisch als nicht vorhanden.

Die Ersetzung der kasuistischen — überdies einander
widersprechenden und zum Teil an sich unkorrekten —

---

[1]) § 1, Abs. 3 G.-O.: ».. . Die gesamte Hausindustrie ist aber von
der Einreihung unter die Gewerbe überhaupt ausgenommen.« Erlaß des
Handelsministeriums vom 16. September 1883, Z. 26.701: Im allgemeinen ist
als Hausindustrie jene gewerbliche produktive Tätigkeit anzusehen, welche
nach örtlicher Gewohnheit von Personen in ihren Wohnstätten, sei
es als Haupt-, sei es als Nebenbeschäftigung, jedoch in der Art betrieben
wird, daß diese Personen bei ihrer Erwerbstätigkeit, falls sie derselben nicht
bloß persönlich obliegen, keine gewerblichen Hilfsarbeiter (Gehilfen,
Gesellen, Lehrlinge) beschäftigen, sondern sich der Mitwirkung der Angehörigen des eigenen Hausstandes bedienen.« — Der österreichische Ver-
waltungsgerichtshof hat den Begriff des Arbeiters der Hausindustrie dahin
erläutert, daß er im Unterschied vom Heimarbeiter »selbständig ist, das
heißt über seine Arbeitskraft selbständig wirtschaftlich verfügt und dieselbe
nicht lediglich den wirtschaftlichen Zwecken des Unternehmers zur Verfügung
stellt und unterordnet. (Amtliche Nachrichten des k. k. Ministeriums des
Innern, 1. Juli 1902, S. 148.)

Entscheidungen auf dem Gebiete der Krankenversicherung der Verlagsarbeiter durch eine prinzipielle Regelung erscheint sonach wünschenswert.

Das deutsche Krankenversicherungsgesetz vom 15. Juli 1883 versicherte die (gegen Gehalt oder Lohn) »in Handwerken oder in sonstigen stehenden Gewerbebetrieben« beschäftigten Personen (§ 1). Nach § 2 konnte die Zwangsversicherung durch Ortsstatut erstreckt werden, einmal: »auf Personen, welche von Gewerbetreibenden außerhalb ihrer Betriebsstätte beschäftigt werden,« sodann: »auf selbständige Gewerbetreibende, welche in eigenen Betriebsstätten im Auftrage und für Rechnung anderer Gewerbetreibenden mit der Herstellung oder Bearbeitung gewerblicher Erzeugnisse beschäftigt werden (Hausindustrie)«.

Das deutsche Verwaltungsrecht nennt diese beiden Kategorien von Leuten Heimarbeiter und Hausgewerbetreibende. »Heimarbeiter« sind von Gewerbeinhabern außerhalb des Betriebes elozierte, verlegte Arbeiter — »Hausgewerbetreibende« Heimarbeiter, denen eine gewisse »Selbständigkeit« in ihrer gewerblichen Betätigung zugeschrieben wird — eine Unterscheidung, die unbegründet und unklar ist und der Praxis beständig Verlegenheiten verursacht. Im übrigen wird anerkannt, daß Heimarbeit und Hausgewerbe zusammen die »Hausindustrie« oder Verlagsarbeit ausmachen.

Die von diesen beiden Kategorien beschäftigten Arbeiter unterliegen nach § 1 dem gesetzlichen Versicherungszwange, sie selbst nur auf Grund ortsstatutarischer Einbeziehung. Heimarbeiter, welche ohne Gehilfen und lediglich für Einen Arbeitgeber tätig waren, wurden allerdings in der Praxis schon auf Grund dieses Gesetzes als Arbeiter, d. h. als im stehenden Betriebe beschäftigt aufgefaßt und versichert.[1]

Die deutsche Krankengesetznovelle vom 1. April 1892 zählte die »Heimarbeiter« nicht mehr als eine besondere,

---

[1] Stadthagen, Das Arbeiterrecht. 2. Aufl. 1900, S. 76.

bloß statutarisch versicherungspflichtige Klasse von Leuten
auf. Infolgedessen fielen sie nunmehr in die Kategorie
jener (gemäß § 1) schlechthin versicherten Personen, welche
»im Handwerk oder in sonstigen stehenden Gewerbebetrieben« gegen Entgelt beschäftigt sind. Die weitere
Novelle vom 30. Juni 1900 gewährte sodann auch dem
Bundesrat die Befugnis zur Erstreckung der Zwangsversicherung auf »Hausgewerbe«. Somit sind »Heimarbeiter« schlechthin, »Hausgewerbetreibende« über Bundes-
ratsbeschluß für den Krankheitsfall versichert. Die bezügliche Verfügung des Bundesrats kann allgemein oder
nur für bestimmte Gewerbe oder auch nur für bestimmte
Gewerbe in einzelnen Orten erfließen, was von prinzipieller
Bedeutung ist, da Ortsstatute niemals ein Gewerbe in seiner
Gesamtheit im Reiche erfaßt hätten.

Im Sinne der deutschen Unfallversicherungsnovelle
vom 30. Juni 1900 kann die Versicherung durch Statut
der zuständigen Berufsgenossenschaft auf »Hausgewerbetreibende« erstreckt werden (§ 5, Abs. 1, *lit.* b). Sonst sind
Hausindustrielle für ihre Person nicht versichert, wol aber
ihre Hilfspersonen, falls im verlegten Betrieb mit Motoren
oder regelmäßig mit zehn oder mehr Leuten gearbeitet
wird (§§ 1, 2).

Gegen eine solche spezialisierte Gesetzgebung ist an
sich kein Einwand zu erheben. Die Forderung einer gesetzlichen Vorsorge zum Schutz der Verlagsarbeiter erwuchs ja aus konkreten Mißständen, und nach diesen hat
sich die Gesetzgebung zu richten. Doch darf die Spezialisierung nicht Verzettelung des Gesetzgebungswerkes, nicht
Ursache zu Verzögerungen und Aufschub sein!

Die Vorschriften, welche die Invaliden- und Alten-
versicherung auf das »Hausgewerbe« in der Tabakfabrika-
tion und in der Textilindustrie erstreckten,[1] unterwarfen
ihr »solche selbständige Gewerbetreibende«, welche
in eigenen Betriebsstätten im Auftrage und für Rechnung
von Fabrikanten, Handelsleuten oder anderen Gewerbe-

---

[1] R.-G.-Bl. S. 895, aus 1891, bezw. S. 324 aus 1894.

treibenden mit der Herstellung oder Bearbeitung von Tabakfabrikaten, bezw. mit Weberei, Wirkerei, Maschinenstrickerei beschäftigt werden. Die Versicherung erstreckt sich auf die Arbeiten der Spulerei, Schlichterei, Appretierung, Schererei und dergl. Hiebei macht es keinen Unterschied, ob diese »selbständigen« Arbeiter die Roh- und Hilfsstoffe selbst beschaffen; sie fallen unter die Versicherung auch in der Zeit, während welcher sie vorübergehend für eigene Rechnung arbeiten. Ausgenommen sind hingegen Personen, welche das Geschäft regelmäßig für eigene Rechnung betreiben und nur gelegentlich von anderen Gewerbetreibenden beschäftigt werden. Desgleichen sind im Textilgewerbe ausgenommen Leute, welche (wennauch in regelmäßiger Wiederkehr) nur nebenher und in so geringem Umfange hausgewerblich tätig sind, daß der hiebei erzielte Verdienst zum Lebensunterhalt nicht ausreicht und zu den Versicherungsbeiträgen nicht in entsprechendem Verhältnis steht. Ausgenommen sind endlich Textilarbeiter, welche in einer anderen versicherten Beschäftigung stehen, und, ohne dieses Verhältnis zu unterbrechen, nebenher das Hausgewerbe betreiben.

Wird nun die Gesetzgebung solcherart für die einzelnen Gewerbe spezialisiert, so kann sie des Begriffes des »Hausgewerbes« umso eher entraten. Bei dieser gesetzlichen Spezialisierung müssen eben die einzelnen Arbeiten und daher auch die Arbeiterkategorien anschaulich erfaßt und beschrieben werden. Es genügte, die Verwaltung zu ermächtigen, auch verlegte Gewerbetreibende z. B. der Krankenversicherung zu unterstellen. Bei der Anführung der einzelnen Gewerbe wären sodann in der bezüglichen Verordnung die Arten der zu versichernden verlegten Meister zu bezeichnen. Dann könnte man diese, auch ohne Einführung obligatorischer Meisterkassen, gleich ihren Gehilfen oder vereinzelten Heimarbeitern, versichern. Man würde in der Verordnung einfach festsetzen, daß in der Schuhmacherei auch die »Ablösmeister«, bei den Schneidern die »Stückmeister«, bei den Hutmachern die »Walkmeister« sowie die »Zurichtmeister«, bei den Glasschleifern die

»Örtelpächter«, bei den Glasstein- und Glasknopfmachern
die sämtlichen »Lampenarbeiter« und »Lohndrücker« und
wie die sonstigen eingebürgerten Namen solcher verlegter
Kleinmeister und Arbeiter sind, versichert seien. Entsteht
im konkreten Fall ein Zweifel, so werden die zuständige
Gewerbegenossenschaft und die Handels- und Gewerbekammer mit Leichtigkeit erheben, ob der X. tatsächlich
ein »Ablösmeister«, ein »Stückmeister«, ein »Zurichtmeister« usw. ist. Diese Bestimmung des Kreises der Versicherten halte ich für einfach und für sachgemäß. Durch eine
solche Beschreibung würde auch ein Teil der allein arbeitenden Hausindustriellen einbezogen werden, soweit sie die
Qualifikation als Meister haben. Die Hilfskräfte der be-
nannten Kategorien wären gleichfalls versichert, desgleichen
die Sitzgesellen, die für mehrere Unternehmer arbeiten.
Oder man könnte im Verordnungswege die Gewerbe bezeichnen, worin jeder, der für einen anderen Händler arbeitet und weniger als eine bestimmte Anzahl von Hilfskräften beschäftigt, von gesetzeswegen versichert ist. Die
Anzahl von Hilfsarbeitern, welche die Versicherung begründet, wäre dann für jedes Gewerbe gesondert zu
bestimmen.

Im Falle der Verlagsarbeit für mehrere Unternehmer
wäre die Beitragsleistung so zu bemessen, daß jede Zahlung
jedes Verlegers von ihm in den obligatorisch zu machenden
Lohnbogen, den er dem Verlagsarbeiter zu übergeben hätte,
einzutragen wäre. Am Ende des Monats hätte die Kasse
zu berechnen, wieviel jeder Verleger jedem an Lohn gezahlt,
mithin, welchen Beitrag er für den betreffenden Arbeiter
an die Kasse abzuführen hat. Freilich hat diese Lohn-
berechnung mitunter einige Schwierigkeiten, wo das Kaufsystem üblich ist, wo Materialien dem Heimarbeiter auf
Rechnung mitgegeben werden, wo er Gehilfen oder
Nebengesellen hat, allein die Kasse besitzt in ihrem Ausschuß und Schiedsgericht sachverständige Organe von Gewerbegenossen, welche die besonderen lokalen Verhältnisse
genau zu beurteilen verstehen und für alle die ortsüblichen
Verlagsverhältnisse leicht eine feste Praxis schaffen und

auch unter Mitwirkung der Gemeindeorgane ortsübliche Verdienstsummen als Grundlage der Berechnung annehmen könnten. Bei jeder Kasse wäre für jede Kategorie der ihr zugehörigen verlegten Meister ein Schema ortsüblicher Tagesverdienste festzulegen, abgestuft nach der Betriebsgröße, worunter ich die Berücksichtigung von Anzahl und Art der Arbeitskräfte verstehe.

Bei jeder Lohnzahlung hätte der Verleger die Auszahlung in seine eigenen Lohnlisten und in die in Händen des Arbeiters befindlichen Lohnbogen einzutragen. Bei der Auszahlung zöge er den vom Arbeiter zu leistenden Versicherungsbeitrag ab und lieferte ihn, um seinen eigenen Beitrag vermehrt, zeitweise an die Kasse ab. Erkrankte der Arbeiter, so hätte er seine sämtlichen Lohnbogen (so viele, als er Verleger hatte) der Krankenkasse vorzulegen, welche die durchschnittliche Einnahme und danach das Krankengeld zu bemessen, gegebenenfalls die Richtigkeit der Eintragungen an der Hand der Lohnlisten der Verleger durch Stichproben festzustellen hätte.[1] Auf dem Kopt des Bogens wäre anzugeben, welche Hausangehörige oder Gehilfen der Verlegte beschäftigt und in welchem Verhältnis sie am erarbeiteten Betrag teilnehmen (z. B. der Bogenbesitzer mit 40%, dessen älterer Sohn mit 30%, Schwiegertochter und jüngerer Sohn mit je 15%). Das Krankengeld wäre im einzelnen Fall nach diesem Schlüssel, der lediglich die Kasse angeht, auszuzahlen. Auf dem Land könnten auch fremde Gehilfen, welche einen festen Lohn beziehen, ohneweiters auf diese Weise behandelt werden. In der Stadt stände dem vielfach das meisterliche Standesgefühl entgegen. Gleichwol wäre auch hier eine ähnliche Behandlung zweckmäßig, um einen Beitrag des Verlegers sicherzustellen. Sonst hätte ja der verlegte Kleinmeister den Unternehmerbeitrag bei der Versicherung von Hilfsarbeitern sowie die ganze Prämie bei seiner eigenen

---

[1] Im Falle der Mann erst kurze Zeit beim Gewerbe wäre, also noch nicht einen Turnus von Saison und stiller Zeit durchgemacht hätte, wäre das ortsübliche Einkommen eines Heimarbeiters gleicher Kategorie der Berechnung des Krankengeldes zugrunde zu legen.

Versicherung selbst zu leisten. Doch könnte hier unter Mitwirkung der politischen Behörden nach Gewerben individualisierend vorgegangen werden.

Die Heimarbeit als bloße Nebenbeschäftigung hätte auszuscheiden, soweit sie pro Kopf weniger als einen ziffermäßig bestimmten Ertrag ergibt. Für die sogenannten verschämten Heimarbeiter[1]) als solche wären keine Sonderbestimmungen zu schaffen.

In Deutschland sollen nach dem im Mai 1902 veröffentlichten Entwurfe des bezüglichen Bundesratsbeschlusses[2]) die »Hausgewerbetreibenden« allgemein der Krankenversicherung unterstellt werden, weil das Bedürfnis danach »allgemein als dringend anerkannt werden muß«. Ursprünglich wollte man »die nur wenig oder nur vorübergehend beschäftigten« ausscheiden, um sie weder zu belasten, noch zur Simulation zu verleiten und um die Leistungsfähigkeit der Kassen nicht zu gefährden, allein nach dem Wortlaut des Krankenversicherungsgesetzes schien dies unzulässig. Das Ortsstatut der Stadt Berlin, womit die Hausgewerbler dieser Stadt vom 1. Januar 1902 ab versichert wurden[3]), hat zwar den Personenkreis der Versicherten nach einer oberen Einkommensgrenze hin beschränkt, indem es (Art. I) jene Hausgewerbetreibenden von der Versicherung ausnahm, die auf Grund des preußischen Gewerbesteuergesetzes vom 24. Juni 1891 zur Gewerbesteuer veranlagt sind, also ein Jahreseinkommen von mehr als 1500 Mark beziehen. Allein die Folge hievon war, daß die Verleger den kleineren Hausgewerblern erklärten, sie nicht mehr beschäftigen zu

---

[1]) In unseren Staaten tritt diese Konkurrenz des Mittelstandes zu Ungunsten der Verlagsarbeiter bestimmter Gewerbe ein. Beamtenfrauen und -töchter nähen, sticken, häkeln, stricken für Verleger; auch Männer führen in ihren freien Stunden Industriemalereien aus u. dgl. m. Diese verschämten Hausindustriellen wollen durch ihre Arbeit ein Taschengeld, ein Nebeneinkommen erwerben. Sie verringern den eigentlichen berufsmäßigen Heimarbeitern die Arbeitsgelegenheit und drücken allenthalben ihre Löhne.

[2]) Ministerial-Blatt der Handels- und Gewerbe-Verwaltung, Berlin, Nr. 10. S. 187 fg.

[3]) Gemeinde-Blatt der Haupt- und Residenzstadt Berlin, 27. Oktober 1901, S. 422 fg.

wollen, so daß eine größere Zahl derselben, um sich hiegegen zu schützen, die Zahlung der Gewerbesteuer zu Unrecht auf sich nahm, wodurch die Befreiung von der statutarischen Krankenversicherung für sie und somit auch von der Beitragsleistung für ihre Verleger eintrat.

Zu erwägen ist, ob die Beitragsquote des Verlegers bei der Krankenversicherung nicht höher sein sollte, als das bei der Werkstättenarbeit vorgesehene Drittel des Gesamtbeitrages.

In Deutschland hatte Graf v. Posadowsky i. J. 1899 diese Frage bejaht. »Sachlich haben wir« — so erklärte er im Reichstag — »gegen die Versicherung der Heimarbeiter nichts einzuwenden, obgleich immerhin noch das Bedenken besteht, ob es nicht, ehe man den Heimarbeitern, diesen mit so schweren Verhältnissen kämpfenden Leuten, eine neue Last auferlegt, richtiger wäre, die Beitragslasten zur Krankenversicherung anders zu regulieren, ob man also nicht, ehe man den Heimarbeitern diese Last auferlegt, eine Regulierung der Krankenversicherungsbeiträge dahin eintreten ließe, daß die Unternehmer die Hälfte und die Arbeiter auch nur die Hälfte statt zwei Drittel zu bezahlen hätten.« Ihm schloß sich der Abg. Roesicke an. Er wies darauf hin, daß die Lasten auch bei der Invalidenversicherung zwischen Arbeitgeber und Versichertem gleichmäßig geteilt sind, und frug zugleich, wie die Verwaltung, die bisher zu zwei Dritteln in den Händen der Versicherten und nur zu einem Drittel bei den Arbeitgebern ruht, sich später gestalten soll, ob auch hier, wie in der Invalidenversicherung, eine gleiche Teilung der Rechte eintreten müßte. Der Abg. v. Heyl erklärte es für unerhört, daß auffallend schlecht bezahlte Arbeiter den Arbeitgebern gegenüber verpflichtet sind, sich »noch zu belasten mit der Herbeischaffung von Arbeitsmaschinen, von Arbeitsmitteln, von Waren, die Arbeitsräume zu stellen, Heizung und Beleuchtung zu bezahlen, während in der Industrie die Verhältnisse doch ganz entgegengesetzt entwickelt sind«. »Man könnte sogar auf den Gedanken kommen, daß diejenigen Arbeitgeber, welche die Arbeiter verpflichten, alle diese

Unkosten ihrerseits zu tragen, in anderer Form und in anderer Weise und in einem anderen Bruchteil, Prozentverhältnis zu den Lasten der Krankenversicherung herbeigezogen werden müßten, als diejenigen Arbeitgeber, welche den Arbeitern alle diese Vorteile zuführen. Bekanntlich muß der Fabrikant in der Industrie, sofern er unter den Bestimmungen der Gewerbeordnung steht, ein Drittel und der Arbeiter zwei Drittel zahlen; er ist aber verpflichtet, Arbeitsräume, Beleuchtung und alle diese Dinge zu stellen.« Er fände es durchaus gerecht, wenn diese Arbeitgeber anstatt eines Drittels zwei Drittel der Beiträge zu zahlen hätten, eine Anschauung, der ich ohneweiters beipflichte. Der Abg. Singer ging weiter und erklärte kurzweg: »Liegt der Einzelbetrieb in der Hausindustrie in dem vitalsten Interesse der Unternehmer selbst, dann haben die Herren doch kein Recht, zu verlangen, daß die Gesetzgebung ihnen diejenigen Lasten, die sonst jeder Industrielle und Fabrikant tragen muß, erlassen soll. Deswegen würde es den tatsächlichen Interessen entsprechend viel richtiger sein, wenn die Zwischenunternehmer und deren Arbeiterinnen von den Versicherungsbeiträgen befreit und dieselben dem Unternehmer, dem Konfektionär, auferlegt werden.[1]) Diese Erörterung ist gewiß erfreulich und zeigt Sinn für die Lage der Verlagsarbeiter, allein in dem Entwurfe des Bundesratbeschlusses ist gleichwol nur davon die Rede, daß die Hausgewerbler und ihre Hilfspersonen zwei Drittel, deren Arbeitgeber ein Drittel der Beiträge zu zahlen haben, und daß den Kassen zu leistende allfällige Eintrittsgelder zum vollen Betrage den einzelnen Versicherten zur Last fallen.

Was die Verwaltung betrifft, entsteht die Frage, ob die Gründung eigener Kassen für Hausindustrielle, oder ob ihre Zuweisung zu den bestehenden zweckmäßiger wäre. An sich erscheint das letztere zweifellos entsprechend, doch ergibt sich die Gefahr einer Verschlechterung der Lage der Kassen, wenn nicht für die Versicherung der Verlags-

---

[1]) Protokoll der Sitzung am 28. November 1899, S. 3073, 3078, 3072 und 3076.

arbeiter besondere Vorschriften getroffen werden. Die große Fluktuation der Heimarbeiter, die Leichtigkeit ihrer .Verheimlichung und Schwierigkeiten der Kontrole über ihre Verwendung, ein großer Krankenstand, namentlich häufige Inanspruchnahme der Kasse während der stillen Zeit, sind in Rechnung zu ziehen und setzen (von der erhöhten Beitragspflicht der Verleger ganz abgesehen) Kautelen voraus.

Die Fragen der Versicherung der Verlagsarbeiter sind schwierig und gewiß technisch verzwickt. Allein, sie müssen angefaßt werden. Dann wird sich auch ergeben, daß sie zu bewältigen sind. Die Lage der Verlagsarbeiter erfordert, daß an die Lösung der Schwierigkeiten geschritten werde. Daß sie behoben werden können, kann man schon auf Grund der bisherigen Erfahrungen behaupten.

Im Kreise der Verlagsarbeiter regt sich lebhaft das Bedürfnis nach Versicherung.

An manchen Orten kämpfen sie für die obligatorische Unfallversicherung. Diese läßt in Österreich das keiner motorischen Kraft sich bedienende Kleingewerbe in aller Regel außer Betracht. Inbezug auf die Krankenversicherung aber haben sie vielfach versucht, sich aus eigener Kraft zu helfen. In Mariano bei Görz, wo die Sesseltischlerei hausindustriell betrieben wird, fand ich eine schon vor der sozialpolitischen Versicherungsgesetzgebung entstandene Krankenkasse. Sie wurde auf Grund des Vereinsgesetzes vom 15. November 1867, auf Betreiben des Pfarrers, des Schullehrers und des Ortskaufmannes 1877 gegründet.[1]) Jetzt beabsichtigt die seither gegründete Produktivgenossenschaft der Sesseltischler, ihre Mitglieder und deren Gehilfen zu versichern. In Gablonz, wo etwa 1400 verlegte Hohlperlen-Erzeuger seit 1897 genossenschaftlich vereinigt sind, beschlossen sie, alsbald, eine Krankenkasse zu bilden. Die Beiträge werden 3 Prozent vom Arbeitsverdienste betragen, wovon ein Drittel die Genossenschafter, zwei Drittel die Genossenschaft beisteuern. Mit

---

[1]) Società operaia di mutuo soccorso Marianese. (Sie verfolgt auch Bildungs- und Konsumvereinszwecke.)

Rücksicht auf den ausgedehnten Distrikt der Kasse soll diese freie Ärztewahl gestatten, und den jeweils eintretenden Ärzten ein bestimmtes, im voraus festgesetztes Honorar zuweisen. Die ungünstigen Konjunkturen der letzten Jahre haben das Inkrafttreten des Statutes bisher verhindert. Auch die »Produktivgenossenschaft der vereinigten Weber im niederösterreichischen Waldviertel«, welche 1898 gegründet wurde und von mehr als zehntausend Verlagswebern 300 bis 400 umfaßt, beschloß schon in ihrer zweiten Generalversammlung im Juli 1900, eine Krankenunterstützungskasse zu errichten, welche indes auch noch nicht zustande gekommen ist. In den südlichen Teilen Österreichs treten öfter verlegte Erzeuger mit ihren Gehilfen freiwillig den allgemeinen Bezirkskrankenkassen (§ 3 K.-V.-G.) bei. Erwähnen wir endlich, daß die wiener Genossenschaft der Webwarenzurichter und Wäscher 1890 ganz spontan den Versuch machte, die Dienstboten der einzelnen Meister in die Krankenversicherung einzubeziehen, weil diese manchmal gewerbliche Hilfsleistungen ausführen — ein Versuch, welcher am Widerstand der Aufsichtsbehörden gescheitert ist.

Im ganzen läßt sich von vornherein sagen, daß die Einführung des Lohnlistenzwanges für die Verleger die Durchführung jeder Zwangsversicherung von Verlagsarbeitern wesentlich erleichtern würde!

III. Sanitätspolizei in Wohnung und Werkstätte.

Für Städte und größere Ortschaften käme überdies die Ausarbeitung von Vorschriften der Sanitätspolizei in Betracht. Ihre Aufgabe wäre eine doppelte: Schutz der Arbeiter vor Gefährdung durch ihre Berufstätigkeit und ihre Wohnverhältnisse und Schutz der Kunden vor Ansteckung durch die erzeugten Waren. Sie würde danach eine Polizei der Wohnungen, der Werkstätten, der Arbeitsprozesse und der erzeugten Waren umfassen.

Die Maßregeln zum sanitären Schutze der Arbeiter richten sich gegen Mißstände, welche mit seiner Lebenshaltung und seinem Berufe zusammenhängen. Sie berühren somit die Fragen des Arbeiterschutzes in der Verlagsindustrie (vgl. den Abschnitt VI) und die sonstigen Mittel zur Hebung ihrer Arbeiter, welche später erörtert werden sollen (Abschnitte V und XII). Doch ist für den Arbeiter auch die allgemeine Wohnungspolizei von Belang.

Die Wohnungsreform kann eine positive sein, indem sie die Herstellung entsprechender und wohlfeiler Wohnungen wie Werkstätten befördert; sie muß sich aber mit einer repressiven Gesetzgebung verbinden, welche den Gebrauch nicht entsprechender Wohnräume verhindert. Die modernen Wohnungsgesetze beruhen auf entsprechenden Bauvorschriften, auf der Haftung des Hausherrn für den ungesunden Zustand seines Gebäudes und auf einer wirksamen Wohnungsinspektion (Wohnungspflege). Zur Unterstützung dieser werden in Glasgow alle Wohnungen aus ein bis drei Zimmern von einem bestimmten geringen Gesamtausmaße mit behördlichen Abzeichen versehen.[1]) Solche Wohnungen dürfen nur von einer bestimmten Maximalanzahl von Personen bewohnt werden, deren Zahl auf dem behördlichen Täfelchen steht. Der Polizeiinspektor kann die entsprechende Kontrole zu jeder Stunde des Tages wie der Nacht vornehmen. Für Übertretungen haftet der Vermieter.

Was die besondere Werkstättenpolizei betrifft, würde bei deren Durchführung die Registrierung der Verlagsarbeiter wirksame Hilfe bieten. Ihre Voraussetzung ist eine häufige Sanitätsinspektion, welche beim Vorhandensein einer ansteckenden Krankheit zu besonderen Maßnahmen führt. Zu ihrer Verwirklichung wären alle jene Betriebe dem Besuche zu unterwerfen, in welchen Arbeitsraum und Wohnraum zusammenfallen oder unmittelbar verbunden sind. Vor allem wären aber dieser Kontrole die Be-

---

[1]) Glasgow Police Act 1866, § 378; Glasgow Police Amendment Act 1890, § 28. — Vgl. den Fourth Report from the . . . Committee of the House of Lords on the Sweating System, 1889, qu. 26.308—424.

triebe der Wäsche- und Kleidererzeugung zu unterwerfen, da Stoffe geeignete Träger von Infektionskeimen sind.[1])

Die sanitätspolizeiliche Behandlung der Waren endlich umfaßt die Markierung, Desinfektion und Vernichtung bedenklicher Erzeugnisse.

Wir wollen hier die Maßnahmen kurz erörtern, welche einzelne Staaten anwenden, um den Konsumenten vor einer Belästigung oder Gefährdung zu schützen, die für ihn aus dem Gebrauch von Gegenständen erwachsen kann, die aus einer Schwitzbude stammen.

Die nordamerikanischen Staaten Massachusetts,[2]) New York,[3]) Maryland,[4]) Pennsylvanien[5]), Indiana,[6]) Michigan[7]) und Wisconsin[8]) treiben Wohnungs- und Werkstättenpolizei innerhalb des uns hier interessierenden Gebietes, indem sie die Vornahme bestimmter Arbeiten in Wohnräumen von der vorherigen Prüfung der Räume und einer besonderen Genehmigung abhängig machen, wobei (ausgenommen in Massachusetts) die Höchstanzahl der Personen vorgeschrieben wird, welche dort Verwendung finden dürfen. Ohio zwingt in einzelnen Gewerben die Liefermeister, falls sie fremde Arbeiter beschäftigen, diese in besonderen, von Wohn- und Schlafräumen vollständig getrennten Lokalen zu verwenden.[9]) Neuseeland verbietet allgemein, Waren oder Materien zu bearbeiten oder zur Arbeit zu übernehmen, wenn im betreffenden Hause eine mit ansteckender Krankheit behaftete Person sich befindet oder in den letzten 14 Tagen befand, ohne daß seither die Arbeitstelle samt allen darin enthaltenen Materien hinreichend desinfiziert wurde.[10])

---

[1]) Dr. Fauquet, Essai sur le travail en chambre considéré au point de vue sanitaire, Paris 1898, Seite 20—27.

[2]) § 56 des Gesetzes Z. 106 aus 1902.

[3]) § 100 „   „   vom   1. April 1897.

[4]) § 1   „   „   „   27. März 1902.

[5]) § 1   „   „   „   11. Mai 1901.

[6]) § 14   „   „   „   2. März 1899.

[7]) § 17   „   „   „   13. Mai 1901.

[8]) § 1 des Gesetzes Z. 239 aus 1901.

[9]) § 2   „   „   vom 27. April 1896.

[10]) § 48   „   „   vom 8. November 1901.

Diesen Beispielen der jüngeren angelsächsischen Länder folgte England. Dieses verbietet seit 1895, Bekleidungsstücke in einem Wohnhause oder Gebäude herstellen, reinigen oder ausbessern zu lassen, worin ein Scharlach- oder Blatternkranker sich befindet. Dieses Verbot ist in den letzten Jahren auf alle der Anzeige unterworfene Krankheiten ausgedehnt worden.[1])

Die Überwachung der Erzeugnisse betreffen mannigfache Vorschriften.

Massachusetts ermächtigt die Gesundheitsbehörde, geeignete Maßnahmen anzuordnen, falls in Wohnräumen zum Verkaufe bestimmte Kleidungsstücke oder die bezüglichen Arbeitsstellen selbst unrein oder verseucht erscheinen.[2]) Ähnlich New York,[3]) Pennsylvanien,[4]) Illinois,[5]) Wisconsin,[6]) Michigan[7]) und Neuseeland.[8]) Diese letzteren Staaten sehen neben der Desinfizierung auch ausdrücklich die allfällige Vernichtung der Waren vor.

Massachusetts,[9]) New York,[10]) Illinois[11]) und Michigan[12]) erstrecken die sanitätspolizeiliche Kontrole auf eingeführte Waren der vorbestimmten Gattung.

In New York und in Missouri[13]) werden verdächtige Waren sofort mit einer besonderen Marke versehen. Ein Zettel mit der Aufschrift »Tenement Made« (Schwitzbudenarbeit) wird gewissen Waren — vornehmlich Kleidungsstücken — angeheftet, wenn sie »unter unreinen oder ungesunden Umständen« verfertigt wurden; hievon ist die lokale Gesundheitsbehörde zu verständigen, welche, wenn es notwendig scheint, die Ware desinfizieren und sodann den Zettel entfernen läßt.

---

[1]) Vgl. die §§ 109 und 110 der Factory and Workshop Act 1901 im Anhang II. Ein Gesetzentwurf des Abg. Tennant und Genossen beantragte bereits unter dem 11. Mai 1899 (Bill 191, H. o. C.), daß die lokalen Gesundheitsämter vom Ausbruch einer Scharlach- oder Blatternerkrankung jeden Verleger verständigen, welcher gemäß der Registrierungslisten Heimarbeiter im selben Hause beschäftigt. Demgemäß wären (§ 2) alle Verleger jährlich zweimal zur Anmeldung ihrer Heimarbeiter zu veranlassen gewesen.

[2]) § 57.   [3]) § 103.   [4]) § 4.

[5]) § 4 des Gesetzes vom 12. Oktober 1896.   [6]) § 5.   [7]) § 17.   [8]) § 48

[9]) § 60.   [10]) § 104.   [11]) § 3.   [12]) § 17.   [13]) § 10.097.

Die Warnung des Konsumenten bezweckt auch die Markierung aller hausindustriellen Produkte, ohne Rücksicht auf ihre individuelle sanitäre Bedenklichkeit, eine Maßregel, die vom sanitätspolizeilichen Gesichtspunkte aus gefordert werden kann, aber auch wirtschaftspolitische Folgen hat. Hierüber weiteres in Abschnitt VIII.

Die Markierung, Desinfektion oder Vernichtung der Waren im Verdachtsfalle wird aber zur Folge haben, daß die Heimarbeiter einem Verdachte zu entgehen trachten, also einen Arzt nur im äußersten Falle rufen werden. Dadurch wird aber die Verbreitung der Krankheit erst recht gefördert. Der Arbeiter wird trachten, die Krankheit zu verheimlichen, denn die Vernichtung seiner Erzeugnisse schädigt seinen Verleger und schädigt ihn selbst, da er in Gefahr gerät, den Arbeitslohn für die fertigen Waren zu verlieren oder da ihm die Arbeit für die Dauer der Krankheit untersagt wird.

Dennoch ist die Prophylaxe unbedingt geboten. Dr. Fauquet zitiert aus einem englischen medizinischen Blatte diesen Fall für viele: Die Tochter einer Liefermeisterin erkrankt an Scharlach und liegt etwa eine Woche in einem Raum, worin zwölf Näherinnen arbeiten. Während ihrer Rekonvaleszenz erkrankt ihre Mutter in derselben Weise. Als der Arzt kommt, leitet bereits die Tochter die Arbeiten und sitzt, die Kleidungsstücke in den Händen, am Bette der erkrankten Mutter. Desgleichen erwähnt der nordamerikanische Gewerbeinspektor Story, daß in einem ländlichen Bezirk in verschiedenen Familien an Diphtherie sechs Kinder gleichzeitig erkrankten, für welche Kleider aus dem Vorrat eines Hausierers angeschafft worden waren.[1] Auch bei uns kann man in ländlichen Bezirken, wo die Konfektionsarbeit verbreitet ist, an Typhus und Diphtherie erkrankte Kinder in Arbeitsräumen

---

[1] Fourteenth annual convention of the International Association of Factory Inspectors, Indianopolis 1900. S. 59 fg. Vgl. dort S. 69 und im anaogen zwölften Bericht (Twelfth convention, Boston 1898) S. 36, sowie Dr. Anna S. Daniel, Travail des femmes et des enfants à New York, in der Revue d'Économie Politique, 1894. S. 627 fg.

finden, während ein Werkstattgehilfe, der erkrankt, rascher, wennauch immerhin spät, ins Spital kommt.

Das Arbeitsinterdikt von Neuseeland erscheint solchen Fällen gegenüber am Platze.

Man wird dieses jedoch nur dann durchführen können, wenn man die Leute einigermaßen für den Arbeitsentgang entschädigt oder mit unnachsichtiger Strenge vorgeht, indem man zugleich den Verleger für die sanitätswidrigen Umstände der Erzeugung oder für die von Ungeziefer besetzte Arbeitsstelle haftbar macht. Nur in diesem Falle werden die Leute nicht bestrebt sein, die Erkrankung zu verheimlichen, wozu sie sonst alle Künste anwenden müßten.

Da berührt sich also das Interesse der Verleger, der Heimarbeiter und des Verbrauchers, denn sie alle haben ein Interesse daran, daß die Sicherung gegen Ansteckung rechtzeitig erfolge. Der Verleger, damit er nicht am Ende durch Konfiskationen Schaden leide. Der Verbraucher hat ein weitaus wichtigeres sanitäres Interesse. Der Arbeiter hingegen müßte eine obligatorische Krankenversicherung und überdies Sicherung gegen den Verdienstentgang aus Arbeitsinterdikt oder Warenvernichtung fordern, um nicht dem Zwange zu erliegen, jede Krankheit zu verheimlichen. Ein Zwang auf die Verlegten zur Anmeldung der Erkrankung könnte nur geübt werden, wenn ihre Betriebe lizenzpflichtig gemacht und Verheimlichungen mit der Entziehung der Lizenz bedroht würden.

IV. Lizenzierung der Arbeitsstätten.

In ernste Erwägung zu ziehen wäre die Verfügung, daß — wenigstens in Großstädten — die Benützung aller Werkräume oder Arbeitsstätten der behördlichen Genehmigung bedarf. Diese Maßregel bildet einen wirksamen Teil der Werkstättenpolizei. Aber sie hat auch für sich allein Bedeutung, denn es ist auch ohne fortlaufende Kontrole der Arbeitsräume wichtig, daß ungeeignete Räumlichkeiten von vornherein von der Benützung zur Arbeit freigehalten werden.

Freilich dürfte die behördliche Genehmigung der Werkstätten nicht als Anlaß für die Einführung von Gebühren und für bureaukratische Weiterungen angesehen werden.

Mit ihrer Einführung käme man über die einfache Konskription sämtlicher Heimarbeiter (Registrierung) hinaus. Die Registrierung würde nun erst nach vorgängiger Prüfung der Lokalität auf ihre Einigung zu gewerblicher Arbeit erfolgen. An Stelle des Registrierungszertifikates träte die Lizenz; Arbeit in nicht genehmigten Räumen, Beschäftigung von Arbeitern in solchen wäre als Übertretung des Gewerbegesetzes zu ahnden.

Wiener Gewerbeinspektoren haben diese Maßregel schon lang empfohlen. Sie erklärten vor zehn Jahren, daß ein besserer und ausgiebigerer Fortschritt in der Sanierung der kleinen Betriebe nur dann zu erhoffen sei, wenn jede Werkstatt vor der Benützung »auf ihre Zulässigkeit zu dem beabsichtigten Zwecke einer behördlichen Prüfung unterzogen würde«. Hiedurch würden auch die häufig vorkommenden Fälle vermieden bleiben, daß aus angeblicher Unkenntnis des Gesetzes gewerbliche Anlagen, welche mit Rücksicht auf nachbarliche Interessen gemäß § 25 G.-O. der Genehmigung bedürfen, ohne behördliche Bewilligung betrieben werden.[1]

Desgleichen im Berichte über 1894 hinsichtlich Lokalen, welche den in der Bauordnung für unterirdische Werkstätten festgesetzten Bedingungen nicht entsprechen (S. 39): »Um den Vermietern die so beliebte Ausrede der Unkenntnis des Gesetzes zu benehmen, dürfte es sich für die Zukunft empfehlen, jene Räume eines Gebäudes, welche als Werkstätten nicht verwendbar sind, in den Plänen sowohl wie im Benützungskonsense (für das Gebäude) ausdrücklich zu bezeichnen.«

Der oberste englische Gewerbeinspektor Oram stellte bereits im Jahre 1892[2]) eine ähnliche Forderung auf. Er

---

[1]) Berichte der k. k. Gewerbeinspektoren für 1893, S. 42.

[2]) Report of the Chief Inspector of Factories and Workshops ... for . . 1892, S. 75 fg.

betrachtet die Lizenzpflicht als die Sicherung der behördlichen Eintragung jeder Werkstelle und als die Grundlage
ihrer gesundheitspolizeilichen Überwachung. Daher schlug
er auch vor, daß jeder Unternehmer Listen seiner Außerhausarbeiter führe und nur solche beschäftigen dürfe, welche
ihrerseits eine Betriebslizenz besitzen. Von der vorgängigen
Genehmigung wären nur solche Betriebe zu befreien, in
welchen eine einzelne Frau oder bloß Mann und Weib
arbeiten. Zweifelhaft sei es aber, ob nicht andere reine
Familienbetriebe lizenzpflichtig gemacht werden sollten.
Wollte man endlich nicht alle Gewerbe der Lizenzierung
unterwerfen, so möge man diese doch jedenfalls rücksichtlich der Bekleidungsgewerbe verfügen. Ein Gewerbeinspektor fügte (S. 79) diesen Ausführungen hinzu, daß es
immer schwerer wird, alle kleinen Werkstätten aufzufinden,
und ein anderer meinte (S. 77), man könne in der Lizenz
gewisse Arbeiterschutzvorschriften aufzählen, an deren Einhaltung die Lizenz gebunden sei.

Auch die englische Arbeitskommission empfah in
ihrem Schlußberichte, die Lizenzpflicht für eine Reihe von
Gewerben festzusetzen und für deren Beachtung den Mieter,
im Falle der Uneinbringlichkeit einer Geldstrafe auch den
Hauseigentümer und selbst den Verleger haftbar zu machen.[1]
Im englischen Unterhause gestellte einschlägige Anträge
wurden jedoch abgelehnt.[2]

Radikaler als andere Staaten sind auch in dieser
Richtung die jüngeren angelsächsischen Länder vorgegangen.

In Neuseeland ist jegliche Werkstätte im Sinne des
Fabriksgesetzes alljährlich neu zu registrieren. Die Eintragung erfolgt erst nach Besichtigung der Räume durch
den Gewerbeinspektor.[3] Scheinen sie ihm nicht entsprechend, so hat er den Unternehmer schriftlich zu verständigen, daß die Ausstellung der Jahresbestätigung über

---

[1] Fifth and final Report of the Commission on Labour, Part. I, S. 108.
[2] Vgl. die Ausführungen von Allen und Sir Ch. Dilke in der
Sitzung des englischen Unterhauses am 22. April 1895, The Parliamentary
Debates, Bd. XXXII, S. 1457 und 1465.
[3] § 10 des Fabriksgesetzes vom 8. November 1901.

die Registrierung bis zur Erfüllung der gesetzlichen Vorschriften unterbleibt,[1]) in welchem Falle auch der Betrieb zu
unterbleiben hat. Ähnliche Vorschriften bestehen in Queensland.[2])

In Victoria hat das Gesundheitsamt auf Grund der
Fabriksgesetznovelle vom Juli 1896 höchst eingehende
Vorschriften über den baulichen Zustand von Betrieben
aller Art erlassen[3]), ohne deren Einhaltung der Betrieb
nicht registriert werden kann.

Zu den Werkstätten im Sinne der Fabriksgesetzgebung gehören aber in diesen Staaten viele Zwischenmeistereien, so in Neuseeland[4]) jeder Raum, worin zumindest zwei, in Queensland[5]) und Victoria[6]) aber vier oder
mehr Personen oder auch nur ein Chinese gegen Lohn in
gewerblicher Arbeit beschäftigt werden.

Würde man aber jede Heimarbeitsstätte lizenzpflichtig machen — wie dies rücksichtlich einer Reihe von
Gewerben New York,[7]) Pennsylvanien,[8]) Michigan[9]) und
Wisconsin[10]) und hinsichtlich bestimmter Betriebe in einzelnen Gewerben Massachusetts[11]) tut —, so würde damit
die einfache Registrierung (vergl. oben Abschnitt I) entfallen, es sei denn, daß man sie als Kontrolbehelf beibehält.[12])

Die Angabe der zulässigen Arbeiteranzahl für jede
Arbeitsstelle ist zweckmäßig, damit nicht in der Saison,
wie ein nordamerikanischer Gewerbeinspektor sagt, auf
einmal je 800 und 900 Westen einem Zwischenmeister zum

---

[1]) § 13.
[2]) § 6 des Gesetzes vom 21. Dezember 1896.
[3]) Regulations by the Board of Public Health under the Factories and
Shops Acts, Melbourne, Dezember 1896.
[4]) § 2.   [5]) § 2.   [6]) § 3 der Fabriksgesetznovelle vom 28. Juli 1896.
[7]) § 100.   [8]) § 1 des Gesetzes vom 5. Mai 1897.
[9]) § 17.   [10]) § 1.   [11]) § 56.
[12]) Besonders eingehend befaßt sich mit Vorschlägen über Heimarbeits-
lizenzen ein »Gesetzvorschlag« englischer Frauenvereine: Bill for the better
regulation of homework; promoted by the London Women's Industrial Council
and Glasgow Council for Women's Trades; 1899; desgleichen ein Gesetzentwurf der englischen Abgeordneten Ch. Douglas und Genossen: A Bill for
the better regulation of Home Industries (H. o. C., Bill 125) aus 1901.

Fertigstellen überwiesen werden, in dessen Wohnung nur zwei bis drei Leute arbeiten dürften. Sicherheit für die Beachtung solcher Vorschriften kann freilich nur die Mithaftung des Verlegers und des Hauseigentümers sowie die unnachsichtige Markierung der unter Mißachtung der Vorschrift hergestellten Waren als »Schwitzbudenarbeit« gewähren. Zum Zweck der zuverlässigen Erfassung der Verleger ist der Vorschlag gemacht worden, diese zu verpflichten, auf dem Taschenfutter oder sonst an einer Stelle des in Arbeit befindlichen Erzeugnisses ein mit ihrem Namen und ihrer Adresse versehenes Läppchen anbringen zu lassen. Derartige Stoffzettel werden schon jetzt bei der Arbeit nach Maß den Kleidern im Laufe ihrer Bearbeitung angeheftet; auf ihnen wird neben dem Namen des Verlegers jener des Kunden mit Tinte verzeichnet. Die Hauseigentümer hingegen wären zu verpflichten, für alle Lokale, worin irgendeine gewerbliche Arbeit zu Erwerbszwecken geleistet werden soll, bei den Organen der Gewerbeinspektion die bezügliche Lizenz anzusprechen, welche ihnen gegebenenfalls durch den Inspektoratsbeamten sofort zu erteilen wäre. Freilich ist damit den Verhältnissen noch nicht entsprechend Rechnung getragen. Dies geschähe erst, wenn das Lokal daraufhin geprüft würde, ob es für die im besonderen Fall darin zu verrichtende Arbeit sich eignet. An Räume, worin Flußsäureätzerei oder Stahlschleiferei geübt werden soll, sind andere Anforderungen zu stellen, als an Räume von Holzdrechslern, Korbflechtern oder Spitzenklöpplerinnen.

V. Organisation der Arbeiter.

Die Frage der Organisation der Verlagsarbeiter ist die Frage ihrer Mittätigkeit zur Herbeiführung sozialer Reformen, welche ihnen zugute kommen sollen.

Eine solche Mittätigkeit der unmittelbar Beteiligten ist wünschenswert und den staatlichen Vorkehrungen fördersam. Die Sachkunde der Beteiligten, ihr Interesse an den einschlägigen Verhältnissen und ihr Eifer, diese zu

bessern, sind oft die Voraussetzung einer ersprießlichen staatlichen Politik, wie nicht minder die Gewähr ihrer Wirksamkeit.

Von diesem Standpunkte aus weist nun die Frage
zwei Seiten auf. Sie zerfällt in die Frage des korporativen
Zusammenschlusses der Verlagsarbeiter von staatswegen
und in jene ihrer eigenen, freien gewerkschaftlichen Organisation.

Die Organisation von oben, durch staatliche Autorität,
liegt dort sehr nahe, wo, wie in Österreich und im Deutschen Reich, das Kleingewerbe korporativ organisiert ist.
Ja, in Österreich bedürfte es bloß der Durchführung der
bestehenden gesetzlichen Vorschriften, um einen großen
Teil der Heimarbeiter der Krankenversicherung und den
sonstigen Bestimmungen der Gewerbeordnung zu unterwerfen. Der Gehilfe, den ein befugter Meister außer Hause
beschäftigt, ist *de jure* seinen Werkstattarbeitern gleichgestellt und bei der Gewerbegenossenschaft (Innung) sowie bei der Krankenkasse derselben anzumelden.

Der Innung, und zwar der »Zunft der Meister«, gehören die verlegten kleinen Werkstattmeister wie die
(formell befugten) einzeln arbeitenden verlegten Gewerbetreibenden an. Es würde also nur erübrigen, die Zwischenmeister zur Anmeldung ihres Gewerbes zu veranlassen und
sie der Genossenschaft zu inkorporieren. Ihre Gehilfen
wären dann, soweit sie die gewerberechtliche Qualifikation
als Hilfsarbeiter haben (§ 73 G.-O.), der Gehilfenversammlung — das ist der »Zunft der Gehilfen« — zuzuzählen und
als krankenversichert zu betrachten.

Es mag nun fraglich erscheinen, ob die Kosten und
Bemühungen, welche diese Heranziehung der verlegten
»Meister« zur Zunft begründet, ihnen auch Vorteile
bringen. Die selbständigen und die verlegten Meister haben
vielfach divergierende Interessen — wir sehen auch, wie die
letzteren in Wien sich zu eigenen freien Vereinen zu-
sammenfinden und in dieser und jener Gewerbegenossenschaft die Opposition bilden. Für die von angemeldeten
Meistern außer Hause verlegten Gehilfen sowie für die
Hilfspersonen der bisher unangemeldeten Zwischenmeister

hätte jedoch die Durchführung des nun seit neunzehn Jahren »geltenden« Gesetzes nur Vorteile.

In Deutschland hat Brentano die Forderung nach korporativer Vereinigung der Heimarbeiter erhoben. »Das einzige Mittel, sagt er, um Besserung zu schaffen, ist die Heranziehung der Arbeiter selbst, sowol zur Durchführung der zu ihrem Schutze erlassenen gesetzlichen Bestimmungen, als auch zur Besserung ihrer Lohnverhältnisse.«[1])

Allein die Heimarbeiter stehen zu tief, sind zu arm, leben zu isoliert, als daß die freie Koalition unter ihnen durchgreifen könnte. Da sei denn daran zu erinnern, daß § 81 der deutschen Gewerbeordnung[2]) lautet: »Diejenigen, welche ein Gewerbe selbständig betreiben, können zur Förderung der gemeinsamen gewerblichen Interessen zu einer Innung zusammentreten« und nach § 100 könne der Beitrittszwang zu solcher Innung ausgesprochen werden. »Wenn es als Aufgabe dieser Innung bezeichnet wird, den Gemeingeist zu pflegen, sowie die Standesehre aufrecht zu erhalten und zu stärken, warum geschieht von amtswegen nichts, um den Gemeingeist bei denen zu wecken, die unter dem schrankenlosen Wettbewerb der einzelnen am meisten bedroht sind, wirtschaftlich, physisch und sittlich zu verkommen und ihre Ehre geradezu zu verlieren?« frägt er. Wie sich dieser Autor die Tätigkeit der Innungen von Heimarbeitern denkt, darüber später.

Die Notwendigkeit der Organisation ist in Deutschland im besonderen rücksichtlich der weiblichen Heimarbeiter erörtert worden. Sie leuchtet auch ein. Zwar ist der Staat gerade den unorganisierten Frauen und Kindern durch Schutzgesetze zuerst zu Hilfe gekommen, allein in der sehr wesentlichen Lohnfrage hat er bisher keinen Eingriff gewagt. Nun ist anzunehmen, daß er organisierten Kräften seine weitere Fürsorge eher zuwenden wird. Wenn dem so ist, wird die Organisation treffliche Dienste leisten, um für das weitere Vorgehen des Staates An-

---

[1]) Beilage zur Allgemeinen Zeitung (München), Nr. 79, 84 und 91 aus 1899.
[2]) Deutsches Innungsgesetz (Gewerbenovelle vom 26. Juli 1897).

leitung zu gewähren, sowol hinsichtlich der Ziele als der
Mittel. Namentlich würde der Antrieb von Organisationen sich nützlich erweisen, wenn an die schwierige
Frage der Ausdehnung des Arbeiterschutzes auf die Verlagsarbeit herangetreten werden soll. Mag auch die Kraft
organisierter Heimarbeiterinnen allein selten hinreichen,
um den Unternehmern Begünstigungen abzuringen, so
wird sie doch dazu dienen: einmal die Durchführung etwaiger gesetzlicher Vorschriften zu sichern, dann das Gewissen der höheren Schichten der Gesellschaft zu wecken
und deren Unterstützung zu erreichen, endlich dem wol-
gesinnten Gesetzgeber kundigen Rat zu bieten.

Gertrud Dyhrenfurth[1]) bemerkt nun mit Recht, die
Frage der Organisation sei eine Frage der Erziehung, und
soweit das weibliche Geschlecht in Betracht komme, sei
diese erst herbeizuführen. Deshalb schlägt sie vor, in den
Arbeitszweigen, in denen die Beteiligten nicht durch eigene
Anstrengung zu einer geordneten Interessenvertretung gelangen können, um angemessene Lohnabmachungen zustande zu bringen und einzuhalten, die Form der Organisation zu schaffen für diejenigen, die nicht fähig sind, sie
selbst aufzubauen oder nicht gewillt, sich ihr im Interesse
der anderen einzuordnen. Die Beschlüsse dieser obligatorischen Vertreterschaft sollten für beide Parteien
verbindlich sein. Ihrer Meinung schloß sich jüngst R. Wilbrandt an.[2]) Johannes Feig hatte schon 1896 die Meinung
ausgesprochen,[3]) es liege geradezu im Staatsinteresse, die
Organisation der Schwächsten der Schwachen zu begünstigen, da der Staat ihnen gegenüber am wenigsten und am
schwersten helfen könne. Später schlug nun Brentano in
den bereits zitierten Zeitungsaufsätzen vor, die Arbeiter
auf Grund ihrer Anmeldungslisten von amtswegen perio-

---

[1]) Die hausindustriellen Arbeiterinnen in der berliner Blusen- etz.
Konfektion. Leipzig 1898, S. 119 fg.

[2]) Hausindustrielle Frauenarbeit, in der berliner Monatsschrift »Die
Frau«, 1901, S. 544.

[3]) Hausgewerbe und Fabriksbetrieb in der berliner Wäsche-Industrie.
Leipzig 1896, S. 113 fg. und 135.

disch zusammenzurufen, sie über ihre Interessen und die Maßnahmen zu deren Wahrnehmung zu belehren, sie so allmählig zur Organisation zu erziehen. In solchen Organisationen gewänne man vor allem Organe, welche weit wirksamer, als noch so viele Inspektionsbeamte zur Durchführung aller gesetzlichen Bestimmungen, welche im Interesse der Heimarbeit beständen, herangezogen werden könnten.

Dieser Vorschlag einer gewerkschaftlichen Organisierung durch Gesetz und Verwaltung wird heutigentags vielen auf den ersten Blick sehr weitgehend erscheinen. Gleichwol ist die Veranlassung der Verlagsarbeiter, sich um ihre wirtschaftlichen Interessen zu bekümmern, kein neues Prinzip der Verwaltung. Wenn Funktionäre von Handels- und Gewerbekammern die Aufstellung von Lieferungs- und Lohntarifen anregen und durchführen helfen, die Vereinigung von Arbeitern in Zentralwerkstätten befördern oder zur Einführung eines fachlichen Unterrichtes beitragen, tun sie nichts anderes, als mit Verlagsarbeitern über Mittel beraten, die sich zur Besserung ihrer Lage etwa bieten. Da wird offiziell getrachtet, eine positive Wirksamkeit der Beteiligten in ihrem eigenen Interesse herbeizuführen. Was aber jetzt vorgeschlagen wird, ist Belehrung und Anregung zur Wahrung und Durchsetzung von R e c h t e n, und nur insofern wäre das Prinzip für Österreich neu. Doch auch in dieser Richtung wurden bereits auf dem Gebiete des Handwerkes Schritte getan. Die Zwangsinnung hat Grundgedanken, welche jenem Prinzip zum Teil sehr verwandt sind. Vollends die Genossenschafts-Instruktoren, »autoritative Berater« auf dem Gebiete des Kleingewerbes, müssen die Gewerbegenossenschaften — und, sollen sie Bedeutung gewinnen, auch die einzelnen Genossenschaftsmitglieder — nach jeder Richtung hinsichtlich der ihnen zustehenden Rechte belehren.[1])

Insofern aber die Geltendmachung von Rechten Interessen anderer zu beeinträchtigen vermag und die in-

---

[1]) Ministerialverordnung vom 31. Mai 1899, R.-G.-Bl. 98; Amtsbelehrung dazu, »Wiener Zeitung« vom 3. Juni 1899.

stinktive Befürchtung mitspielt, die Nachgiebigkeit gegenüber den Wünschen der Besitzlosen werde unabsehbare
Folgen haben, wird der Brentano'sche Vorschlag jedenfalls
als »radikal« bezeichnet und bekämpft werden. Eine andere Frage freilich ist, ob er nicht auch radikal auf die
bekämpften Übel wirken würde.

Wenden wir uns nun der anderen Seite unserer Frage
zu: der Organisation der Arbeiter aus eigener Kraft, in
Gewerben, welche verlagsmäßig zersetzt sind.

Selbst wenn man die Arbeiter der Kranken-, Unfall-
und Invalidenversicherung teilhaft macht, sie von staatswegen einem gewissen korporativen Zusammenschlusse
unterzieht, den Arbeiterschutz auf sie erstreckt, ihre Produkte markiert, boykottiert und von der Lieferung an öffentliche Körperschaften ausschließt, wird damit auf den we-
sentlichsten Faktor ihrer Lebenslage, den Lohn, noch kein
direkter Einfluß geübt. Deshalb bemerkt das neuseeländer
Arbeitsamt in seinem Berichte über das Jahr 1896, man
könne gegen »die Hungerlöhne« nur ankämpfen, wenn
man der Organisation der Arbeiter Vorschub leistet.

In der Tat, wenn man von der Einführung verbindlicher Mindestlöhne absieht, gibt es kein anderes Mittel,
um die Lage der Heimarbeiter erheblich zu verbessern.
Es ist daher begreiflich, daß selbst für die weiblichen
Heimarbeiter im besonderen in Lyon nach Prüfung ihrer
Lage von verständiger Seite vor allem der Vorschlag gemacht wurde, ihre gewerkschaftliche Organisation zu fördern.[1]) Desgleichen hat Ch. Booth bei seiner bereits wiederholt erwähnten Einvernahme vor der englischen Arbeitskommission[2]) die Registrierung der Heimbetriebe mit der
Begründung empfohlen, daß dadurch die Tätigkeit der
Gewerkschaften erleichtert und wirksamer gestaltet
würde. Die Organisation unter den Arbeitern wäre erleichtert, wenn es offenkundig würde, wo überall Heimarbeiter

---

[1]) Bonnevay. Les ouvrières lyonnaises travaillant à domicile. Paris
1896, S. 117 fg.
[2]) Labour Commission, ibid. qu. 5462/5, Vgl. qu. 5472, 5607/9 und 5635.

sich befinden; die Gewerkschaften könnten dann leichter an sie herankommen. In diesem Falle aber, so betonte Booth nachdrücklich, ergäbe sich auch einige Hoffnung auf eine günstigere Gestaltung der Arbeitsbedingungen. Die Heimarbeiter sähen sich dann veranlaßt, sich um ihre Interessen mehr zu bekümmern als bisher; sie würden »kühner werden und fähiger, selbst ihre Sache zu führen«, und die erste Folge der Organisation der Heimarbeiter wäre eine genauere Durchführung der allfälligen gesetzlichen Schutzbestimmungen und die Verhinderung ihrer Umgehung. Auch könnte, wie Booth erhofft, eine Erhöhung der Arbeitslöhne herbeigeführt werden. Die Koalition der Arbeiter sei deshalb beiweitem das wichtigste Mittel, das bisher zur Besserung dieser Verhältnisse vorgeschlagen wurde.[1])

Ähnlich haben sich andere praktische Kenner der Arbeiterfrage, z. B. der Arbeiterführer John Burnett, geäußert. »Ich fürchte,« so sagt er vor der Sweating-Enquête des englischen Oberhauses 1889, »daß diese Sache gegenwärtig mehr die Arbeiter angeht als den Gesetzgeber, zumindest insofern es sich um die grundlegenden Übelstände handelt. Ich glaube, daß die Vereinigung der Arbeiter *(combination)* viel helfen würde.«[2])

Da entsteht indes die Frage, ob die verhältnismäßig leicht organisierte großindustrielle und die gleichfalls organisationsfähige kleingewerbliche Arbeiterschaft die Verlegten ins Schlepptau nehmen, und zwar: ob sie für diese die Forderungen formulieren und in der Öffentlichkeit vertreten — oder ob sie die Verlagsarbeiter zu einer wirksamen eigenen Organisation bringen können.

---

[1]) Ibid., qu. 5475.

[2]) Fourth Report from the Select Committee of the House of Lords on the Sweating System, 1889; Minutes of Evidence, qu. 32.112—20. — Desgleichen der Abg. Roesicke, selbst ein großer Arbeitgeber, im deutschen Reichstag (20. April 1899, S. 1889 des Protokolles): »Was hier dauernd Besserung herbeiführen kann und wird, ist nach meiner Meinung die Koalition der betreffenden Arbeiter und Arbeiterinnen; ehe die Betreffenden nicht lernen, sich zu verbinden, Organisationen zu schaffen, wird auch eine wesentliche Besserung nicht herbeigeführt werden.«

Ich habe nun bereits (S. 62) darauf hingewiesen, daß
die Interessen der Werkstatt- und der Heimarbeiter sich
nicht immer harmonisch zu einander verhalten, und daß
die politisch festgegliederte Arbeiterschaft bisher nicht
immer das Organ hatte, um auf die Verlegten einzuwirken.
Es mag sein, daß sie bisher näherliegende Aufgaben erfassen wollte und daß ihr die Organisierung der Heimarbeiter sehr schwierig und wenig dankbar erschien, zumal
sich ihr kein rechtes Programm bot, dessen Verwirklichung
sie rücksichtlich der Verlagsarbeiter mit deren Zustimmung
vom Staate heischen konnte.

Aber nehmen wir selbst an, daß sich eine wachsende
Solidarität nach dieser Richtung ergeben wird — immer
muß ein Unterschied nach den verschiedenen Gewerben
bestehen bleiben. So hat die freie Organisation der Arbeiter, durch Verhandlungen wie Arbeitseinstellungen, in
England wie in Amerika, hie und da in der Schuhmacherei
und in der Schneiderei die Einrichtung von Betriebswerkstätten durch die Verleger bewirkt. Hier liefen eben die Interessen der Werkstattarbeiter mit den Forderungen der bezüglichen großstädtischen Sitzgesellen parallel. Wie aber,
wenn es sich um entlegene ländliche Hausindustrien handelt?

Armut hält hier die Leute großenteils unter dem
Niveau der Organisationsfähigkeit. Ein Teil der Heim-
arbeiter sind Greise, Frauen, Kinder. Selbst die Männer,
welche Vollarbeiter sind, sind dies oft nur mit starken
Unterbrechungen. Sie fluktuieren vielfach zwischen mehreren
Berufen hin und her, namentlich beim Betriebe eines Gewerbes, das der Mode oder den Schwankungen von Saisons
unterliegt. Auch der Besitz einer Parzelle hemmt ihren
Eifer, bessere Löhne zu erkämpfen — sie sind ja an die
Scholle gebunden und dadurch auf den Verleger oder
Faktor angewiesen, und anderseits täuscht ihnen ihr Stückchen Grund, ihr Häuschen einige wirtschaftliche Sicherheit
vor. Unter diesen Verhältnissen dürften von den bisherigen
Leistungen österreichischer Gewerkschaften die Streik-
unterstützung, die Sorge für Gemaßregelte, das Reisegeld,
der Kostenbeitrag im Falle des Umzuges, Fachorgan

Bibliothek, Bildungsmittel, Stellenvermittlung und unentgeltlicher Rechtsschutz wenig Lockung zum Anschluß
bieten.[1]) Es müßten neue Reizungen erfunden werden,
damit bei normalen Zeiten eine etwas kräftigere Organisation zustande komme.

Allein, entspricht es der sittlichen Würde des Staates, zu-
zuwarten, bis sich die Verhältnisse dort derart unwürdig gestaltet haben, daß die Organisierten der ländlichen Heimarbeiter sich annehmen, und daß ihnen die mühsame Arbeit ge-
lingt, die aus Halbbauern klassenbewußte Proletarier macht?
Widerspricht es nicht der Pflicht des Staates, untätig zuzu-
warten, bis Verbitterung und Elend diese Leute — fürwahr
»gute Staatsbürger« — bei irgendeiner Krise zur Revolte
treibt und zum Gegenstand des Mitleids der erstaunten
Öffentlichkeit macht? Entspricht es nicht einem modernen
Staate weit eher, selbst die Verhältnisse zu erheben und
durch volksfreundlichen Regungen zugängliche Organe
ordnend einzugreifen?

Noch ein anderes Gebiet widersteht bisher der partei-
mäßigen Agitation, das ist im allgemeinen jenes der weiblichen Heimarbeit. Nehmen wir diesbezüglich das Gewerbe,
welches auf dem besten Wege ist, eine Solidarität zwischen
Arbeitern im Betriebe und solchen außer Haus herzustellen, die deutschen Schneider.

Selbst in Deutschland umfassen die Verbände der
Schneider und Schneiderinnen, die Vereine der Wäscherinnen, Näherinnen und Plätterinnen im Verhältnis äußerst
wenig weibliche Heimarbeiter. Die Forderung, ein gesetzliches Verbot der Heimarbeit auszusprechen, war vollends
ungeeignet, die auf den Ertrag dieser Arbeit Angewie-
senen der Sozialdemokratie zuzuführen. Auch die Forderung nach Errichtung von Betriebswerkstätten seitens
des Verlegers war nur Werkstattarbeitern nach dem
Herzen, welche durch die Konkurrenz der Heimarbeit sowol in ihrer wirtschaftlichen Lage bedrängt, als in ihren

---

[1]) Die Kosten der übrigen Leistungen: Arbeitslosen-, Kranken-, Inva-
liden-, Wittwen- und Waisenunterstützung, Begräbnisgeld und Aushilfe in
Notfällen, dürften für unsere ländlichen Verlagsarbeiter unerschwinglich sein.

eigenen Organisationsbestrebungen gehemmt sind; unter Heimarbeiterinnen kann diese Forderung keine Begeisterung wecken. Sogar Gewerkschaftswerkstätten zur Zentralisierung der Heimarbeit, welche den Heimarbeitern eher zusagen, dürften unter weiblichen Angehörigen verlegter Berufe kaum zustande gebracht werden können.

Schon zwischen Werkstattarbeitern und -arbeiterinnen bestehen rücksichtlich ihrer Organisationsfähigkeit anfänglich erhebliche Unterschiede, die tief begründet sind und nur mit Mühe ausgeglichen werden können. Diese bewirken es, daß die Idee der Selbsthilfe die Mehrheit der weiblichen Arbeiter apathisch läßt, und daß für die Besserung ihrer Lage noch vielfach auf das nachdrücklichste Maßnahmen der Gesetzgebung gefordert werden.

Im Weib fällt meist dem Gemüt und der Einbildungsgabe eine größere Rolle zu als dem Willen und der kühlen Erwägung; seine persönliche Freiheit ist geringer als die des Mannes; Ideale im weiten Sinn sind ihm oft fremd; es strebt nach individuellem Glück; es fehlen ihm Selbstgefühl und Sicherheit, häufig Tatkraft und Selbstvertrauen. Auch die Erziehung der Mädchen ist der Organisation zumeist abträglich: sie ist oft auf die Erreichung eines anderen Berufes, als jenes der Eltern, und namentlich auf die Ehe gerichtet. Die Mädchen hoffen, mit der ersehnten Heirat den Beruf zu verlassen. Dann festigt die Übung die bisherige Gepflogenheit, daß die Frauen den Organisationen fernbleiben und die Sorge um politische und gewerbliche Fragen den Männern überlassen. Hinzu kommen eine gewisse Kleinmütigkeit, Mißtrauen, Hoffnungslosigkeit, Mangel an Ausdauer, Kleinlichkeit angesichts materieller Opfer, Ungeduld hinsichtlich der erstrebten Ziele. Die Kleinlichkeit geht soweit, daß in England verheiratete Frauen, deren Männer gute Löhne erzielten, in ihrem eigenen Gewerbe zu Strikebrecherinnen wurden. Endlich haben Mädchen und Frauen häusliche Pflichten zu erfüllen. Kennt der männliche Arbeiter neben seinem Berufe nur Eine private Tätigkeit: Betätigung an geselligen Vereinen oder in der Gewerkschaft, so obliegen Arbeiterinnen meist häusliche Verrichtungen; sie haben der Mutter zu helfen oder im eigenen Haushalte zu kochen, zu nähen, zu waschen, Kinder zu betreuen usw. Besonders organisationsunlustig wird die Arbeiterin unter dem Druck, für eine Familie sorgen zu müssen. Da frägt sie nur um den Auftrag, nicht mehr um dessen Preis. Überdies ist die Arbeit der Frauen oft keine irgendwie qualifizierte; sie hat daher gegenüber dem Arbeitgeber keinerlei Rückhalt an ihrer persönlichen Geschicklichkeit, ist bald zu ersetzen und somit nur zu oft lediglich eine fungible Größe für ihn.

Diese Verhältnisse bewirken auch die schlechte Entlohnung der Frauenarbeit. Man kann als deren Ursachen bezeichnen:

1. Zudrang zur Beschäftigung,
2. Last der Familie,
3. Rückhalt am Lohn des Mannes,
4. Qualitätslosigkeit der Arbeit.

Diese Umstände erschweren erheblich die Organisation und bewirken auch den absoluten Widerstand, den die Unternehmer gegenüber den Selbsthilfebestrebungen von Arbeiterinnen häufig bekunden, deren Unbotmäßigkeit ihnen unangemessen erscheint und denen sie sich überlegen fühlen.

Daher ist es nicht allein besonders schwierig, selbst Werkstattarbeiterinnen zur Organisation zu bringen, sondern überdies sehr schwer, sie in der Organisation zu erhalten. Deshalb wurde vielfach der Vereinigung von Männern und Frauen des Gewerbes in Einer Gewerkschaft, wennauch unter verschiedenen Abteilungen, das Wort geredet.

Diese Schwierigkeiten betreffen jedoch alle bloß den Anfang. Ist es durch Ausdauer und Beharrlichkeit gelungen, die Frauen zur Organisierung zu bringen und ihnen einerseits Rückhalt an männlichen Gewerkvereinen zu sichern, andererseits unter ihnen selbst Führerinnen entstehen zu lassen, welche der Auffassung und den Wünschen ihrer Standesgenossinnen naturgemäß besser zugänglich sind als Männer, so zeigen sich bald auch die Vorzüge der Frauengewerkschaft: vor allem die hochherzige Hingebung, welche das Weib so häufig auszeichnet. Es zeigt sich dann

entschlossen, energisch, kampfmutig und bringt Wärme
und Enthusiasmus auf. Die Hindernisse, welche der Organisation der Frauen zunächst entgegenstehen, lassen sich
daher wol durch Änderung der sozialen Vorurteile und
durch Erziehung zurückdämmen.

Ein Unterschied bleibt aber auch rücksichtlich der
Werkstattarbeiterinnen je nach ihrem Gewerbe bestehen.
Gleichwie bei den männlichen Arbeitern die Organisationsfähigkeit mit der wachsenden Ungunst ihrer wirtschaftlichen Lage und mit der abnehmenden Ausbildung sich
plötzlich verringert, wird es auch umso schwerer, Frauen
zu organisieren, je geringfügiger ihr Gewerbe, je geringer
ihre technische Ausbildung und ihr gewerbliches Können ist.

Gleichwie ferner die Organisierung männlicher Heimarbeiter der Natur der Sache nach weit schwieriger ist,
als jene von Werkstattarbeitern, wird auch die Mühe, welche
die Organisierung der Arbeiterinnen im allgemeinen erfordert, umsomehr wachsen, jemehr ihre Gliederung die geschlossene Werkstätte verläßt und sie, isoliert und zerstreut,
häufig der Willkür der Verleger preisgegeben, der Heimarbeit zugewandt sind.

Die Organisation der Heimarbeiterinnen setzt
also zunächst voraus, daß die männlichen Arbeiter des betreffenden Gewerbes organisiert seien, daß diese den weiblichen Arbeitern des Gewerbes einen Rückhalt bieten und
sich ihrer opferfreudig annehmen. Schwieriger wird die
Lage, wenn ein Gewerbe gemeinhin bloß von Frauen und
überdies wesentlich als Verlagsarbeit betrieben wird. Da
findet sich im eigenen Kreise nicht die Kraft zur Organisierung und sie wird ihnen auch nicht von außen durch
klassenverwandte Elemente geboten.

Die Erkenntnis der Bedeutung der Organisation muß
daher den Gedanken nahelegen, für die Arbeiterin von
anderer Seite Hilfe zu erlangen, und da bieten sich
zwei Anknüpfungspunkte: das Gesetz und die gesellschaftliche Hilfe der höheren Klassen. Zunächst wurde
an das Gesetz appelliert, die bereits erwähnte zwangsweise
Organisation der Arbeiterinnen in Vorschlag gebracht.

Anstatt dessen fanden sich andere Kreise bewogen, den organisationsunfähigen Arbeitern selbst zu Hilfe zu eilen, und es ist am Platze, auf die soziale Arbeit, die sie dadurch leisten, etwas eingehender hinzuweisen. In Victoria, wo ein angelsächsisches Volk den Nachteilen der Verlagsarbeit im Wege der Gesetzgebung energisch entgegenzutreten begann, besteht in Melbourne eine *Anti-Sweating-League*; an deren Spitze steht ein Pfarrer; ihre Teilnehmer sind Politiker, Gewerkschaftssekretäre, Philanthropen. Diese Vereinigung nimmt Klagen und Beschwerden von Heimarbeitern entgegen, geht denselben, soweit es das Entgegenkommen des Verlegers zuläßt, nach und ruft gegebenenfalls die Hilfe der Gewerbeinspektoren an, wozu die Grundlage in den Arbeiterschutzbestimmungen gegeben ist. Hier besteht also ein privates Surrogat dafür, was Brentano vom Staate heischt.

Anderseits entstand in Berlin auf Grundlage der sogenannten christlichen oder »neutralen« Gewerkschaften ein Fachverein der Heimarbeiterinnen der Kleider- und Wäschekonfektion, welcher vorbildlich werden dürfte. Diese Gewerkschaft wurde von der Berliner Frauengruppe der »kirchlich-sozialen Konferenz« ins Leben gerufen. Zunächst wurden möglichst zahlreiche Adressen von Heimarbeiterinnen beschafft und dann Besucherinnen zu ihnen entsendet. Die Damen erkundigten sich nach den Arbeits- und Lebensverhältnissen der Arbeiterinnen, welche sich woltuend berührt fühlten, daß sich jemand um ihre Angelegenheiten bekümmerte und gern den Anlaß ergriffen, sich auszusprechen. Zum Schlusse brachten die Besucherinnen ihre Einladung zu einem gemütlichen Beisammensein vor, bei freiem Eintritt und Tee. Bei diesen Zusammenkünften wurde die Lage der versammelten Arbeiterinnen besprochen und über Mittel beraten, sie zu bessern. Da es sich um wirkliche Arbeiterinnen handelte, welche mit anderen Fühlung gewannen, kamen nicht utopistische Weltverbesserungsvorschläge zum Vorschein, sondern konkrete Anträge, um den konkreten Übeln abzuhelfen. Vom Frühjahr 1899 an fanden monatlich solche Versammlungen in einzelnen Teilen Berlins statt, wobei 100 bis 120 Teilnehmerinnen erschienen; wiederholt kam man im Freien zusammen. Zwei Theologen hielten kurze einleitende Vorträge, darauf achtend, daß die Aufmerksamkeit der Hörerinnen nicht zu lang in Anspruch genommen werde, und hieran knüpfte sich eine Debatte. Spontan ertönte nun aus dem Kreise der Ruf nach einer Vereinsbildung, welche im Oktober 1900 sich vollzog, und nunmehr führt der neue Gewerkverein selbst seine Sache.

Außerordentliche Mitglieder sind die Angehörigen der bürgerlichen Stände, welchen eine unterstützende Aufgabe obliegt; vollberechtigte, ordentliche Mitglieder Frauen und Mädchen über 16 Jahre, welche auf der eigenen Stube mit der Nadel oder Nähmaschine für Geschäfte oder für Meister erwerbstätig und im Besitze der bürgerlichen Ehrenrechte sind. Sie brauchen nicht auszuscheiden, wenn sie das Gewerbe zeitweilig aufgeben; ihr Beitrag beträgt monatlich 20 Pfennige, wofür unentgeltlicher Rechtsschutz in allen gewerblichen Streitigkeiten, Auskunft in Sachen des Verkehres mit Behörden, ein Krankengeldzuschuß von täglich 50 Pfennigen in der dritten und vierten Woche der Krankheit, bei mehrjähriger Zugehörigkeit auch in der fünften und sechsten Woche, eine Wöchnerinnen-Beihilfe von 5 Mark, wolfeiler Ankauf von Nähmaschinen[1]), Nachweis angemeldeter freier Stellen, Vermittlung bei den Arbeitgebern zur Abstellung begründeter Beschwerden, ein auf losen Blättern zweimonatlich erscheinendes Vereinsorgan, eine Bücherei und die periodische gesellige Veranstaltung geboten werden. Diese letztere findet jetzt in fünf Bezirken Berlins allmonatlich statt. Die anheimelnden Lokale werden von (protestantischen) Kirchenbehörden wolfeil zur Verfügung gestellt. Die schriftliche Einladung

---

[1]) Eine große Nähmaschinenhandlung wurde veranlaßt, einen Nachlaß vom Ladenpreis im Betrage von 15 % bei Abzahlung und von 30 % bei sofortiger Zahlung einzuräumen. Neuerdings wird den Mitgliedern bei Abzahlung ein Rabatt von 25 % dadurch gesichert, daß der Verein aus einem besonderen Fond das letzte Zehntel des Kaufpreises bezahlt. Dadurch wird das Interesse der Mitglieder, den sie belastenden Rest des Kaufpreises pünktlich abzuzahlen, wesentlich gesteigert.

muß von jeder Besucherin für statistische Zwecke am Eingang abgegeben werden. Wenn Mitglieder öfter ausbleiben, werden sie von freiwilligen Hilfskräften besucht. Beim Eintritt werden zugleich die Monatsbeiträge entrichtet, Bücher entliehen etz. Die Versammlung beginnt regelmäßig mit der Erledigung des geschäftlichen Teiles, worauf ein zwangloses »Colloquium« folgt. Die Frauen rücken bei der Tasse Tee zusammen, packen mitgebrachtes Gebäck aus, plaudern und knüpfen Bekanntschaft mit Kolleginnen an. Dann betritt der Vortragende das Pult, und nachdem er geendet, leitet die Vorsitzende die zwanglose, auf praktische Dinge gerichtete Diskussion. An dieser beteiligten sich wiederholt Sozialdemokratinnen, wodurch die Auseinandersetzungen an Lebhaftigkeit, Erregtheit und Schärfe zunahmen. An solchen Abenden war der Zuwachs an neuen Mitgliedern stets besonders stark. Den Schluß bildet meist die Absingung eines geistlichen Liedes, eine von der Vorsitzenden vorgelesene Bibelstelle oder ein Gebet.[1]

Die Zahl der Mitglieder beträgt gegenwärtig an 1500, ferner 260 außerordentliche (bürgerliche). Im Vorstand bilden diese satzungsmäßig die Minderheit und haben Ämter, wie jene der Kassenführerin, Schriftführerin u. dgl. zu bekleiden. Das Vereinsvermögen beläuft sich auf 2800 Mark. Außer den bereits erwähnten statutarischen Veranstaltungen und einer seit Juli 1901 bestehenden Begräbniskasse, welche beim Tode des Mitgliedes und des Ehemanns, je nach den Jahren der Mitgliedschaft, 15 bis 40 Mark, beim Tode eines Kindes je nach dessen Alter 5 bis 25 Mark gewährt, wurden noch weitere wirtschaftliche Hilfseinrichtungen zu Gunsten der Gewerkvereinten geschaffen, zunächst die Entgegennahme von Spareinlagen von 20 Pfennigen an (Sparmarkensystem), welche von 5 Mark an

---

[1] Es ist ergreifend, diese Schar armer Frauen mit tiefer Empfindung das Gebet mitsprechen zu hören. Die Frage, ob man diesen geistlichen Schluß der Versammlung auslassen sollte, wurde im Vorstand von Seite der Arbeiterinnen aufs heftigste verneint; die Frauen wollten den Aufschwung der Herzen nicht missen.

mit $3\frac{1}{2}\%$ verzinst werden. Endlich wurde die Gründung
eines Vereines »Erholungshaus für Heimarbeiterinnen«
veranlaßt, der ein Kapital von 32.000 Mark zusammen-
brachte und ein Haus auf dem Lande ´ erwarb, worin
stets zwanzig erholungsbedürftigen berliner Heimarbeiterinnen auf je vier Wochen freier Aufenthalt gewährt wird.

Filialen dieser berliner Heimarbeiterinnen-Gewerk-
schaft sind in Breslau, Düsseldorf, Halle a. S., Stettin und
Stuttgart entstanden, die ihre Beiträge vierteljährig an die
Hauptkasse in Berlin abliefern und dafür ihren Mitgliedern
alle die erwähnten Rechte sichern. Die Folge dieser Ausbreitung war eine Änderung der Statuten und des Titels,
um den Charakter der zentralisierten Gewerkschaft besser
hervortreten zu lassen.[1])

Ziele wirtschaftlicher Art werden sich stets zahlreicher
ergeben: man braucht bloß an den Ankauf von Zwirn,
Nadeln, Strickmaschinen zu denken.

Neben der Förderung der Produktionswirtschaft der
Gewerkvereinler könnte auch ihre Konsumwirtschaft durch
die Beschaffung wolfeiler Nahrungsmittel gefördert
werden: die Heimarbeiterinnen könnten bestehenden Konsumvereinen zugeführt werden. Der Einkauf von Kohle
erfolgt bereits gemeinsam bei einem Briketenerzeuger. Mit
dem Erstarken des Gewerkvereines ließe sich auch die Errichtung von Nähstuben für Beschäftigungslose versuchen, eine Aufgabe, der in Frankreich bürgerliche Wol-
tätigkeitsvereine in dankenswerter Weise obliegen. Diese
Einrichtung schiene mir eine äußerst nützliche Ergänzung
der Arbeitsvermittlung zu sein.

Schon um die Produkte dieser Nähstube abzusetzen,
müßte man Käufer finden. Hat man diese einmal gefunden,
so erwächst später vielleicht auch die Möglichkeit, sich
einer Absatzgenossenschaft anzugliedern, welche es
gestattet, den Verleger zu umgehen. Mit der Ausschaltung
des Verlegers ist die Überführung der Hausindustrie in

---

[1]) »Gewerkverein der Heimarbeiterinnen Deutschlands für Kleider- und
Wäschekonfektion und verwandte Berufe.« Dessen Hauptsitz ist Berlin.

eine andere Betriebsform vollzogen und die Grundlage für eine bessere Existenz der Beteiligten gewonnen.

Sehr wichtig wäre für die wiener Heimarbeiterinnen die Gründung einer Unterstützungskasse für Wöchnerinnen. Entbindungen sind vielfach regelmäßig wiederkehrende Ereignisse im Leben dieser Frauen; genügen nun selbst den krankheitsversicherten Arbeiterinnen die Kasseleistungen in solchen Fällen nicht, weil sie nur Vorsorge für die Wöchnerin, nicht aber auch für das Kind bezwecken, so ist es umso notwendiger, den zahllosen nichtversicherten Arbeiterinnen helfend zur Seite zu stehen.

So sehen wir, wie die Mithilfe von Damen der Mittelstände zur Bildung eines Gewerkvereines, dessen Führung sie dann den ordentlichen Mitgliedern überlassen können, eine nicht zu unterschätzende Tat sozialer Hilfe ist.

Heute wird die Lage der verlegten Meister wie Arbeiter vor allem durch das Angebot von Arbeitskräften, sowie durch die Konkurrenzverhältnisse des Marktes bestimmt, auf welchen ihre Waren gebracht werden.

Der Wert, den die Nutzdienlichkeiten für die Käufer besitzen, bestimmt die Grenze des höchsten Preises, welchen sie erreichen können; die Grenze des niedersten Preises, zu welchem sie auf dem Markte erhältlich sind, wird hingegen durch die Konkurrenz gezogen, welche die Verkäufer einander bereiten. Diese Konkurrenz der Verkäufer, der Händler auf dem Markt, findet nun — von der Rolle der Verfrächter abgesehen — ihr Maß in der Konkurrenz der Verleger sowie der Erzeuger, d. i. der verlegten Meister wie Arbeiter. Eine Organisation dieser sämtlichen Faktoren: Händler, Verleger und Erzeuger, könnte, genügende Kapitalskraft vorausgesetzt, die Preise bis zu der durch den Wert der Ware für den Käufer bestimmten Maximalgrenze heben, die Lage der verlegten Unternehmer und Arbeiter eines Gewerbes wesentlich verbessern.

In einem Falle — beim Kartell der Interessenten der schweizerischen Stickindustrie — kam dieses Mittel zur

Anwendung. Bald jedoch trat die Disharmonie zwischen den Interessen der Beteiligten wieder hervor, und damit war der Fall des Verbandes besiegelt[1]). In den meisten Fällen dürften sich übrigens die Unternehmer von vornherein ablehnend verhalten, weil sie noch nicht soweit gelangt sind, dem gegenseitigen Unterbieten Einhalt tun zu wollen. Dann kann eine solche wahre »Organisation«, deren Zusammenschluß naturgemäß in allen Fällen höchst schwierig sein müßte, überhaupt nicht zustande kommen.

Kommt aber die Organisation aller Beteiligten nicht zuwege, so bleibt als Hilfsmittel — neben Lohnvorschriften des Staates wie der Käufer — nur die einseitige Gliederung der Arbeiter übrig, um dem Wettbewerb dieser Faktoren durch Vereinbarung untereinander ein Ziel, mithin dem Sinken der Preise des Produktes auf Kosten der Löhne eine Schranke zu setzen.

Eine solche »einseitige« Organisation, welche sich auf Einen Faktor der Erzeugung beschränkt, kann zu positiven Veranstaltungen mancher Art — Lohntarifen, Schiedsämtern und vertragsmäßigen Vereinbarungen anderer Art, zu Zentralwerkstätten und Produktivgenossenschaften — führen, welche die Lage der verbündeten Berufsgenossen zu heben vermögen. Die Geschichte der Gewerkschaften der Arbeiter bietet großartige Beispiele hiefür. Die Grundlage solcher positiver Veranstaltungen ist die Zusammenfassung der Arbeiterschaft zu einem, seiner besonderen Interessen bewußten und für dieselben wirkenden Organismus, deren Voraussetzung aber Organisationsfähigkeit der Arbeiter.

Es genügt sonach nicht, die Organisationsbestrebungen der Arbeiterschaft, die ruhig walten mögen, frei gewähren zu lassen. Der korporative Zusammenschluß ist noch, wo die Organisationsfähigkeit mangelt, von »oben herab« zu unterstützen, durch staatliche Autorität, wie durch gesellschaftliche Hilfe.

---

[1]) Sombart, Zur neueren Literatur über Hausindustrie. (Jahrbücher für Nationalökonomie und Statistik, Dezember 1893, S. 896 fg.)

VI. Arbeiterschutz und Heimarbeit.

Zu den Aufgaben der Gesetzgebung auf unserem Gebiete gehört auch die Schaffung eines Arbeiterschutzes für die Verlagsarbeiter.

Kräftige Vereinigungen von Arbeitern vermögen die Lohn- und Arbeitsbedingungen durch Kampfmittel und auf friedlichem Wege in einer ihnen einigermaßen oder völlig entsprechend erscheinenden Weise zu gestalten.

Reicht aber ihre Macht nicht aus, um zu einem befriedigenden Ergebnis zu gelangen, oder erscheinen ihre Kämpfe dem Gesamtwohle und dem öffentlichen Gewissen abträglich, weil sie von vornherein im Rechte sind, so tritt der Staat auf und durchsetzt den privatrechtlichen Arbeitsvertrag kraft seiner Autorität mehr und mehr mit öffentlich-rechtlichen Elementen. Dabei weisen ihm die koalierten Arbeiter durch Formulierung ihrer Wünsche den Weg. Ja, vermöge Tarifgemeinschaften, welche durch Festlegung des Inhaltes künftiger Arbeitsverträge die Vertragsfreiheit einengen, ebnen sie ihm die Bahn, auf welcher er dann Arbeiterschutzgesetze und Lohnsatzungen erlassen mag.

Haben aber die Beteiligten nicht soviel Bedeutung, daß Gegenvereinigungen der Unternehmer entstehen, oder besitzen sie nicht einmal soviel Gewalt, um ihre Forderungen an den Staat zu stellen und zu vertreten, so müßte dieser mit ungestützter Autorität durch Gesetze den Inhalt künftiger Arbeitsverträge im Interesse des allgemeinen Woles festlegen. Er müßte von oben herab die Organisationen fördern, aus eigener Einsicht einen Arbeiterschutz und Mindestlohnsatzungen hervorbringen, welche die Verhältnisse erfordern. Es ist ein trauriges Zeichen für seinen Mangel an schöpferischer Gabe, wenn er nur dasjenige in Verwaltung zu übernehmen fähig ist, was die Kraft der Beteiligten erschuf, wenn er auf diese Weise Arbeiterschutzbestimmungen gerade nur für jene erläßt, die in der Lage wären, sich schließlich aus eigener Stärke durch Verbündung selbst zu helfen, wenn er mit einem Wort auf dem sozialen Gebiet

zumeist nur aus Gründen der öffentlichen Ruhe auftritt und
selten aus Moral.

Allein, wie es mitunter geht, kommen den Forderungen
der Billigkeit auch realistischere Argumente zu Hilfe. So
auch dem ständigen Postulate der Arbeiter und Sozial-
politiker nach »Ausdehnung des Arbeiterschutzes auf die
Hausindustrie« und nach ihrer »Unterwerfung unter die Gewerbeordnung«. Diese Forderung ergibt sich nämlich nicht
bloß aus Rücksicht auf die Heimarbeiter, nein, auch aus
Rücksicht auf die dem gesetzlichen Arbeiterschutze bereits unterstellten Personen, mithin aus den Prinzipien des
bestehenden Arbeiterschutzes. Denn insolange die Verlagsindustrie nicht analogen Gesetzen unterworfen ist,
können Verschärfungen des Schutzes der Arbeiter in Industrie und Handwerk geradezu die Weiterentwicklung
der ungeschützten Verlagsarbeit — dieser von allen organisierten Arbeitern lebhaft bekämpften Betriebsform — befördern. In Kenntnis dieses auch im Deutschen Reichstage
mehrfach erörterten Zusammenhanges [1]) forderte ein Teilnehmer am züricher Arbeiterschutzkongreß 1897 das Verbot
der Fabriksarbeit für verheiratete Frauen »verbunden mit
dem Verbote der Heimarbeit, denn ohne dieses würde sie
einfach in die Kellerlöcher oder Dachböden verlegt«. Und
deshalb kennzeichnete derselbe Kongreß die Verlagsindustrie
als ein großes Hindernis für die Durchführung eines wirk-

---

[1]) Abg. Dr. Hitze bei Begründung des Antrages (Nr. 22 aus 1895):
Die verbündeten Regierungen seien zu ersuchen, die Ausdehnung der Bestimmungen der Gewerbeordnung über den Schutz jugendlicher und weiblicher Arbeiter auf die Hausindustrie — unter besonderer Berücksichtigung
der Wirkungen der Fabriksgesetzgebung auf die Vermehrung der Verlagsarbeit
— durch Erhebungen vorzubereiten: »Wir sind umsomehr dazu veranlaßt,
diese Frage zu erörtern, weil auch bei uns vielfach von den Fabriksinspektoren berichtet wird, daß die verschärften Bestimmungen für jugendliche und
weibliche Arbeiter zu einer Vermehrung der Hausindustrie geführt haben.«
(Sitzung des Reichstages am 15. Januar 1896, Protokoll S. 337; vergl. auch
S. 339 und 443.) Ähnlich Bebel über die Wirkung der Regelung der Arbeit
in den Zigarrenwerkstätten (Protokoll der Sitzung am 20. April 1899, S. 1902).
Die gleiche Erfahrung berichten die englischen Fabriksinspektoren mit Bezug
auf die englische Arbeiterschutznovelle aus 1895 (Annual Report of the

samen Arbeiterschutzes. [1]) Diese Tendenz der Schutzgesetzgebung für Werkstättenarbeiter, die weitere Entfaltung
der ungeschützten Verlagsindustrie zu befördern, wird
aber umso kräftiger zutage treten, je mehr die Entwicklung
der elektrischen Kraftübertragungsmethoden und der Klein-
motoren überhaupt den mechanischen Betrieb in der Hausindustrie verallgemeinern wird.

Sobald wir indes der Forderung zustimmen, daß der
Verlagsindustrie angepaßte Arbeiterschutzbestimmungen
zu erlassen sind, muß uns auch klar sein, daß es absolut
ungenügend wäre, für die Beachtung dieser letzteren
lediglich die Verlegten selbst haftbar zu machen. Nicht
etwa aus doktrinären Erwägungen über ihre Unselbständigkeit, sondern aus Erwägungen der Praxis. Können
doch schon die Vorschriften, welche das Kleingewerbe
betreffen, nur schwer und kaum durchgeführt werden, weil
es nicht möglich ist, das gesamte Kleingewerbe durch die
gegebenen Organe der Gewerbeinspektion und der Gewerbe-
behörden einem wirksamen Zwange zu unterwerfen. Unter
dem Eindruck dieser unleugbaren Tatsache habe ich mich
vor etwa zehn Jahren gegen den Vorschlag ausgesprochen,
daß die Fabriks- und Werkstättengesetzgebung einfach »auf
die Hausindustrie ausgedehnt« werde. Sind die bestehenden
Arbeiterschutzgesetze, schon soweit sie kleingewerbliche
Werkstätten betreffen, auf dem Kontinente wie in England,
schlecht durchgeführt, so könne man nicht hoffen, daß ihre
weitere Ausdehnung auf die Verlagsindustrie sie durchführbar machen werde.

Chief Inspector of Factories and Workshops for ... 1896, London 1897.
S. 38). Dieselbe Wirkung wird der Verordnung vom 31. Mai 1897, welche in
Deutschland die Arbeiter der Kleider- und Wäschekonfektion den §§ 135
bis 139 der Gewerbeordnung unterstellte, nachgesagt. Auch der allgemeine
deutsche Schneider- und Schneiderinnenkongreß vom August 1898 zu Mann-
heim betont in einer Resolution: »Häufig sind die durch die Verordnung
betroffenen Arbeiter aus den Werkstätten entfernt und zur Heimarbeit getrieben worden.« (Fachzeitung für Schneider, 27. August 1898.)

[1]) Internationaler Kongreß für Arbeiterschutz in Zürich, 1897; amtlicher Bericht; Zürich, Grütliverein, 1898. S. 225 fg.

Allein die englische Gesetzgebung hat den Punkt gefunden, wo man einsetzen kann. Sie hat den Gewerbeinhaber haftbar erklärt, wenn er seine Außerhausarbeiter trotz Verwarnung an einer Stelle beschäftigt, »die ihrer Gesundheit nachteilig oder gefährlich ist,« oder Bekleidungsstücke in einem Hause herstellen, ausbessern oder reinigen läßt, worin ein Scharlach- oder Blatternkranker sich findet. [1]) Und Frau Webb hat gegenüber meinen damaligen Bedenken [2]) wol mit Recht erwidert [3]), daß, wenn die Verleger sowie die Hauseigentümer dafür verantwortlich gemacht würden, daß die von ihnen verlegten (bezw. die in ihren Häusern gewerblich tätigen) Meister, Zwischenmeister oder Heimarbeiter ihre Arbeit unter solchen Bedingungen verrichten, wie sie das Gesetz vorschreibt, damit schon eine Handhabe zur Durchsetzung vieler Vorschriften gewonnen wäre.

In der Tat würden damit Verleger wie Hausherren — und daher auch die Hausmeister, welche z. B. in Nordamerika, wo Gesetze zur Regelung der Heimarbeit gelten, heute auf Seite der Mietparteien stehen — zu freiwilligen Organen der Gewerbepolizei. In dem Momente, wo diese Personen Gefahr laufen, einer Strafe zu verfallen, weil die gesetzlichen Vorschriften in den von ihnen beschäftigten (bezw. in ihren Häusern befindlichen) Betrieben außeracht gelassen werden, müssen sie bestrebt sein, die Beachtung des Gesetzes ihrerseits zu fördern. [4]) Was die Verleger betrifft, haben manche feine Kundenschneider Londons bereits vor Jahren ihre Faktore beauftragt, sich bei ihren Geschäftsgängen auch darum zu kümmern, ob in

---

[1]) Vgl. oben S. 101.

[2]) Kleingewerbe und Hausindustrie in Österreich. 1894, Bd. II, S. 421 fg.

[3]) Béatrice Webb, Une nouvelle loi anglaise sur les fabriques; Revue d'Économie Politique 1895, S. 735 fg.

[4]) »Ce n'est point au gouvernement, mais à l'entrepreneur qu'incomberait la charge de l'inspection . . . . . Et son intervention s'exerce d'une façon bien plus efficace que celle de l'État, puisqu'au lieu d'être obligé de recourir à une citation devant les tribunaux, il suffit qu'il menace l'ouvrier de ne plus lui donner d'ouvrage.« (B. Webb, a. a. O., S. 736.)

den Familien der Stückmeister, welche für die Unternehmung arbeiten, etwa eine ansteckende Krankheit herrscht, um gegebenenfalls die Kunden vor deren Übertragung schützen zu können. Die englische Fabriksgesetzgebung hat diesen Schutz der reichen Kunden auch den ärmeren zugewandt. Uns handelt es sich aber hier um den gesetzlichen Schutz der Heimarbeiter selbst.

Will man diesen verwirklichen, so muß jeder Raum, in dem im Verlag gearbeitet wird, auf die Liste des Gewerbeinspektors gesetzt werden. Angesichts ihrer großen Zahl könnten sie aber schwer sämtlich in jedem, oder auch nur in jedem zweiten Jahre besichtigt werden, selbst wenn man die Inspektoren (eventuell auch durch Heranziehung von Arbeitern und von weiblichen Inspektoren) vermehren und spezialisieren wollte. Werden doch die Heimarbeiter, solange sie mit dem Verleger auf gutem Fuße stehen, dessen Absicht, die Umstände der Arbeit zu verschleiern, teilen und nur im Falle von Lohnstreitigkeiten, dann allerdings mit blindem Eifer, Anzeigen wider ihn erstatten. Daher muß ihm durch ein gesetzliches Risiko, das man ihm zuschiebt, die Neigung erweckt werden, die Zustände in den Arbeitsstätten zu verbessern. In den mithaftenden Verlegern und Hauseigentümern soll eine Armee unfreiwillig-freiwilliger Inspektionspersonen entstehen. Sie sollen auf die Beachtung gesetzlicher Vorschriften, sowie auf die Durchführung von Anordnungen der behördlichen Organe hinwirken. Ihre Tätigkeit nach diesen Richtungen hin erspart einen umfänglichen polizeilichen Apparat und wird durch ihre eigene Haftbarkeit veranlaßt.

Diese Mithaftung könnte: 1. den Hauseigentümer (bezw. Hausverwalter), 2. den Verleger oder 3. diese beiden Faktoren treffen.

1. Der englische Großkaufmann Charles Booth hat vor der englischen Royal Commission on Labour im Jahre 1892 besonders die Mithaftung des Hausherrn empfohlen. Ihn sollte die Haupthaftung für die ordnungsgemäße Registrierung des Heimbetriebes sowie für bauliche Defekte des Lokales treffen. Gesetzwidriges Verhalten im Lokale

hingegen, wie Überfüllung oder Überschreitung der Arbeitszeit oder sonstige Gesundheitswidrigkeiten, welche
ihre Ursache im Verhalten des Mieters haben, sollten an
dem letzteren geahndet werden. Um aber in beiden Teilen
das Gefühl der Verantwortung zu wecken, wäre eventuell
der Werkstätteninhaber auch für die baulichen Defekte
haftbar zu machen, jedoch zugleich zu ermächtigen, die
ihm etwa hiefür auferlegte Geldstrafe vom Hausherrn einzubringen, d. h. bis zur Höhe der für bauliche Defekte ge-
leisteten Geldstrafen die Zahlung des Mietzinses einzustellen. Desgleichen wäre umgekehrt der Hauseigentümer
gleichfalls haftbar zu machen für die gesetzwidrige Benutzung der Räume, jedoch mit der Ermächtigung, den
ihm auferlegten Strafbetrag gleich einem Mietzinse einzuheben, eventuell in einem abgekürzten Verfahren den Mieter
zur Leistung zu zwingen. [1])

Und je geringfügiger das Arbeitslokal ist, desto notwendiger erscheint Herrn Booth die Mithaftung des Hauseigentümers. Er beantragt daher, jeden Raum, worin »eine
Person eine andere Person zu gewerblicher Arbeit verwendet«, rechtlich als Werkstätte zu betrachten, somit den Arbeiterschutzvorschriften zu unterwerfen, und
zwei Personen, welche gleichzeitig im selben Raume
arbeiten, als einander gegenseitig beschäftigend, d. i. als

---

[1]) Minutes of Evidence taken before the Royal Commission of Labour
(sitting as a whole), 1893; questions 5419/28; 5451/9; 5575/81; 5660/8;
5717/24; 5792/801. Desgl. Booth in seinem Sammelwerk Life and Labour
of People in London, Band IV, S. 345 fg., ferner in Band IX, S. 402: »Questions of crowding and of hours worked are directly the concern of the
tenant, but it would be desirable, that the landlord should be also responsible, and ultimately liable for the payment of any fines incurred in this
respect which cannot be recovered from the tenant.« Endlich in einem Privat-
briefe aus 1898: »I would only point out, that I contemplate no punishment
other than by fine . . . It would depend on the nature of the offence whether
the party fined was the landlord or the occupier: but that there might be
no doubt as to the inflection of the fine — no possibility of escape —
I propose to make both parties responsible as regards the government, though
as between themselves it would be one or other . . . What is important is
that offences should be cheeked by liability to fine and that evasion of
responsibility should be difficult.«

eine »Werkstätte« bildend aufzufassen. Nur Mann und Weib wären für Eine Person zu rechnen und, gleich vereinzelten Heimarbeitern, von der Regelung auszunehmen. Die Übel des Schwitzsystems treffen zwar vielfach vereinzelte Arbeiter; bezüglich dieser blieben aber gesetzliche Vorschriften wirkungslos. [1]

Zweifellos würde die Haftung des Hausherrn für gewisse Mängel des Arbeitsraumes den Nachteil beheben, der sich für die Gewerbeinspektion aus dem Fluktuieren der Hausindustriellen ergibt. Der gleichen Schwierigkeit begegnet auch die Inspektion der kleinen Handwerksbetriebe. »Es ist nichts Seltenes,« so klagen österreichische Gewerbeinspektoren, daß Werkstätten, »welche in baulicher oder sanitärer Beziehung ungeeignet sind und auf Drängen des Gewerbeinspektors aufgegeben wurden, über kurz oder lang von anderen Unternehmern wieder als Werkstätten in Benutzung genommen werden« und auf diese Weise der Erfolg der Inspizierung aufgehoben wird. [2] Ein anderesmal wird bei der hygienischen Beanständung einer großen Anzahl unterirdisch gelegener Werkstätten [3] bemerkt: »Die betroffenen Unternehmer haben sich nicht selten mit Recht darüber beklagt, daß ihnen Lokale, welche (vermöge gesetzlicher Verfügung) zu Werkstätten ungeeignet sind, ausdrücklich zu diesem Zwecke vermietet wurden.« Hat der Inspektor die Räumung der baufälligen oder sanitär nachteiligen Arbeitsstelle eines Kleinmeisters erreicht, so kann er in wenigen Wochen bereits einen anderen Gewerbebetrieb am selben Orte angesetzt finden. Dies die eine Schwierigkeit. Die andere liegt aber darin, daß ein beanständeter Zwischenmeister- oder Heimarbeiterbetrieb sich dem Inspektor durch einen Wohnungswechsel leicht entzieht; die kleinen Leute zahlen und kündigen ja ihre Miete

---

[1] Commission of Labour, ebendort, qu. 5419; 5440/41; 5507/14; 5697/708; 5786/91.

[2] Bericht der k. k. Gewerbeinspektoren über ihre Amtstätigkeit im Jahre 1893, Wien 1894, S. 41 fg.; Bemerkungen des Gewerbeinspektors für Wien.

[3] Bericht für 1894, S. 39 fg.

oft wöchentlich. In Chicago verlassen Sitzgesellen, wenn
sie Behinderung durch die Inspektion befürchten, einfach
mit ihren Waren die Wohnung.[1]) Die Haftung des Hausherrn würde aber die Beachtung der gesetzlichen Vorschriften garantieren; er würde es sich überlegen, ein behördlich als nicht vermietbar bezeichnetes Lokal an einen
weiteren Gewerbsmann wieder zu vermieten; falls Arbeits-
lizenzen (vgl. Abschnitt IV) nach Gewerben erteilt würden,
würde er darauf achten, daß kein Heimarbeiter eine Wohnstätte vor Erlangung des Scheines und vor Erfüllung der
Bedingungen, die vielleicht darin bezeichnet sind, beziehe;
er würde auch Betriebe, worin Überfüllungsverbote und
Arbeitsdauervorschriften übertreten werden, im Falle seiner
Haftbarkeit in seinem Hause nicht dulden.

Mit einer derartigen Haftung belastet das englische
Fabriksgesetz aus 1901 die Besitzer von Baulichkeiten,
wenn in einzelnen Abteilungen, Stockwerken oder Zimmern
eine mechanische Kraft für gewerbliche Zwecke verwendet
wird: sie sind für die Beachtung einer Anzahl fabriks-
gesetzlicher Bestimmungen inbezug auf sanitäre und Sicher-
heitsvorkehrungen verantwortlich (§§ 11, Abs. 6; 14, Abs. 7;
82, Abs. 2; 87 sowie 88 des Gesetzes).

Ebenso macht die Arbeitsgesetz-Novelle von New
York vom 1. April 1899 in § 105 den Hausherrn dafür
verantwortlich, daß bestimmte Bekleidungsgegenstände
und einige andere Waren in Wohnräumen nur dann hergestellt oder bearbeitet werden, wenn dafür eine Lizenz
des Fabriksinspektors erlangt wurde.

2. Auf die Frage eines Mitgliedes der Labour-Commission, ob nicht auch eine Haftung des Verlegers
für die Einhaltung der besonderen Arbeiterschutzbestimmungen eintreten sollte, antwortete Herr Booth[2]), er meine
durchaus nicht, daß der Verleger von Verantwortung frei
sein soll; er habe aber Bedenken inbezug auf die praktische
Durchführbarkeit dieser Haftung; wenn man Mittel dazu

---

[1]) Second annual Report of the Factory Inspectors of Illinois for 1894;
Springfield 1895, S. 40. Vgl. auch S. 55.
[2]) Ebendort, qu. 5480/1; 5566/7; 5567/74; 5676/8.

fände, würde er ihr zustimmen. Die Schwierigkeit scheint mir jedoch nicht hierin zu liegen — könnte man ja dem gestraften Hausherrn (vgl. S. 130) einfach einen Regreß gegen den Verleger einräumen — sondern in der Festsetzung der Vorschriften, für deren Einhaltung dem Verleger die Verantwortung zuzuschieben ist.

Ein deutscher Autor meint[1]), daß dem theoretisch sehr bestechenden Gedanken, den Verleger für Alter, Gesundheit, Arbeitszeit, Unterricht der von ihm beschäftigten Hausindustriellen verantwortlich zu machen, »nicht unwesentliche allgemeine und für die großstädtischen Sweatingindustrien auch noch einige besondere Bedenken« entgegenstehen. Zunächst scheide die Idee, den Unternehmer für die Arbeitszeit seiner Hausindustriellen verantwortlich zu machen, von vornherein aus; sodann würde die Unternehmerverantwortlichkeit in der großstädtischen Konfektionsindustrie nur zu einer Weiterausbildung des Zwischenmeisterwesens führen. Die Zwischenmeister würden wegen der ihnen auferlegten Verantwortlichkeit vielleicht zu einem kleinen Teil auf das Wiederausgeben von Arbeit verzichten, »im ganzen aber würden die großen ökonomischen Vorteile der Heimarbeit doch überwiegen. Sie würden die Arbeit an eine Anzahl besser gestellter Heimarbeiterinnen verteilen und von diesen aus könnte sich dann in den großstädtischen Miethäusern ein lustiger Schmuggel mit halbfertigen Kleidungsstücken entwickeln«. Verantwortlich wäre dafür vor dem Gesetz nur der Inhaber der Heimarbeitsstätte, von der er ausgeht; diese Ärmsten der Armen könnte man aber angesichts ihrer traurigen sozialen Lage tatsächlich wegen solcher Gesetzübertretungen nicht strafen.

Sicher ist, daß die Haftung des Hausindustriellen infolge seiner Armut wertlos ist. Anderseits kann der Verleger für die sanitären Verhältnisse in der Hausindustrie haftbar gemacht werden! Zunächst — gleich dem Hausherrn — für die Beschaffenheit der Räume inbezug auf

[1]) A. Weber, Hausindustrielle Gesetzgebung und Sweatingsystem in der Konfektionsindustrie, in Schmollers »Jahrbuch«, 1897, S. 286 fg.

Bau wie Ausrüstung; dann für die Überfüllung; endlich,
wenn er in fahrlässiger Weise Arbeiten in Räume
ausgab, wo ansteckende Krankheiten herrschen. Die
englische Gesetzgebung sieht, wie schon erwähnt, im
letzteren Falle seine Haftung vor, desgleichen dann,
wenn er behördlich ermahnt wurde, in bestimmten
sanitätswidrigen Lokalen nicht weiter arbeiten zu lassen
und er es dennoch tut. Durch diese behördliche Warnung
wird seine Stellung erleichtert. Der englischen Regierung
erschien es als zu weitgehend, den Verleger für die
sanitätswidrigen Umstände der Produktion seiner Waren
haftbar zu machen, also etwa londoner Verleger, welche
in entlegenen Flecken weben oder nähen lassen, für die
Verfassung der dortigen Arbeitsstätten zur Verantwortung
zu ziehen. Allerdings können sich die Verleger von den
Arbeitsverhältnissen häufig durch ihre Faktore Kenntnis
verschaffen, allein tatsächlich behandeln sie ihre Lieferanten
wie unabhängige Erzeuger, deren Betrieb sie nicht kümmert.
Demgemäß wurde auch in § 5 der Fabriksgesetznovelle aus
1895[1]) der Staatssekretär ermächtigt, den Gewerbeinspektoren rücksichtlich bestimmter Gewerbe und Bezirke die
Befugnis zu erteilen, die Verleger oder deren Faktore gegebenenfalls schriftlich darauf aufmerksam zu machen, daß
eine Stätte, worin für sie gearbeitet wird, »für die Gesundheit der dort beschäftigten Personen nachteilig oder gefährlich ist«. In diesem Falle war die Arbeit binnen Monatsfrist einzustellen, widrigens der Verleger sich einer Geldstrafe aussetzte, ausgenommen, wenn die Beschwerde des
Inspektorates gerichtlich für unbegründet erkannt wurde.
— Dieses Verbotsrecht der Inspektoren wurde niemals
in Kraft gesetzt, wol aber unter den gleichen Voraussetzungen im Jahre 1901 den für die Arbeitsstätten zuständigen Bezirksämtern eingeräumt (§ 108), worauf der
Staatssekretär deren Befugnis für bestimmte Gewerbe
in Kraft setzte.[2])

---

[1]) Vgl. deren Wortlaut in der ersten Auflage dieser Schrift auf S. 145 fg.
[2]) § 108 fg. des Fabriksgesetzes aus 1901. — Vgl. die Liste der bezüglichen Gewerbe im Anhang II.

Für die baulichen Defekte sowol als für die Benutzung des Arbeitsraumes zum Schlafen oder zum Kochen wollte ein Gesetzentwurf des Regierungsrates des Kantons Zürich, betreffend »das Gewerbewesen« (Antrag vom 27. Februar 1897), die Haftung des Verlegers einführen.[1]) Für die Einhaltung der gleichfalls zu statutierenden Maximalarbeitszeit für Außerhausarbeiter wurde jedoch in diesem Entwurfe (§ 16) von einer Haftung des Verlegers abgesehen.

Pennsylvanien, welches gleichfalls die Herstellung bestimmter Waren in Wohnungen, sofern dabei auch andere, als Angehörige der dort lebenden Familie beschäftigt sind, an die Erlaubnis des Fabriksinspektors knüpft, macht den Verleger verantwortlich, wenn eine solche Erzeugung ohne diese Erlaubnis stattfindet.[2]) Ähnlich New York,[3]) Massachusetts,[4]) Michigan[5]) und Wisconsin.[6])

Die Frage, wer als Verleger gelten soll, macht hier weniger Schwierigkeiten als bei der Ausdehnung der Zwangsversicherung auf die Verlagsindustrie, weil hier ohneweiters eine Konkurrenz mehrerer Verleger angenommen werden kann.

3. Die doppelte Mithaftung des Hausherrn wie des Verlegers neben dem Mieter für die Einhaltung aller etwaigen Schutzbestimmungen für verlegte Betriebe fordert das englische Schriftstellerpaar Beatrice und Sidney Webb. Ihnen folgte zum Teil der englische Abgeordnete und spätere Unterstaatssekretär Sydney Buxton.[7]) In einem Gesetz-

---

[1]) §§ 5 und 10.

[2]) § 1 des Gesetzes vom 11. Mai 1901.

[3]) § 100 des Gesetzes vom 1. April 1899.

[4]) § 56 des Gesetzes Z. 106 aus 1902.

[5]) § 17 des Gesetzes vom 17. Mai 1899.

[6]) § 1 des Gesetzes Z. 239 aus 1901.

[7]) Gesetzentwurf der englischen Abgeordneten Sydney Buxton und Genossen: Factory and Workshop Act (1878) Amendment Nr. 2; H. o. C. Bill 61 of 1890. — Beatrice Potter (Webb): The Lords and the Sweating System, Juniheft 1890 der Zeitschrift: »The Nineteenth Century«, sowie in den Aufsätzen: »Comment en finir avec le sweating system«, Revue d'Économie Politique, 1893, S. 963 fg., und »Une nouvelle loi anglaise sur les fabriques«,

entwurfe vom November 1890 zu dem damals in Beratung
stehenden englischen Fabriksgesetz wollte er den Arbeiterschutz in ausgedehnter Weise auf die Verlagsindustrie erstrecken, wofern die Arbeit nicht bloß den Charakter einer
Nebenbeschäftigung hätte und im Betriebe zumindest drei
Personen tätig wären. Den Verleger, den Hausherrn und
den Mieter für die Einhaltung der gesetzlichen Bestimmungen haftbar zu machen, hatten jedoch die antragstellen-
den Abgeordneten bloß zur Sicherung eines sanitär entsprechenden Zustandes der Arbeitsstelle in Aussicht genommen (§§ 38, 40, 41 des Entwurfes).

Ohne eine Haftung des Hausherrn oder des Verlegers
oder beider für die Beachtung allfälliger Arbeiterschutzbestimmungen in hausindustriellen Betrieben wäre man auf
eine notwendig sehr kostspielige und für sich allein gewiß
ungenügende staatliche Inspektion angewiesen. Aber
auch wo sie stattfände, bliebe sie oft deshalb unerheblich, weil weder die Durchführung von Anordnungen
des Gewerbeinspektors durch den Mieter, noch die Ein-
bringlichkeit etwaiger Strafen gewährleistet wäre.

Ein anderer Vorschlag rührt von einem deutschen
Autor her[1]), der vom Betreten solcher Pfade abrät. „Und
auch wenn man den Eigentümer eines Hauses oder dessen
Verwalter,« sagt er, »gleich dem Dwornik in einer russischen
Stadt für das Verhalten der Hausinsassen verantwortlich
macht, lassen sich zwar neue Mißstände schaffen, nicht aber
die alten beseitigen . . . Das einzige Mittel, um Besserung
zu schaffen, ist die Heranziehung der Arbeiter selbst, sowol zur Durchführung der zu ihrem Schutze erlassenen
gesetzlichen Bestimmungen als auch zur Besserung ihrer
Lohnverhältnisse.« (Vgl. oben S. 109.)

Von den Durchführungsmitteln der allfälligen Schutzvorschriften abgesehen, ist von Bedeutung der Inhalt dieser
Vorschriften selbst: die Frage, nach welchen Richtungen

Revue d'Éc. Pol., 1895. — Sidney W e b b vor der Labour-Commission (sitting
as a whole), Minutes of Evidence, qu. 3740/44; 3805; 4442/50 und 4474.

[1]) B r e n t a n o in der Beilage zur »Allgemeinen Zeitung«, Nr. 79 aus 1899.

hin der Arbeiterschutz auf die Verlagsindustrie »auszudehnen« wäre. Denn die Erfahrung beweist, daß die einfache formelle Ausdehnung der für Fabriken und Werkstätten bestehenden Arbeiterschutzvorschriften auf die Verlagsindustrie nicht genügt.

Eine derartige Forderung kann dort, wo eine
Sonderstellung der Hausindustrie besteht — wie infolge
§ 1, Abs. 3 der österreichischen Gewerbeordnung —
formell leicht erfüllt werden. Man beseitigt ausdrücklich
diese Ausnahmsstellung oder erklärt, daß (nunmehr) alle
Schutzbestimmungen der Gewerbeordnung für die verlegten Arbeitsstätten Geltung haben. In England wurden
die Grundsätze der Fabriksgesetzgebung über das Verbot
der Sonntags- und der Nachtarbeit, über die Einführung
einer Maximalarbeitszeit sowie einer Altersgrenze für die
Beschäftigung von Frauen und Kindern, schon 1867 auf
alle, auch die kleinsten, Frauen und Kinder beschäftigenden Betriebe übertragen. Frankreich dehnte 1874 seine
Gesetzgebung auf die kleinen Werkstattbetriebe aus. Das
Gleiche taten seit den Achtziger-Jahren Holland, sowie
einzelne schweizer Kantone, nordamerikanische Staaten
und australische Kolonien. [1])

Dennoch sahen sich diese Staaten, sofern sie die Verlagsindustrie wirksam regeln wollten, veranlaßt, Sonderbestimmungen zu schaffen, welche auf dieses Gebiet der
Arbeit besser paßten und sich wirksamer zeigten als jene
allgemeinen Sätze. Denn jene Gesetzgebung läßt, wie ein
Autor sich ausgedrückt hat, einen großen Teil der hausindustriellen Betriebe infolge der Natur ihrer Bestimmungen außerhalb ihrer Wirksamkeit, während ihr der theoretisch erfaßte Teil praktisch so gut wie ganz durch die
Finger geht. Begreiflicherweise! Bilden doch zunächst
viele Verlagsbetriebe schlechterdings keine »Werkstatt«
im Sinne der Arbeiterschutzgesetze, sondern Betriebe ver-

---

[1]) Vgl. die Übersicht über die ausländische Gesetzgebung, betreffend
»Werkstattarbeit« in den Drucksachen der deutschen „Kommission für Arbeiterstatistik«. Verhandlungen Nr. 10, Berlin 1896. S. 3 fg.

einzelter Heimarbeiter oder einzelner Familien. Sodann bedingen die der Verlagsindustrie eigentümlichen Übel besondere Vorschriften. Und endlich wird die Durchsetzung der gesetzlichen Vorschriften durch das örtliche Fluktuieren der großstädtischen Verlagsbetriebe und durch die gegenseitige Hilfe zur Verheimlichung, welche sich die Heimarbeiter gewähren [1]), erschwert.

Dennoch bin ich weit entfernt zu meinen, daß man etwa die Sonderstellung der »Hausindustrie« im österreichischen Gewerberecht nicht aufheben sollte. Wenn man gesehen hat, wie diese Bestimmung (vgl. S. 88, Anmerkung) dazu dient, die Gewerbeordnung zu umgehen, indem man dort, wo es Vorteil bringt, die Tätigkeit seiner Werkstattarbeiter für eine »hausindustrielle« erklärt, wie man mit Erfolg eine derartige Erklärung seiner eigenen Arbeiter vorweist, um ihrer Unfallversicherung auszuweichen, und derartige raffinierte und zugleich plumpe Praktiken mehr, wird man bekennen müssen, daß die Aufhebung jener Sonderstellung manchem Mißbrauch und mancher Behinderung der Gewerbeaufsicht ein Ende bereiten wird.

Wenn aber die Arbeiter die »Ausdehnung des Arbeiterschutzes auf die Hausindustrie« fordern, so ist damit gewiß nicht so sehr die formelle Ausdehnung des Geltungsgebietes der bestehenden Schutzvorschriften, als vor allem die Schaffung eines dieser Betriebsform entsprechenden Schutzes gemeint. Das ist nun, wie die Erfahrung beweist, nur durch die Schaffung von Spezialvorschriften möglich.

Untersuchen wir, nach welchen Richtungen sich dieselben erstrecken müßten.

I. Zunächst kann die bestehende Fabriksgesetzgebung selbst Zusätze im Hinblick auf heimarbeitende Fabriksarbeiter erhalten. Ihre Weiterbildung in der Richtung eines Schutzes der Heimarbeit ist möglich durch *a)* das absolute oder *b)* das bedingte Verbot, daß Arbeiter, welche

---

[1]) Copy of Report to the Board of Trade, on the Sweating System at the East End of London, by the Labour Correspondent, London 1887. Parliamentspaper Z. 331. S. 9. — Second annual Report of the Factory Inspectors of Illinois for . . . 1894. S. 42; vgl. S. 30 fg.

in Fabriken beschäftigt sind, Arbeit nach Hause nehmen. Dadurch wird die Heimarbeit von Fabriksarbeitern für ihren Werkstattbetrieb schlechthin verboten oder doch beschränkt. Das erstere ist in Neuseeland [1] und in der Schweiz [2], letzteres in England [3] der Fall.

Der bloßen Einschränkung der Heimarbeit jugendlicher und weiblicher Werkstättenarbeiter für Zwecke der Werkstatt stehen jedoch praktische Bedenken entgegen. 1. Jugendliche oder Frauenspersonen sind in England (§ 31, Absatz 2 des Fabriksgesetzes) nicht dagegen geschützt, mit Außerhausarbeit beladen zu werden, wenn sie in der Fabrik oder Werkstatt kürzere Zeit als die Normalarbeitszeit über beschäftigt wurden. Hier liegt also eine Möglichkeit vor, das Verbot außer acht zu lassen.[4] 2. Ferner ist überhaupt — insolange die Heimarbeit selbst keiner wirksamen Regelung unterworfen ist — die Kontrole darüber, ob die Leute nicht übermäßig viel Arbeit nach Hause mitbekommen, sehr schwer durchführbar, wenn die Unternehmer und — was mehrfach vorgekommen ist [5] — auch die Arbeiter die gesetzlicbe Vorschrift umgehen wollen. Daher verlangen die ehrlichen Firmen ein absolutes Verbot oder volle Freiheit. 3. End-

---

[1] Fabriksgesetz vom 8. November 1901, § 30.

[2] Gesetze der Kantone Zürich, Luzern und Solothurn vom 12. August 1894, bezw. vom 29. November 1895. §§ 7. 4 und 6.

[3] Fabriksgesetz aus 1901. § 31.

[4] Der im deutschen Reichstage am 18. Mai 1897 eingebrachte Gesetzentwurf zur Abänderung der Gewerbeordnung und des Krankenversicherungsgesetzes wollte es verbieten, weiblichen Arbeitern, welche in der Fabrik bereits über sechs Stunden beschäftigt waren, Hausarbeit mitzugeben. Dazu bemerkte Graf von Posadowsky (17. Januar 1898, Protokoll S. 459), es sei »mit Recht der Einwand erhoben worden, daß man eine derartige gesetzliche Vorschrift sofort umgehen könnte, wenn man beispielsweise die Arbeiterinnen in der Fabrik statt 6 Stunden nur 5 Stunden 30 Minuten beschäftigte«. Dann darf man ihnen Arbeit mitgeben, und die Kontrole über die Menge derselben ist sehr schwierig. Dieses Argument trifft jedoch nicht die Forderung eines absoluten Verbotes nach dem schweizer oder dem neuseeländischen Vorbild.

[5] Report of the Chief Inspector of Factories and Workshops for . . 1896, London 1897, S. 38.

lich haben in England die mit der Beachtung des Gesetzes
verbundenen Unbequemlichkeiten Unternehmer veranlaßt,
an Stelle des Werkstattbetriebes in größerem Maße zur
Verlagsarbeit überzugehen. Ein solches Ergebnis befürchtet
Brentano auch vom absoluten Verbot.

Das Verbot, in der Kleider- und Wäschekonfektion
Arbeit nach Hause mitzugeben, bildete auch den Gegenstand von Beratungen der deutschen Kommission für Arbeiterstatistik. Gegen dasselbe wurde in dieser Kommission geltend gemacht, daß etwa 10 % der Werkstattarbeiter in ihrer Fähigkeit hinter dem Durchschnitte
zurückbleiben und daher nur unter Zuhilfenahme von
Hausarbeit bestehen können, ferner, daß jenes Verbot eine
Abnahme der Werkstatt- und Zunahme der reinen Hausarbeit nach sich ziehen würde. Doch teilte die Mehrheit der
Kommission die Meinung eines Redners, »daß ohne das Verbot der Mitgabe von Arbeit nach Hause alle anderen Schutzvorschriften in der Luft schweben dürften«; viele Arbeiterinnen hätten eine Nähmaschine und könnten daher nach
Schluß der Werkstattarbeit die Arbeit daheim fortsetzen.
Es fragte sich daher dort hauptsächlich, ob die Hausarbeit
— nach englischem Vorbilde — für in der Werkstatt nicht
voll beschäftigte Arbeiterinnen zulässig sein sollte? Dafür
wurde geltend gemacht, daß es nicht angehe, einer Arbeiterin, die nur einen halben Tag in der Werkstatt beschäftigt
sei, weil sie für Kinder zu Hause zu sorgen habe, zu verbieten, Arbeit nach Hause zu nehmen. Der damalige Vorstand
der badischen Fabriksinspektoren Woerishoffer sprach
sich zwar für das Verbot aus, beantragte jedoch, daß es
auf jene Arbeiter keine Anwendung finden solle, »die nur
geringe Zeit in Werkstätten beschäftigt würden«. Ein
anderes Kommissionsmitglied schlug die vorsichtigere
Fassung vor: »... die nur zum geringen Teil in der Werkstatt, überwiegend aber zu Hause arbeiteten«, bemerkte
aber selbst, daß in der Hochsaison die Unternehmer
darauf hinzuwirken wüßten, daß die an die Tätigkeit in
der Werkstatt sich anschließende Hausarbeit zunehme.
Daher sprach sich denn auch die Kommission dafür aus,

daß es notwendig sei, die Werkstattarbeiterinnen vor
Überlastung durch Heimarbeit »tunlichst« zu schützen,
wenn nicht anders möglich, auch durch das [absolute?
relative?] Verbot der Mitgabe von Arbeit nach Hause.[1]

Der deutsche Gewerbegesetzentwurf vom März 1899
wollte den Bundesrat ermächtigen, die Mitgabe von Arbeit
an Arbeiterinnen und jugendliche Arbeiter für die Tage, an
welchen sie in der Werkstätte die Normalarbeitszeit hindurch
beschäftigt waren, unter Umständen zu verbieten.[2] An
anderen Tagen war ihnen auf Grund der Lohnbücher und
Arbeitszettel nicht mehr Heimarbeit mitzugeben, als sie in
der zulässigen noch nicht vollendeten Maximalarbeitszeit
im Fabriksbetriebe verrichten konnten.[3]

Über die Befürchtung, das *absolute* Verbot der Mitnahme der Arbeit nach Feierabend werde die Entfaltung

---

[1] Protokoll über die Verhandlungen der Kommission für Arbeiterstatistik vom 9. und 11. Januar 1897 (Drucksachen der Kommission, Verhandlungen Nr, 12, Seite 14 bis 17), Berlin 1897.

[2] Vgl. den Wortlaut der Vorlage auf S. 140 der ersten Auflage diese
Schrift.

[3] Gf. v. Posadowsky bemerkte in der Sitzung des Reichstages am
19. April 1899 (Protokoll S. 1861) in Übereinstimmung mit seiner vorhin
zitierten Kritik: »Die Schwäche auch dieser Bestimmung erkenne ich vollständig an, auch da wird eine Umgehung noch vielfach möglich sein; aber
es ist doch wenigstens eine feste, *unter Umständen* kontrolierbare Regel gefunden.« Dagegen hatte die »Fachzeitung für Schneider« bereits am 8. April 1899
Folgendes ausgeführt: »Daß damit die Hausarbeit erst recht zur wahren
Blüte entfaltet wird, ist vorauszusehen. Der Unternehmer, der seine Arbeiterinnen zehn Stunden in der Werkstatt beschäftigt, hat pro Kopf und
Woche fünf Stunden Hausarbeit frei und gibt ihnen auch entsprechende Aufträge mit nach Hause. Die Arbeiterinnen arbeiten trotzdem die halbe Nacht
hindurch und bringen am nächsten Tage die für fünf Stuuden berechnete
Arbeit fertig wieder mit, wol wissend, daß es eilige Arbeit war, die man
am liebsten »morgen« wieder sähe — und sagen höchstens, sie hätten sich
helfen lassen — von Mann, Kindern, von Gott weiß wem noch! Am nächsten
Tage bekommen sie — wieder für eine Woche Hausarbeit und — »lassen
sich wieder helfen«. Der Unternehmer spart die halbe Nacht Licht, Heizung
und Aufsicht, er kann ruhig schlafen, da seine »Hände« für ihn arbeiten —
trotz der beschränkten Hausarbeit!« Demgemäß erklärte Bebel im Reichstag (20. April, Protokoll S. 1901) mit Recht, hier gebe es nur eine glatte
Maßregel: Arbeiterinnen die Mitnahme von Arbeit nach Hause schlankweg
zu verbieten.

des Werkstattbetriebes beeinträchtigen und die Heimbetriebe vermehren, ist das Folgende zu bemerken. In
England wurde — wie wir bereits oben hervorhoben (S. 126,
Anmerkung) — nach Einführung der Fabriksgesetznovelle
von 1895, deren § 16 dem jetzigen § 31 des Fabriksgesetzes
aus 1901 entsprach, eine Vermehrung der Außerhausarbeiter beobachtet. Diese Novelle sah das bedingte
Verbot der Mitnahme von Arbeit nach Feierabend
vor. In der Schweiz, wo ein ähnliches unbedingtes
Verbot besteht, wurden solche Beobachtungen, wie mir
die zuständigen Kantonalregierungen und die eidgenössischen Fabriksinspektoren mitteilten, nicht gemacht. Keinesfalls dürfte das Verbot der Mitgabe von Arbeit ausschlaggebend wirken, wo der Unternehmer Werksvorrichtungen
besitzt, die er nicht ohne Verlust hintangeben kann.
Endlich ist hervorzuheben, daß sich die Tendenz, zur Hausindustrie überzugehen, abschwächen muß, sobald das Verbot der Heimarbeit von Werkstattarbeitern nicht mehr
das einzige Mittel ist, das gegen die Verlagsarbeit angewandt wird, sondern diese selbst Arbeiterschutzvorschriften
unterliegt.

Bebel bezeichnete im deutschen Reichstage die
Folgen des glatten Verbotes, Arbeiterinnen bestimmter Art
Feierabendarbeiten mitzugeben, alternativ. »Die Unternehmer werden dann zweierlei tun; sie werden sagen:
entweder ist es für uns profitabler, die ganze Arbeit aus
der Hand zu geben und im Hause der Arbeiterinnen machen
zu lassen, oder, statt daß wir die Arbeiterinnen 5, 6, 7
oder 8 Stunden beschäftigen, beschäftigen wir sie jetzt den
ganzen Tag.«[1])
Die unter dem 30. Juni 1900 (R.-G.-Bl., S. 321) zustande gekommene deutsche Gewerbenovelle enthält

---

[1]) A. a. O., S. 1901. Er fügte hinzu: »Das letztere wäre allerdings
die richtige Lösung der Frage. Wir müssen die Arbeit durch Arbeiterschutzbestimmungen zu organisieren suchen. Das ist ja der Vorzug aller Arbeiterschutzbestimmungen« . . . . . »Denn was geschieht mit den armen Dingern?
Meine eigene Frau hat in diesen Verhältnissen gelebt . . . Wenn sie abends
um 7 oder 8 Uhr nach Hause kam, setzte sie sich noch bis 12 Uhr und

keinerlei einschlägige Bestimmung; das relative Verbot erschien unzulänglich und zum absoluten schwang man sich nicht auf.[1])

Schwierig ist freilich die Durchführung jeder derartigen Bestimmung und die Kontrole über ihre Einhaltung. Diese erscheint denkbar, wo die Arbeiterschaft vorgeschritten und organisiert ist und die Durchführung jeglicher Schutzvorschriften aufmerksam verfolgt. Bei einer nicht durchwegs organisierten, ihre Rechte nicht wachsam vertretenden Arbeiterschaft, dort, wo die Durchführung der Gesetze bloß den behördlichen Organen zur Last fällt, wäre die Garantie namentlich für die Beachtung des relativen Verbotes in normalen Zeiten gering. Nur zu Zeiten von Arbeitsstreitigkeiten dürften die Arbeiter die Behörden durch Anzeigen entsprechend unterstützen.

Soviel über das Verbot der Heimarbeit für **Werkstattarbeiter**, dessen Zweck ist, zu verhüten, daß die Vorschriften über den Normalarbeitstag für **Werkstätten** durch Mitgabe von Arbeit nach Hause umgangen werden.

II. Abgesehen von derartigen Zusätzen zur Fabriks- und Werkstättengesetzgebung kommen andere **Zusätze** in Betracht, welche von **vornherein** für die **Verlagsarbeit** berechnet sind:

A) Zunächst prinzipiell neue Sonderbestimmungen, welche nun rücksichtlich der Verlagsarbeiter einzufügen wären.

Eine solche Vorschrift bildet: *a)* das Verbot, daß Heimarbeiter die vom Verleger empfangene Arbeit in Subkontrakt weitergeben. Das neuseeländer Fabriksgesetz (§ 28) bestimmt, daß Heimarbeiter, welche Verkaufsgegenstände aus Geweben verfertigen, diese Arbeit weder

---

später hin und machte Blumen- und Modistenarbeiten. Alsdann hatte sie im günstigsten Fall 15 Pfennige verdient. Den nächsten Morgen aber mußten die Mädchen um 7, spätestens 8 Uhr im Geschäft sein, sie sind übermüdet, und selbstverständlich hat der Arbeitgeber den Schaden; er hat eine übermüdete, unlustige Arbeiterin, die nicht das volle Maß der Leistungsfähigkeit besitzt.«

[1]) Verhandlungen des Reichstages am 25. November 1899, Prot. S. 3030 fg. Vgl. auch Nr. 393 der Anlagen, S. 2474 fg.

direkt noch indirekt weiter vergeben dürfen, weder als Stückarbeit noch sonstwie — vielmehr muß jede derartige Arbeit in ihren eigenen Räumen ausgeführt werden, von ihnen selbst oder von eigenen Hilfskräften, die sie dafür selbst entlohnen. Ähnlich wollte Dr. Woerishoffer in der deutschen Kommission für Arbeiterstatistik das Zwischenmeisterwesen befördern, indem er empfahl, Zwischenmeistern die Beschäftigung von Arbeitern **außer Hause** zu verbieten. [1] Er wollte damit auf das Entstehen neuer Zwischenmeisterwerkstätten — die einer Regelung zugänglich sind — hinwirken. Sein Vorschlag fand nicht die Zustimmung der Kommission. Gegen ihn wurde geltend gemacht, daß er geradezu die Vermehrung der vereinzelten Heimarbeiter befördere, ohne deren Lage zu bessern.

b) Aber auch die schärfere Bestimmung wäre theoretisch denkbar, daß Verlagsarbeiter keine fremden Nebengesellen beschäftigen dürfen. Also das Gegenstück des Woerishofferschen Antrages. Im Falle seiner Durchführbarkeit würde dem Zwischenmeisterwesen ein Ende bereitet werden. Allein die Durchführbarkeit unterliegt starkem Zweifel. An Stelle der Zwischenmeisterei entständen Heimbetriebe von Familien, die einander in die Hände arbeiten würden und immerhin von demjenigen Heimarbeiter, der die Aufträge beschaffen und die Ablieferung besorgen würde, in Abhängigkeit geraten dürften.

c) Ferner käme die allgemeine Anordnung in Betracht, daß die Anrechnung der Zutaten oder einer Materialschädigung nach den Selbstkosten der Verleger erfolgen müsse. Der (leider abgelehnte) züricher Entwurf bestimmte in § 21: . . . »Arbeitsmaterial, sowie allfälliger Ersatz

---

[1] A. a. O., S. 11 fg. und 17 fg. »Die Zwischenmeister der Konfektionsindustrie dürfen nur in ihren Werkstätten Arbeiter beschäftigen.« »Die in der Heimarbeit beschäftigten Personen dürfen nur in unmittelbarem Arbeitsverhältnis zu den Konfektionären stehen.« Dieser Antrag wurde — erfolglos — von sozialdemokratischer Seite im deutschen Reichstag aufgenommen (455 der Anlagen aus 1899; desgl. S. 2474 fg. der Anlagen Nr. 393 und S. 3011—3018 der Verhandlungen).

für absichtliche oder fahrlässige Schädigungen dürfen nicht höher als zum Selbstkostenpreise verrechnet werden.« Diese Vorschrift entspricht besonders den Wünschen der organisierten Schneider. [1]) Man könnte noch anordnen, daß diese Gesetzesbestimmung in den Lokalen der Verleger ausgehängt werde. Ihre Kontrole wäre eine wichtige Aufgabe der Gewerbeinspektoren, welche zu diesem Behufe mit allen zweckdienlichen Befugnissen auszustatten wären.

Diese Bestimmung ist sehr wichtig. Mit ihr hängt die Erweiterung der Truckverbote zusammen, welche später besprochen werden soll.

d) Die deutsche Gewerbenovelle vom Juni 1900 ermächtigt den Bundesrat, in bestimmten Gewerben Lohnbücher oder Arbeitszettel einzuführen, in welchen der Arbeitgeber die übertragene Arbeit und die Bedingungen ihrer Ausführung zu verzeichnen hat, während der züricher Entwurf die Vorschrift der Lohnzahlung auf Grund einer dem Arbeiter einzuhändigenden schriftlichen Abrechnung vorsah. Durch beide Vorschriften wären die individuellen Forderungen des Arbeiters festzustellen. Es frägt sich aber, ob nicht nebst dem Lohnbuche auch im Interesse der Gesamtheit der Arbeiter die Publizität der Lohnsätze für bestimmte Leistungen — ein Aushang des Tarifes in jeder Betriebstätte, welche Arbeit ausgibt — zu gewährleisten wäre.

B) Zweckentsprechende Umbildung könnten sodann die heutigen Schutzbestimmungen für Fabriks- und Werkstattarbeiter finden, damit sie auch für das Gebiet der Hausindustrie passen, sich ihm adäquat erweisen. Hier

---

[1]) Der eisenacher Kongreß der deutschen Schneider und Schneiderinnen vom Jahre 1896, sowie die londoner Internationale Schneiderkonferenz von 1896 forderten die »Verpflichtung, Arbeitsmaterial und Werkzeuge, soweit diese der Unternehmer oder dessen Angestellte oder der Zwischenmeister liefert oder anrechnet, an die Arbeiter nicht höher als zum Kostenpreise abzugeben«. (Protokoll über die Verhandlungen des vierten allgemeinen deutschen Schneider- und Schneiderinnenkongresses . . ., über die Verhandlungen des vierten ordentlichen Verbandstages der Schneider und Schneiderinnen . . ., sowie über die Verhandlungen der zweiten internationalen Schneiderkonferenz, 1896. Verlag der Fachzeitung für Schneider in Hamburg. S. 26 fg. und 99 fg.)

handelt es sich um die eigentliche »Ausdehnung« der
Schutzbestimmungen auf die Verlagsarbeit. Dabei wird
es sich mitunter freilich nicht um eine bloße Umgestaltung der für Werkstattbetriebe geltenden Vorschriften
handeln, sondern es wird auch ihre Ausgestaltung in Frage
kommen müssen. Ins Auge zu fassen sind hier alle Vorschriften, welche:

a) die Verwendung von Kindern zu gewerblicher Arbeit
    regeln,

b) die Arbeitszeit von Kindern, von jugendlichen, von
    weiblichen und von erwachsenen männlichen Arbeitern
    beschränken,

c) gegen die Gefahr besonderer Erzeugungsprozesse sich
    richten oder

d) den Schutz vor bestimmten Werksvorrichtungen be-
    treffen.

Unter die beiden letzteren Forderungen subsumieren
sich die Regelung bestimmter gesundheitsschädlicher Betriebe, wie der Zündhölzchenerzeugung, des Quecksilber-
belegens und ähnlicher, sowie auch harmlosere Sonder-
vorschriften für Gewerbe anderer Art, wie das Verbot
von Kohlenbügeleisen u. dergl.

Auch die Verordnungen, welche:

e) das Schlafen in Arbeitsräumen verbieten,

f) deren zeitweiliges, entsprechendes Reinigen (Waschen,
    Firnissen, Tünchen) vorschreiben,

g) ihre Größe mit Rücksicht auf die Zahl der darin
    Beschäftigten festsetzen,

h) die Ableitung von Staub oder sonstiger Schädlich-
    keiten des Erzeugungsprozesses,

i) das Vorhandensein von Wascheinrichtungen oder ent-
    sprechender Aborte anordnen,

können eventuell *mutatis mutandis* auf die Heimarbeit Anwendung finden.

In Amerika und Australien finden wir sogar[1]) die Be-

---

[1]) § 131 *a* des Gesetzes von Maryland vom 4. April 1896; § 2 des
Gesetzes von Pennsylvanien vom 11. Mai 1901; § 2 des Gesetzes von Ohio
vom 27. April 1886; § 38 des Fabriksgesetzes von Neuseeland vom 18. Ok-

stimmungen über Notausgänge auf die Heimwerkstätten übertragen.

Nur das die Werkstattarbeit betreffende Verbot, Mahlzeiten in den Arbeitsräumen einzunehmen, verbunden mit dem positiven Gebote, besondere Speiseräume beizustellen, dürfte in den Zwischenmeistereien völlig außer acht bleiben.

Wol aber können die Vorschriften:

k) über Zahlungstermine, und

l) die Verbote des Trucks

zur Anwendung kommen.

m) Dort, wo die Lohnregelung selbst in das Gebiet der Schutzgesetzgebung einbezogen wird, wie in Australien, kann diese Frage gleichfalls ohneweiters inbezug auf die Verlagsindustrie im Gesetze behandelt werden.

Das alles wären Vorschriften, die teils den Zwischenmeister und den vereinzelten Heimarbeiter gegen Übergriffe der Verleger, teils die Hilfskräfte der Zwischenmeister gegenüber diesen schützen würden. Die organisierten Schneider fordern in Deutschland eine Ausdehnung folgender Bestimmungen der deutschen Gewerbeordnung auf die Hausindustrie: des Verbotes der Sonntagsarbeit (§ 105 *b*) und der Kinderarbeit (§ 135), der Beschränkung der Arbeitsdauer der Jugendlichen (§ 136) und der Frauen (§§ 137 und 139 *a*), der Verpflichtung zur Anzeige des Gewerbebetriebes (§ 14) und der Bestimmungen über die Gewerbeaufsicht (§ 139 *b*). Zugleich fordern sie weibliche Aufsichtspersonen und die Einführung von Arbeitsordnungen (§§ 134 *a* — 134 *g* G.-O).[1]

In manchen Ländern ist die prinzipielle Ausdehnung der Fabriksgesetzgebung auf alle Arbeitsstellen, somit auch auf die Heimarbeit, verwirklicht worden, doch macht da die Gesetzgebung noch häufig vor der reinen Familienwerkstätte halt.

---

tober 1894. Wortlaut der letzteren Bestimmungen in Schwiedland, Eine vorgeschrittene Fabriksgesetzgebung; die Fabriksgesetze der Kolonie Neu-Seeland (Wien 1897); die analoge Bestimmung enthält jetzt § 40 des Gesetzes vom 8. November 1901.

[1] Vgl. die Broschüre: Schutz den Heimarbeitern. Stuttgart 1902. S. 123 fg.

Die australischen Kolonien haben den Betrieben, welche lediglich Familienangehörige verwenden, eine Ausnahmsstellung aus diesem Titel niemals eingeräumt. Die nordamerikanischen Staaten, welche gegen die Heimarbeit bestimmter Gewerbe Sondergesetze erlassen haben, kommen mehr und mehr davon zurück, Familienbetriebe von den allgemeinen Normen auszunehmen.

Die englische Gesetzgebung unterscheidet zwischen Fabriken, Werkstätten und häuslichen Arbeitsstätten. Die Fabrik oder Werkstätte wird häusliche Arbeitsstätte *(domestic factory* oder *domestic workshop),* wenn der Betrieb im Wohnraum, ohne motorische Kraft und lediglich unter Verwendung von Familienangehörigen vor sich geht. Dann gelten auch nicht alle Arbeiterschutzvorschriften des Fabriks- und Werkstättengesetzes.

Im Deutschen Reich hat die Reichskanzlei am 8. Juli 1893 (R.-G.-Bl. S. 218) Vorschriften über die Verhältnisse der Arbeitsräume in den Anlagen erlassen, worin Verrichtungen zur Herstellung von Zigarren erfolgen: sie betreffen jedoch nur einen Teil der Heimarbeit, nämlich Anlagen, worin Personen beschäftigt werden, »welche nicht zu den Familienmitgliedern des Unternehmers gehören«. Desgleichen findet die kaiserliche Verordnung vom 31. Mai 1897 zur Regelung der Konfektionswerkstätten, entsprechend § 154, Abs. 4, der deutschen Gewerbeordnung, keine Anwendung auf »Werkstätten, in welchen der Arbeitgeber ausschließlich zu seiner Familie gehörige Personen oder nur gelegentlich nicht zu seiner Familie gehörige Personen beschäftigt«.

In Österreich schließt das Kundmachungspatent zur Gewerbeordnung vom Jahre 1859 von der Geltung dieser aus (Punkt V *e*): die »in die Kategorie der häuslichen Nebenbeschäftigungen fallenden und durch die gewöhnlichen Mitglieder des eigenen Hausstandes betriebenen Erwerbszweige«. § 1, Abs. 3 G.-O. in der Fassung der Gewerbenovelle vom Jahre 1883 erklärt ferner »die gesamte Hausindustrie« als »von der Einreihung unter die Gewerbe überhaupt ausgenommen«.

Unter Hausindustrie wird aber (vgl. S. 88, Anm.) fast das Nämliche verstanden, was das Kundmachungspatent bezeichnet, mit dem Unterschied, daß hier auch die Hauptbeschäftigung ausgenommen wird, wenn sie nur durch die Mitglieder des eigenen Hausstandes betrieben wird und ihre gewerbliche Tätigkeit der örtlichen Gewohnheit entspricht. Bei der Bezeichnung der »Hausindustrie« in § 3, Abs. 3 des Krankenversicherungsgesetzes fehlt dieses letztere Merkmal.[1]) Es bietet übrigens dadurch Unzukömmlichkeiten, daß derselbe Gehilfe in dem einen Ort, wo die Erzeugung ortsüblich ist, außerhalb der Gewerbeordnung steht, während er gewerblicher Hilfsarbeiter wird, wenn er in der nämlichen Weise an denselben Verleger aus einem benachbarten Orte liefert, wo die Erzeugung keine lokal eigentümliche Übung ist.

Auf die Unzweckmäßigkeit dieser Ausnahme wurde bereits (S. 138) hingewiesen. Auch die Ausnahme des Kundmachungspatentes führt aber zu Unzukömmlichkeiten; denn ein kleiner Bauer, welcher als häusliche Nebenbeschäftigung ein Gewerbe betreibt, kann auch Verlagsarbeiter sein, der z. B. Holzspan- oder Strohgeflechte u. dergl. für Verleger verfertigt.

Beide Bestimmungen wären daher einzuschränken, »Hausindustrie« wie »häusliche gewerbliche Nebenbeschäftigung« soweit der Gewerbeordnung zu unterstellen, als sie ihre Erzeugnisse nicht direkt an Konsumenten, sondern an Verleger abgeben und als es sich um Arbeiterschutzbestimmungen handelt.

Dies könnte am einfachsten dadurch geschehen, daß ein Spezialgesetz bestimmt, welche Arbeiterschutzbestimmungen der Gewerbeordnung auf diese Beschäftigungen Anwendung finden. Selbstverständlich müßte das Gesetz dabei auch Abänderungen dieser Schutzbestimmungen zum

---

[1]) » . . . Unternehmer, in deren Auftrag und für deren Rechnung selbständige Arbeiter in eigenen Betriebsstätten persönlich oder unter Mitwirkung der Angehörigen des eigenen Hausstandes, jedoch ohne anderweitige Hilfsarbeiter mit der Herstellung oder Bearbeitung industrieller Erzeugnisse beschäftigt sind (Hausindustrie) . . . .«

Zweck ihrer Anpassung an die Verhältnisse der Hausindustrie in sich schließen.

Die Ausnahmsstellung der »Hausindustrie« und der
»häuslichen Nebenbeschäftigung« gänzlich zu beseitigen
und sie der Gewerbeordnung glattweg zu unterstellen,
empfiehlt sich nicht, denn dadurch würde die Regelung
der Hausindustrie mit der Reform der Gewerbeordnung
untrennbar verquickt werden und anderseits würden bei
einem solchen Vorgehen die beschränkenden Bestimmungen über Gewerbeantritt und Befähigungsnachweis auch
auf Beschäftigungen Anwendung finden, für die sie nicht
passen und nicht gedacht sind.

Die einschlägigen Arbeiterschutzbestimmungen der
österreichischen Gewerbeordnung beginnen mit § 74, der
Vorschriften über gefährliche Betriebe und die Beschaffenheit der Arbeitsräume enthält. Dessen Ausdehnung auf
die Hausindustrie erfolgt, sobald diese letztere als Gewerbe
erklärt ist; dann unterliegen ihre Betriebe auch der Gewerbeinspektion[1]); die Durchführung der Anordnungen der
Inspektoren wäre einigermaßen zu gewährleisten, wenn
man deren Überwachung auf dem Lande den staatlichen
Polizeiorganen (Gendarmerie) übertrüge, welche gegebenenfalls die Mitverantwortung der Hauseigentümer und der
Verleger zu verwirklichen hätten.

Beklagenswert sind in Österreich die in manchen
Gegenden als Gichthöhlen bezeichneten »Heime« der Hausindustriellen, mit ihren oft nur 15 Zentimeter starken
Mauern, ihren einfachen Fenstern und ihren Ziegelfuß-
böden, in denen die Wände vom Oktober bis April derart
»schwitzen«, daß das Wasser herabläuft, worin der Wind
durch das geschlossene Fenster die nahe Sitzenden an-
bläst und die Füße beständig kalt bleiben. Selbst Gemeinden mit einigen tausend Seelen haben mitunter
kein bauverständiges Gemeindeorgan und betrachten die
Bauten nur als willkommene neue Steuerobjekte. Hier

---

[1]) § 2 des Gesetzes vom 17. Juni 1883, R.-G.-Bl. 117.

würde allein die Schaffung entsprechender Bauvorschriften und Verstaatlichung der Baupolizei helfen.

Von besonderem Belang wäre hier die Haftung des Hauseigentümers. Häufig scheitert auch in Betrieben, welche der Gewerbeordnung unterstehen, die Ausführung von Anordnungen, welche die Gesundheit des Arbeiters erfordert, daran, daß sie Änderungen am Eigentum des Hausherrn bedingen. Es kommt vor, daß der Vermieter es nicht zuläßt, daß der Mieter die wünschenswerten Adaptierungen auf eigene Kosten durchführe. Da man auf den Vermieter nicht einwirken kann, müßte nun der Mieter zum Aufgeben des Lokales gedrängt werden; mit diesem Opfer steht aber die geforderte Änderung oft in keinem Verhältnis; auch hat man keine Gewähr dafür, daß der nächste Mieter dem gleichen Mißstand nicht unterliegen würde. Wenn nun in der Hausindustrie in einer Stahlschleiferhütte, worin zehn Messerschleifer arbeiten, das Wasserrad besser zu verwahren oder die Staubabfuhr zu verbessern ist, so wird diese Anordnung niemals durchgeführt werden, wenn der Hauseigentümer nicht darein willigt oder sie nicht selbst durchführt.

§ 74a handelt von den Arbeitspausen. Deren Einhaltung im Heimbetriebe unterliegt allerdings großen Schwierigkeiten, weil die Leute selbst keine Neigung haben, solche Pausen einzuhalten. Heimarbeiter, die zuhause im Akkord arbeiten, müssen zugreifen, und wenn sie mitunter die Nächte durcharbeiten, so tun sie es in ihrem vermeintlichen eigenen Interesse. Ihr wirtschaftlicher Tiefstand läßt sie nicht erkennen, daß ihre Lage durch die beständig überlange Arbeit nicht besser wird, und Regellosigkeit der Arbeitszeit ist oft gerade mit ein Grund dafür, daß der Heimarbeiter nicht in die Fabrik gehen will.

Ebenso wie die Regelung der Arbeitsräume voraussetzt, daß der Heimarbeiter die Mittel habe, bessere Räume zu beschaffen, wird die Regelung der Arbeitszeit davon bedingt, daß für ihn in der gestatteten Zeit ein zum Leben ausreichender Verdienst möglich sei. Die niedrigen Löhne der Hausindustrie bringen naturnotwendig

schlechte Räume und überlange Arbeit mit sich; hier liegt
also die Wurzel des Übels, dessen Symptom bekämpft
werden soll. In den meisten Fällen müßte daher die Einschränkung der Arbeitszeit mit einer Lohnerhöhung verbunden sein, da sonst der notwendige Gesamtlohn nicht
mehr zu erringen wäre. [1]) Anderseits wird eine Lohntarif-
erhöhung durch Einschränkung der Arbeitszeit gesichert,
da sie der Preisunterbietung eine Grenze setzt — sofern
ihre Einhaltung überhaupt gesichert werden kann.

Die Regelung der Arbeitszeit wäre auch deshalb
wichtig, weil in Gewerben, in welchen auf rasche Lieferung gesehen wird, diejenigen den Auftrag erhalten, welche
länger arbeiten. Die übermäßige Leistung sichert ihnen
genügende Beschäftigung, entzieht sie aber den übrigen
Gewerbegenossen, welche nun in ihrer Beschäftigungslosigkeit die Preise drücken und so auch jenen den anfänglichen Vorteil verkürzen.

Eine Regelung der täglichen Arbeitszeit (§§ 96 a und
96 b) kann man gedankenmäßig auf zwei Wegen anstreben.
Zunächst durch stundenweise Feststellung der täglichen
Arbeitsdauer: Verbot der Arbeit vor einer bestimmten
Stunde morgens und nach einer bestimmten Stunde abends
sowie Ausschluß der Nachtarbeit (§ 95). Die Durchführbarkeit dieser Maßregel könnte nur durch eine Mithaftung der
Hauseigentümer für die Überschreitung der gestatteten Arbeitszeit gesichert werden. Denkbar wäre es ferner, die Arbeitszeit durch Einschränkung der dem einzelnen übertragenen Arbeitsmenge zu regeln, indem der Verleger wöchentlich nur soviel mitgeben dürfte, als beim Stande der Kräfte
im Heimbetriebe etwa in 60 Stunden fertiggestellt werden
kann (vgl. S. 192). Voraussetzung einer solchen Regelung
wäre die genaue Kenntnis jedes verlegten Betriebes und

---

[1]) Im allgemeinen — außerhalb der Heimarbeit — wird eine Verkürzung der täglichen Arbeitsdauer nur unter der Bedingung erstrebt, daß
(beim Zeitlohn) keine oder keine erhebliche Lohnverkürzung damit verbunden
sei, beziehungsweise daß (beim Akkord) der Einheitssatz zugleich erhöht
werde oder doch die Arbeitsintensität in der verkürzten Zeit entsprechend
gesteigert werden könne, damit keine Lohneinbuße sich ergebe.

seiner Arbeitskräfte. Wo jedoch die Heimarbeiter für mehrere Verleger gleichzeitig arbeiten, wie dies zum Beispiel in städtischen Konfektionsgewerben häufig vorzukommen scheint, ist auch mit dieser Vorschrift nichts zu erreichen, da ein Verleger nicht dafür haftbar gemacht werden kann, daß der Arbeiter sich von einem zweiten die gleiche Menge Arbeit holt.[1])

Das Verbot der Nachtarbeit wäre wichtig; »Durchmärsche« kommen ja auf dem Lande wie in den Städten vor, gleichwie 16- und 18stündige Tagesarbeit in der Saison in Verlagsgewerben noch nicht das höchste Maß von Anspannung bedeutet.

Allein es ist kaum möglich, einen Heimarbeiter zu hindern, tagsüber durch Lieferungsgänge, Betteln[2]), Holzklauben, Kohlenabfallsammeln u. dgl. versäumte Arbeitsstunden abends einzubringen. Insolange nicht eine entsprechende Ausdehnung der Krankenversicherung herbeigeführt ist, ist es auch nicht anders denkbar, als daß eine Heimarbeiterfamilie im Falle der Erkrankung eines ihr angehörigen Arbeiters zur leidlichen Deckung des Ausfalles alle Kräfte bis zum Äußersten anspannen muß.

Verbote zur Verkürzung der Arbeitszeit hätten sonach bloß den Wert von Versuchen. Diese würden ergeben, inwieweit das Problem bei der heutigen wirtschaftlichen und sozialen Lage der Heimarbeiter lösbar ist.

Leichter wären die Vorschriften über die Sonntagsruhe auf die Hausarbeit zu übertragen.

§§ 79 und 80 fg. (Ausweisdokumente der Arbeiter und Arbeitsbücher) sind als Identitäts- und Qualifikationsnachweise für uns von wenig Belang. § 82 (Auflösung des Arbeitsverhältnisses) gäbe Anlaß zur Verfügung, daß ein Heimarbeiter die übernommene Arbeit fertigstellen muß, bevor

---

[1]) Über die Schwierigkeit einer solchen Regelung oben S. 141, Anmerkung.

[2]) Das ist nicht unerheblich; kirchliche und Familienfeste, Begräbnisse bieten Anlaß dazu. Auch wird am Freitag gewohnheitsmäßig gebettelt. Zur Zeit der Arbeitslosigkeit ziehen die Weiber oft mit ihren Kindern in benachbarte größere Orte um Almosen zu erbitten.

er das Verhältnis zum Verleger auflöst. Rücksichtlich der §§ 87 fg. (Streitigkeiten aus dem Arbeits-, Lehr- und Lohnverhältnis) ist auf das Gewerbegerichtsgesetz zu verweisen, welches sich ohnehin auf die Heimarbeit erstreckt[1]). Die Fragen des § 88 (Verzeichnisse der Arbeiter jeder Gewerbsunternehmung) sind bereits bei der Registrierung besprochen worden.

Von größerer Bedeutung sind die Bestimmungen, deren Erörterung noch erübrigt.

§ 77, betreffend die Entlohnung und die Kündigung, wäre zweckmäßig derart auszugestalten, daß Lohnbücher eingeführt, die Verpflichtung zur Eintragung der Einheitspreise bei Übergabe der Arbeit ausgesprochen und der Aushang des Lohntarifes beim Verleger verfügt würde.

Die §§ 78—78 e (Lohnzahlungen) erheischen vor allem eine Ausdehnung zur Verhinderung des Trucks. Unter dem Vorwand der Materiallieferung und des Strafabzuges wird viel Unfug getrieben. Dahinter steckt sehr häufig ein unbehindertes Truckwesen und eine ungerechtfertigte Bereicherung durch willkürlich bemessene »Strafen«. Da gibt es Strafabzüge für Leimflecken, für ungleich geschlagenes Gewebe, für Nester im Stoff und Brüchigkeit — mögen auch diese Mängel aus schlechtem Rohmaterial herrühren, das der Verleger geliefert. Gleichwol werden dafür, nicht auf Grund einer Vereinbarung, sondern der Willkür, Abzüge gemacht. In Böhmen kennt man auch Verleger, welche die Heimarbeiter zwingen, ihre eigenen fehlerhaft befundenen Erzeugnisse anzukaufen; die Folge ist ein unbefugtes Verhausieren durch Angehörige des Hausindustriellen und der Vertrieb eines nicht geringen Teiles der Produktion — ohne

---

[1]) Als Arbeiter im Sinne des Gesetzes vom 25. November 1896, R.-G.-Bl. 218, über die Gewerbegerichte gelten (§ 5 c) ausdrücklich: Personen, welche außerhalb der Betriebsstätte gegen eine Entlohnung mit der Bearbeitung oder Verarbeitung von Rohstoffen oder Halbfabrikaten für Unternehmer beschäftigt sind. Es ist allerdings bezweifelt worden, ob »auch die von Personen, die nur Verleger sind, beschäftigten Heimarbeiter diesem Gesetze unterstehen«. (Bericht der reichenberger Handels- und Gewerbekammer über die Regelung der Heimarbeit, 1897, S. 26.)

Regiekosten für den Verleger. Daneben besteht die Klausel des »Verfalls des Arbeitslohnes« im Falle unpünktlicher Lieferung — ein würdiges Seitenstück zur Übung, Lohnsätze nicht bei der Übernahme des Auftrages, sondern nach Ablieferung der Ware »bekanntzugeben« u. dgl. m.

Zu erwägen wäre, ob im Hinblick auf die ländlichen Verhältnisse und das Truckwesen nicht verboten werden sollte, daß Verleger oder ihre Angestellten sowie die Ehegatten Beider Viktualien- und Gemischtwarenhandlungen oder Gast- oder Schankgewerbe betreiben. Doch würde es vielleicht genügen, Schulden, welche die Verlegten in solchen Geschäften machen, die Klagbarkeit zu entziehen und anderseits die Anrechnung auf den Lohn mit der Wirkung zu untersagen, daß die Lohnforderung trotz der geschehenen Anrechnung klagbar bleibt.

Solche Bestimmungen wären vielleicht wirksamer, als die analogen Vorschriften der österreichischeu Gewerbeordnung. Die §§ 78 d und 78 e enthalten die Sanktion der Vorschriften. Der Hilfsarbeiter kann jederzeit Bezahlung seiner Forderung verlangen, wenn er anstatt in Barem

---

¹) Dieselben lauten wie folgt:

§ 78. Die Gewerbsinhaber sind verpflichtet, die Löhne der Hilfsarbeiter in barem Geld auszuzahlen.

Sie können jedoch den Arbeitern Wohnung, Feuerungsmaterial, Benützung von Grundstücken, Arzneien und ärztliche Hilfe, sowie Werkzeuge und Stoffe zu den von ihnen anzufertigenden Erzeugnissen unter Anrechnung bei der Lohnzahlung nach vorausgegangener Vereinbarung zuwenden.

Die Verabfolgung von Lebensmitteln oder der regelmäßigen Beköstigung auf Rechnung des Lohnes kann zwischen dem Gewerbsinhaber und dem Hilfsarbeiter vereinbart werden, sofern sie zu einem die Beschaffungskosten nicht übersteigenden Preise erfolgt.

Dagegen darf nicht vereinbart werden, daß die Hilfsarbeiter Gegenstände ihres Bedarfes aus gewissen Verkaufsstätten beziehen müssen.

Gewerbsinhaber dürfen den Arbeitern andere als die obbezeichneten Gegenstände oder Waren und insbesondere geistige Getränke auf Rechnung des Lohnes nicht kreditieren.

Die Auszahlung der Löhne in den Wirtshäusern und Schanklokalitäten ist untersagt.

§ 78 a. Die Bestimmungen des § 78 finden auch auf diejenigen Hilfsarbeiter Anwendung, welche außerhalb der Werkstätten für Gewerbsinhaber

durch Waren befriedigt wurde; die ihm gesetzwidrig auf
Kredit gelieferten Gegenstände können nicht eingeklagt
werden. Allein der Fehler liegt darin, daß der § 78, Absatz 3 und 4, den indirekten Zwang zu kaufen, die nicht
auf »Vereinbarung« beruhende, aber ebenso wirksame
faktische Nötigung übersieht. Absatz 5 verbietet auch
nicht das Kreditieren der in den Absätzen 2 bis 4 bezeichneten Gegenstände. Bei diesen kann der Waren-
kredit unbeschränkt stattfinden und gegenüber der Lohnforderung aufgerechnet werden. Aber auch alle Waren
können unbehindert kreditiert werden, wenn sie nur

---

die zu deren Gewerbsbetriebe nötigen Ganz- und Halbfabrikate anfertigen
oder solche an sie absetzen, ohne aus dem Verkaufe dieser Waren an Konsumenten ein Gewerbe zu machen

§ 78 *b*. Die rücksichtlich der Gewerbsinhaber in den §§ 78 und 78 *a*
getroffenen Bestimmungen finden auch Anwendung auf Familienmitglieder,
Gehilfen, Beauftragte, Geschäftsführer, Aufseher und Faktoren der Gewerbsinhaber, sowie auf andere Gewerbetreibende, bei deren Geschäfte eine der
hier erwähnten Personen unmittelbar oder mittelbar beteiligt ist.

§ 78 *c*. Vertragsbestimmungen und Verabredungen, welche den An
ordnungen der §§ 78, 78 *a* und 78 *b* zuwiderlaufen, sind nichtig.

§ 78 *d*. Hilfsarbeiter, deren Forderungen entgegen den Vorschriften
der §§ 78, 78 *a* und 78 *b* anders als durch Barzahlung berichtigt wurden,
können zu jeder Zeit die Bezahlung ihrer Forderungen in barem Gelde verlangen, ohne daß ihnen eine Einrede aus dem an Zahlungsstatt Gegebenen
entgegengesetzt werden kann. Soweit das an Zahlungsstatt Gegebene bei dem
Empfänger vorhanden ist, oder dieser daraus noch bereichert erscheint, fällt
dasselbe, oder dessen Wert, wenn in der Arbeitsordnung (§ 88 *a*) die von
den Arbeitern zu entrichtende Geldstrafe für eine Krankenkasse der betreffenden Fabriks- oder Gewerbsunternehmung bestimmt ist, dieser, und
wenn der Gewerbsinhaber einer Genossenschaft angehört, der genossenschaft-
lichen Krankenkasse zu; besteht für die betreffende Gewerbsunternehmung
eine solche nicht, so fallen die Geldstrafen dem Armenfonde des Ortes zu,
wo die Gewerbsunternehmung ihren Sitz hat.

§ 78 *e*. Forderungen für Gegenstände oder Waren, welche ungeachtet des in den §§ 78, 78 *a* und 78 *b* enthaltenen Verbotes den Hilfsarbeitern kreditiert wurden, können von Gewerbsinhabern und den ihnen gleich-
gestellten Personen weder eingeklagt, noch durch Anrechnung oder in anderer
Weise gemacht werden, ohne Unterschied, ob sie zwischen den Beteiligten
unmittelbar entstanden sind oder mittelbar erworben wurden.

Dagegen fallen dergleichen Forderungen den in § 78 *b* bezeichneten
Anstalten für ihre gesetzlichen Zwecke zu.

nicht gegen den Lohn aufgerechnet werden. Die Umgehung ist also leicht: der Arbeiter wird ausgezahlt; er
weiß aber, daß er keinen weiteren Auftrag mehr erlangt,
wenn er nicht aus dem eben Empfangenen seine Schuld
im Laden des Verlegers berichtigt und seine weiteren
Einkäufe nicht dort macht.

Versuchen der Verleger, etwaige Vorschriften zu umgehen, indem sie sich hinter scheinbar von ihnen unabhängige Ladenhalter verstecken, wäre durch eine entsprechende Überwachung seitens der Gewerbeinspektoren
entgegenzutreten, welchen das Recht der Einvernahme
solcher Ladenhalter unter Durchführung von Erhebungen
in ihren Geschäften einzuräumen wäre und die nach Lage
des Falles eventuell strafrechtliche Schritte einzuleiten
hätten. Unter Umständen mag sich eine solche Umgehung
auch durch einen vom Verleger scheinbar unabhängigen
Konsumverein vollziehen.

Der züricher Entwurf enthielt auch (§ 19) ein Verbot
der Lohnauszahlung im Wirtshause, eine Bestimmung,
welche sich selbst empfiehlt und in der österreichischen
Gewerbeordnung (§ 78) besteht.

Endlich wären sämtliche Bestimmungen des bürgerlichen Rechtes über die Lohnzahlung daraufhin durch-
zuprüfen, ob sie nicht Anlaß bieten zu zwingenden Vorschriften zur Regelung des Verhältnisses zwischen Verleger und Verlegten.

Der § 88 a über die Arbeitsordnung verpflichtet
gegenwärtig bloß Fabrikanten zur Erlassung einer solchen.
Auch hier schützt der Staat bloß die kräftigeren Arbeiter. So muß ein Elektrizitätswerk mit fünf Arbeitern
eine Arbeitsordnung haben, weil es als fabriksmäßiger
Betrieb behandelt wird, während ein Verlagsbetrieb mit
500 Heimarbeitern auch dieser Regelung entbehrt. Es
wäre aber lohnend, auch die Verleger dazu zu verhalten. Dann ließen sich eine Menge Mißstände mit
einem Schlage beseitigen. Die Arbeitsordnung wäre dem
Heimarbeiter einzuhändigen. Die Inhaltsrubriken, deren
Ausfüllung nicht fehlen darf, wären gesetzlich festzu-

legen, rücksichtlich ihrer Ausfüllung der Wille des Arbeitgebers in gewisse Schranken zu bannen, ihr konkreter
Inhalt aber der behördlichen Prüfung und Vidierung zu
unterziehen.

Diese Einführung wäre von wesentlichem Erfolg. »Das
Mißverhältnis der Kontrahenten ist nicht selten ein solches,«
sagt mit Recht ein juristischer Autor,[1] »daß schon die Erkundigung des schwächeren nach dem ganzen Inhalt des
Vertrages das Zustandekommen des Vertrages gefährdet,
indem die Erkundigung als Mißtrauensäußerung oder als
Anmaßung aufgefaßt wird.« Umso bedeutsamer wäre die
Schaffung klarer Verhältnisse durch die verbindliche Einführung von Arbeitsordnungen für Verleger, umso wichtiger ferner ihre Verpflichtung, darin eine Reihe von gesetzlichen Arbeiterschutzvorschriften genau anzuführen. Das
rücksichtlich Art, Maß, Ort und Zeit der Arbeit Geforderte
wäre klar anzugeben. Rücksichtlich der Höhe des Entgeltes
wäre auf den ausgehängten Lohntarif zu verweisen. Bezüglich
der Termine der Abrechnung, der Entschädigung für Lieferungsgänge sowie für längeres Warten beim Empfang oder
beim Abliefern von Arbeiten, der Erfolgung und Aufrech-
nung der Vorschüsse hätte die Arbeitsordnung bestimmte
Vorschriften zu enthalten. Ausdrücklich aufzunehmen wäre
endlich die Bestimmung, daß dieser behördlich vidierten
Arbeitsordnung widersprechende andersgeartete Verabredungen nichtig sind und eine Ersatzpflicht des Verlegers
begründen.

Durch § 90 (Konventionalgeldstrafen) wäre ein schwie-
riges Gebiet zu regeln. Strafen auf Grund des Lohnverhältnisses, wobei der Unternehmer ohne jede nähere Vereinbarung nach Willkür verfahren kann, bieten, wie wir
bereits betont haben, Raum zu mannigfachen Mißbräuchen.
Schadenersatzfälle müßten daher einer gewerbegerichtlichen
oder friedensrichterlichen Kompetenz unterliegen. Dadurch
würde wenigstens denjenigen ein Schutz zuteil, die lieber
auf weitere Beschäftigung verzichten, als auf ihren Arbeits-

---

[1] Lotmar, Der Arbeitsvertrag nach dem Privatrecht des Deutschen
Reiches, 1902. S. 228.

lohn; das trifft Fälle, wo ein namhafter Teil des Wochen-
lohnes strafweise in Abzug gebracht werden soll.

Vielleicht ließe sich eine entsprechende allgemeine
Regelung auf der Grundlage finden, daß Privatstrafen
auf Grund der Arbeitsordnung für späte oder unter-
lassene Lieferung und ähnliche Ordnungswidrigkeiten
in vorausbemessener fester Höhe zugelassen — Fälle
der Lohneinbehaltung oder Lohnverwirkung wegen unzu-
reichender Arbeitsleistung hingegen als Schaden-
ersatz im obigen Sinne behandelt würden. Wennauch die
Praxis rücksichtlich der Werkstattarbeiter sich in Österreich bereits — auf Grund der Gesetze vom 29. April 1873,
R.-G.-Bl. 68, und vom 27. Mai 1896, R.-G.-Bl. 78 und 79[1]) —
zum Teil in solchen Bahnen bewegt, wären doch Abzüge zum
Ersatz eines »Schadens« in der Gewerbeordnung ausdrücklich zu untersagen, desgleichen zu verhüten, daß das Gesetz etwa dadurch umgangen werde, daß sich der Unternehmer (wie das noch geschieht) in der Arbeitsordnung
die Befugnis ausbedingt, die »Unachtsamkeit« oder den
»Mutwillen«, die zu Fehlern geführt, durch Strafabzüge
selbstherrlich zu ahnden.

§ 96 (Evidenzhaltung jugendlicher Hilfsarbeiter) hängt
mit der Frage der Kinderarbeit zusammen. Fraglich ist, ob
und inwieweit die Arbeit schulpflichtiger Kinder durch die
eigenen Eltern beschränkt werden kann. Verwendung bei
Fremden könnte noch eher ausgeschlossen werden. Hiemit
hängen auch die Fragen der Lehrlingshaltung (§§ 97 fg.)
zusammen. Solche kommen in der Hausindustrie vielfach vor.

Uns interessiert aber auch die Arbeit der noch nicht
schulpflichtigen Kinder und diese hängt, was die Hausindustrie betrifft, mit der familienrechtlichen Verpflichtung
des Kindes zusammen, den Eltern in ihrem Hauswesen und
Geschäft Dienste zu leisten (§ 1617 des deutschen Bürgerlichen Gesetzbuches). Damit wird ein sozialpolitisch noch
ganz außer acht gelassenes und ungemein schwer zu
ordnendes Gebiet betreten.

---

[1]) Gesetz über die Sicherstellung und Exekution auf Bezüge aus dem
Arbeits- oder Dienstverhältnis bezw. Exekutionsordnung.

Die Dauer der Arbeitszeit einzuschränken wäre hier wegen der Unkontrolierbarkeit des Verbotes zwecklos. Man müßte vielmehr die gewerbliche Beschäftigung schlechthin verbieten. Um nun einerseits in den Eltern das Gefühl dafür zu wecken, daß die Ausbeutung zarter Kinder ein Unrecht ist und um anderseits den Leuten keine Last aufzuerlegen, welche sie zur Gesetzesumgehung anreizt, dürfte ein schrittweises Vorgehen geboten sein, etwa indem man zuerst die Verwendung von Kindern vor dem vollendeten fünften Lebensjahr zu gewerblichen und zu unangemessenen häuslichen Diensten untersagt. Die Ueberwachung dieses Verbotes wäre der Gendarmerie zu übertragen. Da in der Hausindustrie die gewerbliche Arbeit vierjähriger Kinder nichts Ungewöhnliches ist, wäre damit der prinzipielle Anfang gemacht, und die Altersgrenze könnte nach einiger Zeit allmählig auf acht und auf zehn Jahre hinaufgesetzt werden.

Bei Einführung von Schutzvorschriften der vorstehenden Art wird es sich als notwendig erweisen, von Gewerbe zu Gewerbe individualisierend vorzugehen, wie etwa bei der Ausdehnung der Unfallversicherung auf die Verlagsindustrie.

Hier muß ich noch auf die Einbeziehung der Verlagsarbeiter in die bestehenden Zwangsinnungen (vgl. S. 108) zurückkommen. Von den Institutionen der Gewerbegenossenschaften könnte eine zweckmäßig ausgestaltete Arbeitsvermittlung (§ 116 G.-O.) von unmittelbarem Belang sein. [1] Für die als Unternehmer behandelten Verlagsarbeiter wäre die Teilnahme am Genossenschaftsvermögen (§ 130) in dem Falle wichtig, als sie einer bestehenden, aus der Zeit der Zünfte erhaltenen wolhabenderen Genossenschaft angegliedert würden. In den Städten besitzen die Genossenschaften der Weber, Schneider, Schuhmacher, Schlosser usw. nicht selten ansehnliches Vermögen. Diese

---

[1] Allerdings ist hiebei nicht zu übersehen, daß die Tätigkeit der Genossenschaften auf diesem Gebiete auf dem Lande bisher ganz unerheblich war und in größeren Städten mit der Einführung kommunaler Arbeitsvermittlung stetig an Bedeutung verliert, wie das Beispiel Wiens zeigt.

Organisation hätte aber auch eine Reihe anderer Vorteile. Sie könnte bei der Erlassung der erwähnten Spezialvorschriften für die Verlagsarbeit ihres Sprengels in den von ihr vertretenen Gewerben (über die Arbeitszeit, den Inhalt der Arbeitsordnung usw.) herangezogen werden. Ferner könnte man ihr das Recht geben, durch Aufsichtsmeister die Durchführung solcher Vorschriften, wie auch der allgemein giltigen, zu überwachen. Ähnliche Einrichtungen wurden ja schon bisher, wennauch auf anderen Gebieten, von einzelnen Genossenschaften angestrebt, so zur Verhütung der Lehrlingszüchterei. Endlich könnte die Genossenschaft vielleicht noch den Unterbau für eine Art von Einigungsamt abgeben. Auch hiefür liegen Ansätze vor, so die Bestrebungen der wiener Schneidergenossenschaft zur Herstellung von Preistarifen für die Stückmeister der Herrenkonfektion. Zu erwägen wäre auch, ob nicht bei allen diesen Punkten ein geordnetes Zusammenwirken der Genossenschaft mit ihrem Gehilfenausschuß vorzusehen wäre. [1])

Damit wären die Grenzen gezogen, innerhalb deren eine staatliche Einwirkung auf die einzelnen Bestimmungen des Arbeitsvertrages zu Gunsten der Verlagsarbeiter in Frage kommt. Es handelt sich dabei darum, jene wirtschaftlich Schwächsten, denen eine Einflußnahme auf die Gestaltung ihres Arbeitsverhältnisses versagt ist, staatlichen Schutz zu gewähren — die Kenntnis des Inhaltes dieser Schutzbestimmungen in die Massen zu bringen — und die Rechtsverfolgung dadurch zu erleichtern, daß man alle Ansätze einer Organisation unter den Heimarbeitern unterstützt und gleichzeitig eine entsprechende

---

[1]) Bemerkt sei, daß bei der Einbeziehung der Verlagsarbeiter in die genossenschaftliche (Innungs-) Organisation in Österreich zu beachten ist, daß Pfuscher, die aus der Arbeit für mehrere Verleger ein Gewerbe machen und nicht als verlegte Unternehmer behandelt werden können, weil ihnen eine unersetzbare Voraussetzung (der Befähigungsnachweis) dazu mangelt, als Arbeiter einzureihen wären. Eventuell ließe sich eine solche Verfügung durch einen Zusatz zu § 73 G.-O. treffen, welcher von den Hilfsarbeitern handelt.

Abgrenzung der Kompetenzen der Verwaltungsbehörden eintreten läßt.

Prinzipiell zu beachten ist aber, daß die Durchführung von Schutzvorschriften für die Verlagsarbeiter nur sofern ein Vorteil wäre, als dadurch die Verleger vermöge eigener Verantwortung angespornt würden, sich um die Besserung der Arbeitsverhältnisse zu kümmern. Sonst würden derlei Vorschriften die Lage der Heimarbeiter oft nur noch schwieriger machen.

Booth hat noch auf die Wichtigkeit dessen hingewiesen, daß Arbeiter verlegter Werkstatt- oder Zwischenmeister im Falle von Gesetzesverletzungen gegen ihre Arbeitgeber aussagen. »Ich befürchte,« sagte er, »daß die Arbeiter nicht freiwillig gegen den Unternehmer aussagen werden, falls er das Gesetz unbeachtet läßt. Allein es ist schon wichtig, ihnen die Möglichkeit dazu zu bieten. Wenn die gesetzlichen Vorschriften einfach und leichtverständlich und nicht unverständig wären, so böte das schon eine günstige Chance für ihre Befolgung. Das Gefühl der Verantwortung würde durch die Öffentlichkeit eine Stärkung erfahren.« Deshalb schlug er [1]) vor, die bezüglichen Vorschriften in jedem Arbeitsraume leicht lesbar anschlagen zu lassen. Dann könnten auch die Arbeiter auf genauerer Befolgung des Gesetzes bestehen. Täten sie es selbst zunächst nicht, so würde das doch hoffentlich bei der weiteren Entwicklung ihrer Organisation der Fall sein.

Immerhin wäre die Mithaftung des Verlegers und des Hauseigentümers sowie eifervolles Eingreifen der Gewerbeinspektion und der lokalen Polizei zur Einhaltung der Vorschriften nötig.

Vielleicht wird man eine solche Ausdehnung des Arbeiterschutzes auf die Heimarbeit vom Standpunkte der Moral aus bekämpfen, etwa unter dem Titel der Verwertlichkeit einer Familieninspektion! Tatsächlich hat bereits

---

[1]) Labour Commission, a. a. O., qu. 5460 und qu. 5464.

ein französischer Lehrer der Volkswirtschaftskunde bei einem Arbeiterschutzkongresse die nette Phrase geleistet: *quand vous violerez le domicile, vous serez bien près de violer les consciences!* [1]) Allein, man hat ja zu Beginn der Arbeiterschutzbewegung die staatliche Einschränkung der Vertragsfreiheit ebenso als unmoralisch, weil ungerecht gegen jenen Arbeiter verschrieen, welcher bereit ist, sich auch ärgeren Bedingungen zu unterwerfen. Und auch gegen den Kinderschutz ist mit den gleichen Argumenten gekämpft worden, da die Kinderarbeit für die Erhaltung der Familien notwendig und für die Kinder selbst zuträglich sein sollte. Dennoch sind diese Gewissensfragen heute prinzipiell in allen Kulturstaaten entschieden; Sidney Webb konnte mit Recht sagen, man habe in England diese Skrupeln »schon vor sechzig Jahren erledigt, als die erste Regelung der Frauenarbeit erfolgt ist«. [2])

Heute drängt die Zeit nach einer Regelung der Verlagsarbeit. Diese wird schließlich so erfolgen, wie es die Eigenart dieser Betriebsform verlangt. Die Beurteilung sozialpolitischer Maßnahmen aber ist höchst wandelbar. Schon hat ein Polizeidirektor der Schweiz gemeint, die Regelung der Heimbetriebe sei prinzipiell ebenso wünschenswert und zu rechtfertigen, wie die seinerzeitige Regelung von Betrieben anderer Art, welche die öffentliche Gesundheit zu beeinträchtigen vermögen, z. B. der Schlächtereibetriebe. Immer deutlicher kommt eben zum Bewußtsein, daß, wie gleichfalls Booth sagte, beim Arbeitsvertrage heute bereits drei Faktoren bestimmenden Einfluß üben: der Arbeitgeber, der Arbeitnehmer und der Staat.

---

[1]) Congrès international de Législation du Travail tenu à Bruxelles du 27 au 30 septembre 1897. Rapports et compte rendu analytique des séances, Brüssel 1898; S. 679.

[2]) Labour Commission, a. a. O. qu. 4667; ähnlich Booth, ebendort, qu. 5784.

VII. Abschaffung der Heimarbeit.

Wir haben zwei Mittel zur Einschränkung der Verlagsarbeit bereits erwähnt: das Verbot der Heimarbeit von Werkstattarbeitern für Zwecke ihres Werkstattbetriebes, und das Verbot der Beschäftigung von Heimarbeitern seitens anderer Verlagsindustrieller.

Eine ähnliche beschränkende Wirkung hätte auch die obligatorische Markierung aller im Verlag verfertigten Waren, da sie auf den Absatz dieser Waren einschränkend wirken würde.

Nach Ansicht mancher kommen indes noch zwei radikalere Mittel in Betracht: das Verbot aller Heimarbeit in einzelnen bestimmten Gewerben — also hinsichtlich der Erzeugung dieses oder jenes Artikels — sowie das Verbot der Heimarbeit überhaupt: hinsichtlich aller Waren. Es frägt sich aber sehr, ob selbst ein solches Einzelverbot (das generelle erscheint praktisch indiskutabel) wirksam, ob seine Anwendung zweckmäßig wäre.

In der englischen Arbeiterschaft ist die Forderung nach Beseitigung der Heimarbeit wiederholt laut geworden. Die Schuhmacher in Leeds, Kingswood, Leicester, Bristol, Norwich und anderen Orten, vor allem jedoch in London, zwangen in den ersten neunziger Jahren einen großen Teil der Unternehmer, die bis dahin im Verlag beschäftigten »Zwicker« und »Ausputzer« — die Arbeiter, welche die Oberteile der Schuhe auf dem Leisten mit der Sohle verbinden und die übrigen »Bödenarbeiten« vornehmen, bezw. jene, welche die Schuhe durch Raspeln, Schaben und Polieren außen wie innen fertigstellen, sie färben und wichsen — in eigenen Werkstätten zu beschäftigen. Die Einrichtung dieser Werkstätten seitens der Verleger wurde mit der Waffe der Arbeitsverweigerung erzwungen. Die gleiche Bewegung ergriff die Schneider in England, doch diese hatten dabei weit weniger Erfolg. Auch in Deutschland forderten die Arbeiter der Kleiderkonfektion im Jahre 1895 die Errichtung fester Betriebsstätten seitens der Konfektionäre und fochten deshalb im Winter 1896 einen Streik aus, jedoch ohne Erfolg.

Im Laufe des Kampfes der englischen Schneider um Betriebswerkstätten beriet eine Versammlung von Gewerkschaftsvertretern über die »Abschaffung der Liefermeister« überhaupt.[1]) Dabei wurde auf die ungünstige Lage der verlegten Arbeiter und auf die Benachteiligung der Käufer hingewiesen, die sich aus Hinterziehungen von Zutaten ergeben, welche Liefermeister begehen, indem sie die ihnen zugewiesenen Zutaten verkaufen und durch schlechtere ersetzen. Das Ergebnis der Debatte war schließlich bloß eine Resolution, worin die gewerkvereinten Arbeiter aller Gewerbe aufgefordert wurden, ihre Kleider nur bei solchen Firmen zu kaufen, welche eigene Werkstätten besitzen.

Die englischen Arbeiterführer empfinden gleichwol lebhaft den Wunsch nach Einschränkung der Verlagsarbeit. Ihre Vertreter beim züricher Arbeiterschutzkongreß 1897 beantragten eine Resolution zur »vollständigen Abschaffung der Hausarbeit«. Ein deutscher Arbeiterführer schloß sich ihrem Begehren an. Sie wollten: »daß die Hausindustrie beseitigt, mindestens aber eingeschränkt werde« und daß das Gesetz jeden Gewerbsinhaber verpflichte, für die von ihm beschäftigten Arbeiter eigene Arbeitsräume oder Werkstätten einzurichten.[2]) Diese Anregungen wurden abgelehnt und die zuständige Sektion beantragte bloß, in Erwägung, »daß die Einschränkung und endliche Beseitigung der Hausarbeit in allen ihren Formen im Interesse der Volkshygiene, der Kultur, sowie insbesonders der gewerkschaftlichen Organisation dringend nötig« sei: »daß auf dem nächsten Kongresse die Frage der Haus-

---

[1]) Verbatim Report of the Trades Union Conference for the Abolition of the Middleman Sweater held in the »Tailors Hall«, London E., on april 14th, 1891. Published by the Executive of the International Tailors', Machinists' and Pressers' Union. (Im Handel vergriffen.)

[2]) Internationaler Kongreß für Arbeiterschutz in Zürich vom 23. bis 28. August 1897. Amtlicher Bericht des Organisationskomitees, Zürich 1898, S. 203 und 192.

industrie und die damit im engsten Zusammenhange
stehende Frage der Arbeiterwohnungen behandelt
werde.«[1]) Der Kongreß selbst stimmte aber bloß dem von
Vollmar aufgestellten Programmpunkte zu, wonach die
Hausindustrie eine Beschäftigungsweise sei, »die schwere
soziale und gesundheitliche Übel im Gefolge hat und ein
großes Hindernis für die gewerkschaftliche Organisation
und die Durchführung eines wirksamen Arbeiterschutzes
bildet« und überwies »die eingehende Behandlung dieser
Frage dem nächsten Kongresse«. Der radikale schweize-
rische Arbeitersekretär Greulich erklärte es für eine Uto-
pie, eine so weitverbreitete Produktionsform einfach beseitigen zu wollen, und Liebknecht meinte drastisch, für
Deutschland könne man nicht einfach die Hausindustrie
wegdekretieren; »wir würden uns mit einem solchen Beschlusse nur lächerlich machen«. Ähnlich äußerte sich
Bebel im deutschen Reichstag bei der Zumutung, seine
Partei wolle Heimarbeit verbieten: »Das fällt uns gar
nicht ein; das wäre eine Härte, eine Grausamkeit.«[2])

Sicherlich vermag auch die Gesetzgebung allein nicht,
der Verlagsarbeit den Garaus zu machen. Die Erfahrung
zeigt zur Genüge, daß der Gesetzgeber am allerwenigsten in
politischen und wirtschaftlichen Dingen souverän diktieren
kann; eine mit solcher Macht sich vollziehende Entwicklung, wie die der Heimarbeit, ist mit einem Gebote
nicht zu bannen. Man kann das schon aus der Nichtbe-
achtung anderer Vorschriften der Gewerbeordnung ruhig
folgern. Gesetzgebungsakte können das wirtschaftliche
Leben nur in sehr bescheidenem Maße und jedenfalls nur
dort meistern, wo Richtung und Gewalt der sozialökono-
mischen Entwicklung erkannt und in Rechnung gezogen

---

[1]) S. 198 und 205.

[2]) Sitzung am 20. April 1899, Protokoll S. 1902. — Desgleichen ver-
dammte der skandinavische Arbeiterkongreß von Kopenhagen im August
1901 die Heimarbeit als unhygienisch und unökonomisch, befürwortete jedoch
»in Erwartung ihrer Aufhebung« bloß: ihre Unterwerfung unter die Arbeiterschutzgesetze. Vgl. auch die Ausführungen Kaemings auf dem deutschen
Schneiderkongreß zu Halle a. S. (Hamburg, 1900), S. 15 fg. und auf dem IV.
deutschen Gewerkschaftskongreß im Juni 1902, (Hamburg, 1902) S. 179 fg.

wurde; der Schöpfer von Gesetzen tut daher am besten, wenn er, wie Steinbach rät, sich bescheidet, für die im Zuge befindlichen sozialen Bildungen Krystallisationsmittelpunkte zu schaffen.

In Österreich im besonderen ist die Verwaltung bisher auch mit den Pfuschern, das ist mit den auf eigene Hand arbeitenden Gehilfen, die weder Meisterbefugnis noch Steuerschein besitzen, nicht fertig geworden — weder in der Reichshauptstadt, noch auf dem Lande. Dort kümmern sich die Behörden bloß um die Einziehung einer geringen Erwerbsteuer von den Hausindustriellen, welche von selbst entfällt, wenn der Belangte ohne fremde Hilfskräfte für besteuerte Gewerbsleute arbeitet.[1])

Allein die Durchführbarkeit eines allgemeinen Heimarbeitsverbotes vorausgesetzt, stellt sich eine weitere Frage. Was sollte denn aus den hunderten und tausenden ihres Erwerbes enteigneten Familien an allen Ecken und Enden des Reiches werden, welche bisher der Hausindustrie oblagen und deren Mitglieder nicht in Fabriken und Werkstätten unterkommen könnten, weil ihre Tüchtigkeit nicht so groß ist, daß der bisherige Verleger sich ihrethalben mit der Regie von Arbeitsraum und Werkzeugen belasten möchte, obwol er ihnen gegen einen niedrigen Stücklohn gern Arbeit außer Haus gibt?

Die riesige Zahl der Heimarbeiter steht dem Versuche, die Verlagsarbeit schlankweg zu verbieten, entgegen; sie macht eine solche Verfügung im ganzen unerheblich, und wenn sie erheblich wäre, nicht ratsam.

Ein derartiger Eingriff entspricht gar nicht den Wünschen der Heimarbeiter selbst. Ein Glasindustrieller in Böhmen, dessen Bestreben, aus seinen Heimarbeitern Fabriksarbeiter zu machen, großen Schwierigkeiten begegnete, meinte: Das Bewußtsein, am Montag ungerügt blau machen zu können, die Arbeit, ohne erst jemand zu befragen, einstellen zu können, wenn es im Orte eine Taufe, eine Hochzeit oder ein Leichenbegängnis gibt, wenn ein lieber

---

[1]) Gesetz vom **25.** Oktober 1896, R.-G.-Bl. **220**, betreffend die direkten Personalsteuern; § **3**, P. **5**.

Bekannter kommt oder ein Zeisig auf des Nachbars Dach
sein Liedchen pfeift, genüge, um den Heimarbeiter auf
alle Vorteile verzichten zu lassen, die ihm die Stellung als
Fabriksarbeiter böte.[1]) Andere psychische Motive kommen
auf dem Lande hinzu. So das Gefühl, Unternehmer zu sein,
die Teilnahme an gemeindlichen Würden und Mißachtung
der Fabriksarbeit.[2]) In den Städten widerstreben keineswegs bloß die heimarbeitenden Frauen der räumlichen Vereinigung. Die hamburger Schneider haben diesbezüglich
eine Umfrage veranstaltet, welche ergab, daß von 608 be-
fragten Heimarbeitern der Schneiderei 347 für die Errichtung von Betriebswerkstätten und nicht viel weniger,
261, dagegen waren. Die letzteren führten Familienver-
hältnisse (Mithilfe von Angehörigen, welche selbst nicht
voll leistungsfähig sind), persönliche Gründe (beschränkte
eigene Arbeitskraft, Neigung wie Gewohnheit, allein zu
arbeiten, größere Bequemlichkeit) oder wirtschaftliche Ursachen (zu niedrige Löhne in den Werkstätten, Besitz
eigener Kunden) an.[3]) Auch die Forderung nach Einrichtung eigener Betriebswerkstätten der Verleger ist, wie
Grandke[4]) hervorgehoben hat, eine andere im Sinne der
berliner Konfektionsarbeiter, namentlich der weiblichen, und

---

[1]) Ähnliche Erfahrungen machte ein Schuhfabrikant in Mähren, welcher
bei dem Versuche, seine Heimarbeiter in einer mechanisch betriebenen
Fabrik zu vereinigen, so entschiedener Abneigung begegnete, daß es zu
einem Streik kam. Er konnte schließlich seine Absicht nur teilweise verwirklichen.

[2]) In Böhmen wurde mir ein Heimarbeiter genannt, der Gemeinde-
vorsteher ist. Die Fabriksarbeit gilt in manchen Gegenden als sozial inferior.
Der rege Verkehr der Geschlechter, die gegenseitige Verleitung zu
Tanz, Trunk und Spiel sind im Fabriksleben durch den Massen-
verkehr, der sich da abspielt, von Bedeutung. Deshalb berichtet auch ein
Gewerbeinspektor in Böhmen: »Der echte Leinenweber ist überhaupt ein
Gegner der Fabriksarbeit; er hält sie für gesundheitsschädlich und demorali-
sierend.« (Hauck, in Bd. I der zitierten Erhebungen der österreichischen
Gewerbeinspektoren, S. 292.)

[3]) Sabath, Die Stellung der Heimarbeiter zur Errichtung von Betriebswerkstätten; Fachzeitung für Schneider, 1902, Nr. 10—12.

[4]) Berliner Kleiderkonfektion, Bd. LXXXV der Schriften des Vereins
für Sozialpolitik, S. 372 fg.

eine andere im Sinne ihrer Führer. »Die Forderung,« sagt er, »entspringt nicht aus der direkten Empfindung der großen Masse der Konfektionsarbeiter, sondern sie ist eine mehr deduktiv aus der reflektierenden Betrachtung gebildete Forderung der leitenden Persönlichkeiten.« Die Arbeiterinnen verstehen darunter auch nur die Abschaffung der Arbeit in der eigenen Wohnung und deren Verlegung in Werkstätten der Zwischenmeister; Betriebswerkstätten im Sinne von Konfektionsfabrik wünschen sie nicht.

Nun ist es gar nicht notwendig, die Heimarbeit in jeglicher Form abzuschaffen. Man denke bloß an den Fall, daß von Fabriken auf dem Lande leichtere Arbeiten (wie Besteckpolieren) an verheiratete Arbeiterinnen nach Hause gegeben und dafür (allerdings bei einer schwereren Arbeit) die gleichen Löhne gezahlt werden, wie in der Fabrik. Es handelt sich daher gar nicht darum, die Verlagsindustrie vollständig aus der Welt zu bannen.

Ihrem Verbote würde die positive Vorschrift gleichkommen, daß alle Verleger plötzlich eigene Betriebsstätten und Fabriksräume zu eröffnen hätten. Dann würden eben zahllose Verleger sich vom Betriebe zurückziehen und die Beschäftigungslosigkeit träte wieder ein. Daher erscheint das Postulat eines allgemeinen Verbotes der Hausindustrie sowie eines absoluten Gebotes, Betriebswerkstätten zu errichten, heut als ein Schlagwort, das auf die verfolgten Ziele einzelner sozialer Parteien Licht werfen mag, nicht aber als ein zu unmittelbarer Ausführung geeigneter Programmpunkt.

Booth hat der Anregung, den Verleger für die Arbeitsbedingungen seiner Heimarbeiter haftbar zu machen, gradezu mit der Begründung widersprochen: er befürchte, daß die Verleger sich in solchen Fällen allzu geneigt zeigen würden, Fabriken zu errichten. Eine erhebliche Einschränkung der Heimarbeit müßte aber alle jene des Verdienstes berauben, welche nicht imstande sind, in die Fabrik zu gehen. Auch sei es nicht nötig, so weit zu gehen; das wünschenswerte Resultat lasse sich ohne

dieses Übel erreichen.[1]) Anderer Meinung war der wider-
englische Sozialist Sidney Webb.[2]) Auch ihm wider-
strebte das Verbot der Verlagsindustrie, allein er will
doch die Verleger von dieser Betriebsform abbringen.[3])

Auch der (radikale) Minderheitsbericht der englischen
Arbeitskommission fordert nur, daß der Ausbreitung der
Heimarbeit entgegengewirkt werde, denn die heutige
Gesetzgebung befördere diese.[4]) Im englischen Parlament
ist die Frage der »Abschaffung« der Heimarbeit vom
Arbeiterführer J. Burns berührt werden, doch erwiderte
ihm der Unterstaatssekretär Buxton sofort, daß dies in
der Gegenwart kaum möglich sei. Die Regierung strebe
an, die Verhältnisse, unter denen Heimarbeit geleistet
wird, zu bessern, und die schlechtesten Arbeitsstellen auf
eine höhere Stufe zu bringen, sie sehe aber keinen Weg,
wie man jene Abschaffung vornehmen könnte[5]).

In Deutschland hat der frühere preußische Handelsminister Freiherr v. Berlepsch den Plan einer Abschaffung

---

[1]) Labour Commission (sitting as a whole), qu. 5574: »The results
we want can be got at in another way, without incurring that evil« (loc. cit.
qu. 5574); qu. 5573: »You would take away the possibility of work from all
those who were not able to do it in factories«; qu. 5731: »I do not think
it would bring the same people in, because there are many who can take
work to home, who cannot conveniently go to a factory.« (Vergl. auch seine
Aussagen zu qu. 5466/7; 5480/1, 5571/2, 5678, 5728/32, 5786.)

[2]) Ebendort, qu. 3743, 4444/5, 4474, 4663/4.

[3]) »Not quite the prohibition, but the regulation and the discouragement
of giving out work«, »I should like to see the system cease, but I do not
see my way at present to framing any Act of Parliament which would prohibit
absolutely without giving rise to individual hardship« (qu. 4633/4). — Ähnlich Bebel im deutschen Reichstage (Protokoll vom 20. April 1899, S. 1902):
»Wir können die Hausarbeit dergestalt beeinflussen, um nicht zu sagen, erziehen, daß allmählich eine Umgestaltung eintritt ... und eine vernünftige
Organisation in geordnete Werkstätten- und Fabriksbetriebe entsteht. Nicht
durch die direkte Einwirkung des Staates — das überlassen wir vielmehr
den Unternehmern, die mit ihrer Einsicht, wo der bessere Profit zu erzielen
ist, wissen, was sie tun müssen.«

[4]) The Parliamentary Debates, Bd. XXXI, 1895, S. 189 und 200.

[5]) Fifth and final Report, I, S. 127 fg.; Sonderausgabe: The Minority
Report of the Royal Commission on Labour, 1891/4. Manchester, Labour
Press Society.

des Verlages gleichfalls sehr skeptisch beurteilt, er scheint aber dabei vor allem jener Heimarbeiterinnen gedacht zu haben, welche eine gewerbliche Arbeit nebenher leisten: »Ich bin der Meinung,« sagte er,[1] »daß, wenn man zu diesem Schritte übergienge, man auf der einen Seite nicht viel helfen, auf der anderen Seite ganz außerordentlich viel schaden würde. Ich glaube nicht, daß es richtig und zutreffend ist, daß man jeder Frau, die einige Stunden übrig hat, es untersagen soll, Arbeiten zu machen, die einen Beitrag zum Lebensunterhalt ihrer Familie erbringen.« Ähnlich äußerte er sich beim brüsseler Arbeiterschutzkongreß 1897.[2]

Meines Erachtens wäre das allgemeine Verbot der Heimarbeit undurchführbar. Ich zweifle aber auch, ob ein Spezialverbot rücksichtlich eines einzelnen Gewerbes in seiner Gänze erheblich wäre — außer etwa in Verbindung mit einer Monopolisierung, in welchem Falle aus fiskalischen Gründen die Energie zur Unterdrückung der verbotenen Betriebe wol gefunden werden dürfte.

Ein Gesetzentwurf des Ministers Peacock in Victoria wollte im Jahre 1895 die Heimarbeit in den Bekleidungsgewerben zum Teil verbieten: sie sollte bloß Besitzern besonderer Erlaubnisscheine gestattet sein. Diese sollten vom obersten Gewerbeinspektor für eine bestimmte Zeit, jedoch jederzeit widerrufbar, ausgestellt werden. Ein Anspruch auf sie sollte nur Personen zustehen, welche 1. durch häusliche Pflichten oder durch ein körperliches Leiden an der Arbeit in einer Fabrik gehindert sind und 2. ihren Lebensunterhalt aus Arbeit gewinnen. Witwen mit Kindern, Frauen mit kranken Männern, Krüppel fielen unter die erste Bestimmung, während die zweite Bedingung die Konkurrenz des Mittelstandes, der sogenannten verschämten Heimarbeit, also den Wettbewerb der Frauen und Töchter kleinerer Beamter und sonstiger »Damen«, welche

---

[1] Sitzung des Reichstages am 12. Februar 1896, S. 917 des Protokolles.

[2] Congrès international de Législation du Travail, tenu à Bruxelles du 27 au 30 septembre 1897; Rapports et compte rendu analytique des Séances. Bruxelles 1898, S. 685.

des Taschengeldes halber zu Lohndrückerinnen werden,
ausschließen sollte. Das Unterhaus nahm die bezügliche
Vorlage an, das Oberhaus entfernte jedoch diese Bestimmungen daraus.[1])

Ebenfalls inbezug auf einzelne Gewerbe — die
Kleider- und Wäschekonfektion — jedoch in wesentlich
anderer Form, wurde das Verbot der Heimarbeit in Deutschland von einem Schriftsteller gefordert.[2]) Dieser trat nicht
dafür ein, wie Peacock, daß die Heimarbeit auf gewisse,
ihrer bedürftige Schichten der Arbeiterschaft beschränkt
werde, sondern wünscht ein allmählich in Wirksamkeit
tretendes absolutes Verbot in diesen Gewerben. Danach
sollte jeder künftige Zuwachs von Heimarbeitern zu den
bestehenden verhindert, diese Betriebsform dadurch auf
das Aussterbeetat gesetzt werden.

Gleich dem allgemeinen Verbot der Verlagsarbeit[3])
wurde auch dieses absolute Spezialverbot schon früher
in Österreich gefordert. Man wollte die Heimarbeit auf den
Kreis der als Heimarbeiter und Heimarbeiterinnen
derzeit Tätigen beschränken. Das von W e b e r empfohlene
Mittel, »daß man für die zur Zeit im Gewerbe als Heimarbeiter tätigen Personen auf Grund besonderer, an sie aus-
zugebender Heimarbeiterkarten dem Konfektionär oder
Zwischenmeister noch die Ausgabe von Arbeit in ihre
Wohnung gestattet, daß aber im übrigen Arbeit nur in
polizeilich konzessionierte, von den Wohnräumen getrennte

---

[1]) A bill intituled an Act to amend the Factories and Shops Act 1890 etz.
Melbourne, Drucksachen der Legislative Assembly, Z. 2450 (aus 1896).

[2]) A. W e b e r, in Schmollers »Jahrbuch«, 1897, S. 288 fg., ferner im
Aufsatze »Das Sweatingsystem in der Konfektion und die Vorschläge der
Kommission für Arbeiterstatistik« in Brauns Archiv für soziale Gesetzgebung
und Statistik, Bd. X (1897), S. 514, endlich zuletzt in der »Sozialen Praxis«,
Jahrgang 1898, Nr. 26 und 27.

[3]) Forderung der christlichsozialen Partei in Österreich; Antrag des
Abg. Prinzen Alois L i e c h t e n s t e i n und Genossen vom 28. April 1891 (Beilage
85 zu den Protokollen des österreichischen Abgeordnetenhauses), worin u. a.
zu § 39. Absatz 1 der Gewerbeordnung, der Zusatz beantragt wurde: »Das
Sitzgesellenwesen ist untersagt.« Rede des Antragstellers im Abgeordnetenhause am 3. März 1893 (XI. Session, S. 9926 des Protokolles).

Werkstätten ausgegeben werden darf«, wurde zuerst von polnischen Gewerbetreibenden — einem Rauchfangkehrer und einem Buchdrucker, also Angehörigen von Gewerben, in denen es keine Hausindustrie gibt — dem Gewerbeausschusse des österreichischen Abgeordnetenhauses aus Anlaß der Gewerbe-Enquete des Jahres 1893 empfohlen[1]) und kehrte sodann in der schriftlichen Umfrage, welche der Ausschuß vornahm, wieder. Aus diesem Anlasse beantragte die nied.-österr. Handels- und Gewerbekammer[2]) das Nachstehende:

»Wer gewerbliche Arbeiten in seiner eigenen Wohnung oder in seiner Werkstätte gleichzeitig für mehrere Unternehmer ausführt oder selbst wieder gewerbliche Hilfsarbeiter beschäftigt, ist als selbständiger Gewerbetreibender anzusehen und zur Anmeldung des betreffenden Gewerbes zu verhalten.

»Alle übrigen Sitzgesellen sollen zur Lösung von Legitimationen verpflichtet werden, welche jedes Jahr zu erneuern sind.

»Diese Arbeiterlegitimationen sind nach dem Ablauf einer einjährigen Übergangsfrist männlichen Hilfsarbeitern unter einer zu bestimmenden Altersgrenze nicht mehr auszufolgen, beziehungsweise zu erneuern, ausgenommen denjenigen, welche an einem körperlichen Gebrechen leiden, das sie zur Werkstattarbeit untüchtig macht.

»Diese Altersgrenze wäre nach Maßgabe der zu pflegenden Erhebungen und Gutachten der beteiligten Körperschaften eventuell verschieden für die einzelnen Gewerbsgruppen, jedoch nicht unter 22 Jahren festzusetzen.

»Der Handelsminister soll im Einvernehmen mit dem Minister des Innern nach Anhörung der Handels- und

---

[1]) Stenographisches Protokoll der Gewerbe-Enquete im österr. Abgeordnetenhause, Wien, 1893, S. 783 und 800. — Punkt 27 des offiziellen Fragebogens für diese Enquete lautete: »Ist es wünschenswert und durchführbar, das Sitzgesellenwesen in jeder Form zu untersagen?«

[2]) Gutachten über Anträge zur Reform der Gewerbeordnung; Beilage 5 zu den Protokollen der nied.-österr. Handels- und Gewerbekammer aus 1893, S. 28.

Gewerbekammern sowie der Genossenschaften der betreffenden Branchen berechtigt sein, diese Altersgrenze innerhalb eines längeren Zeitraumes schrittweise bis zu einer zu bestimmenden Grenze hinaufzusetzen.«

Diesem Vorschlag stimmte auch die österreichische Regierung alsbald zu. Sie wollte die einzuführenden Arbeiterlegitimationen nach Ablauf einer einjährigen Übergangsfrist männlichen Hilfsarbeitern unter einer gewissen, eventuell nach den einzelnen Gewerben verschieden bestimmten Altersgrenze nicht mehr erneuern. Nur Personen, welche an einem körperlichen Gebrechen leiden, das sie zur Werkstattarbeit untüchtig macht, sollten von dieser Altersbeschränkung ausgenommen werden. Also die Idee Peacock mit Einfügung einer Altersgrenze, jedoch unter Weglassung der Beschränkung auf zur Werkstattarbeit Untaugliche — oder die Idee Weber auf alle Gewerbe angewandt, jedoch dadurch gemildert, daß: die Peacock'schen individuellen Ausnahmen zugelassen werden — der Zutritt den über der jeweiligen Altersgrenze befindlichen männlichen Hilfsarbeitern gestattet wird — und daß die Regelung weibliche Hilfskräfte nicht berührt.

Es fragt sich aber, ob damit die allmähliche Überleitung der Produktion in fabriksgesetzlich überwachte Räume erfolgen und ob, wie Weber meint, die jetzigen Heimarbeiter nach seinem Vorschlag bereits nach 25 Jahren merkwürdige Reste einer vergangenen Zeit sein würden.

Der Vorschlag der Konzession und der »Abschaffung« nicht konzessionierter Heimarbeiter hat bereits ältere historische Analogien; er bildet ein Seitenstück zur »Ausrottung der Pfuscher« im vorigen Jahrhundert in Österreich.[1])

Man hatte schon zu Beginn des 18. Jahrhunderts versucht, die unbefugten Gewerbetreibenden durch strenge Mittel zu beseitigen; anderseits wurden diejenigen unter ihnen, welche dieser Rücksicht besonders würdig erschienen, durch sogenannte Schutzdekrete zur Arbeit ermächtigt. Gleichwol hören die gesetzlichen Maßnahmen

---

[1]) Schwiedland, Kleingewerbe und Hausindustrie in Österreich, Leipzig 1894, Bd. II, Kap. 8.

gegen die Pfuscher nicht auf, zum Beweise dessen, daß,
obzwar ein Teil durch Schutzdekrete legitimiert worden
war, zahlreiche andere nach wie vor im Gewerbe störten.
Es ist nun sehr zweifelhaft, ob die Verwaltung in der
Gegenwart sich mächtiger erweisen würde! Was sollte auch
mit jenen geschehen, die, ohne Legitimation als Sitzgesellen weiterarbeiten würden? Ihre große Zahl steht
dem im Wege, daß man sie abschaffen, sie wie die alten
Störer mit Konfiskation des Werkzeuges oder am eigenen
Leibe bestrafen könnte. Eine Strafsanktion der ins Auge
gefaßten Maßregel scheint mir undenkbar.

Eine wesentliche Voraussetzung der geplanten Maßregel, die genaue Registrierung der Heimarbeiter, blieb
übrigens in diesem Entwurfe außer acht.

Nun ist es wahr, daß Dr. Weber seinen Vorschlag
auf bestimmte Gewerbe einschränkt. Doch ist es fraglich,
ob ein solches Verbot selbst in wenig besetzten Gewerben Aussicht auf Verwirklichung hat. Die Erfahrungen
sind wenig ermunternd.

Im Deutschen Reich ist durch die Bundesratsverord-
nung vom 8. Juli 1893 (R.-G.-Bl. S. 209) die Erzeugung
von Phosphorzündhölzchen in Heimbetrieben in Wahrheit
untersagt worden; gleichwol blieb sie bestehen. Der Kom-
missär des Bundesrats, Staatsrat Ziller, betonte bei einer
einschlägigen Debatte im Reichstag, es sei ungeheuer leicht,
zu sagen, da müsse polizeilich vorgegangen werden; bei
der Hausindustrie sei dies außerordentlich schwierig.[1]) So
wird denn diese Heimarbeit erst aufhören, bis der Vertrieb
der Phosphorzündhölzchen selbst verboten und verfolgt
werden wird.

Ein älterer Versuch liegt aus Österreich vor. Er betrifft einen Beschluß der krakauer Schuhmacherinnung
(Gewerbegenossenschaft) aus 1885. Es handelte sich darum,
die Schuhwarenhändler zu treffen, welche Sitzgesellen beschäftigten und den Schuhmachern, welche Kundenarbeit
trieben, eine starke Konkurrenz bereiteten. Die Genossen-

---

[1]) Verhandlungen des Reichstages am 15. und am 21. Januar 1901,
S. 719, 777 und 779 des Protokolles.

schaft meinte, es wäre möglich, die Händler durch Unter-
bindung des Sitzgesellenwesens zu veranlassen, ihren Bedarf
bei befugten Schuhmachermeistern zu decken. Anderseits
handelte es sich darum, die Konkurrenz einiger jüngerer
Schuhwarenerzeuger zu hemmen, welche durch Beschäftigung von Sitzgesellen emporzukommen strebten. Jeder
Meister wurde nun von Genossenschaftswegen verpflichtet,
eine Werkstätte zu halten und in derselben nur seine
eigenen Gesellen zu beschäftigen. Es wurde untersagt,
eigenen oder fremden Gesellen Arbeit aus der Werkstätte hinauszugeben, und zwar bei einer Geldstrafe von
5 Gulden für jeden Übertretungsfall. Das bezügliche Statut
wurde am 12. Mai 1885 genehmigt, es blieb jedoch auf
dem Papier: Hunderte Familien kamen zum Magistrat, als
der Gewerbebehörde, um Nichtausführung des Zunft-
beschlusses bittend, und die Bestrebungen der Genossen-
schaftsleitung, der Vorschrift durch die Exekutivgewalt der
Gewerbebehörde Geltung zu verschaffen, blieben erfolglos.

Auch ist zu beachten, daß das Verbot der Heimarbeit
oder der Zwang, eigene Betriebswerkstätten zu eröffnen,
gegenüber Unternehmungen, welche lediglich für den Export arbeiten, mißliche Folge haben könnte. Trotz An-
griffen, welche auch diesenthalben aus einem früheren Anlaß
gegen mich gerichtet wurden[1]), muß ich darauf hinweisen,
daß, um die österreichischen Verhältnisse ins Auge zu
assen, jene wiener Kleiderkonfektionäre, welche im Inland gar keinen Absatz haben, ohneweiters mit Geschäfts-
büchern, Ellen und Scheren nach Budapest, wo die Konfektionsindustrie bereits besteht, beziehungsweise nach
Preßburg übersiedeln und den Mehrbedarf an Hilfskräften
aus Galizien dahin kommen lassen können... In einzelnen
Staaten Nordamerikas hatte die Regelung der Verlagsindustrie solche Folgen[2]): die Kleiderkonfektion zog zum Teil
in Gebiete, wo sie sich vor jeder Regelung sicher glaubte.

---

[1]) Arbeiter-Zeitung (Wien) am 18. Juli 1896.

[2]) In Massachusetts hatten die strengen Maßnahmen wider die Konfektionsindustrie zur Folge, daß die Konfektionäre Schwitzmeister außerhalb
dieses Staatsgebietes beschäftigten. Zum Teil in New York (Eleventh Annual

Bezüglich anderer namhafter Verlagsbetriebe aber, die auf einen Absatz im Inlande rechnen, müßte bei einer solchen Vorschrift die Möglichkeit gegeben sein, Zollmaßnahmen zu treffen, um der Abwanderung der Betriebe durch die Einführung derartiger Zölle zu begegnen, welche es verhindern könnten, daß die nunmehr im Ausland hergestellten Waren von dort aus eingeführt werden.

Die Verpflichtung zur Lösung persönlicher Lizenzen könnte höchstens einen Teil der verschämten Heimarbeiterinnen aus dem Gewerbe drängen. Dieser Meinung ist Bebel: »Mit der Vorschrift des Erlaubnisscheines, dessen Erneuerung jährlich verlangt werden könnte — Verweigerung des Scheines wäre unstatthaft — wäre mit einem Schlage das ganze Heer der Damenarbeiter, die zahlreichen Beamten- und Bürgersfrauen und -Töchter aus der Heimarbeit vertrieben. Diese würden sich hüten, bei einer Behörde jährlich einen Erlaubnisschein für Heimarbeit in Empfang zu nehmen. Mit der Beseitigung dieser allerunangenehmsten und wenigstberechtigten Konkurrenz wäre ein großer Schritt nach vorwärts geschehen.«[1]) Unbezweifelbar ist aber bloß die Richtigkeit dieses letzten Satzes.

Weniger radikal als die auf die Abschaffung des Verlages abzielenden Autoren hat (vergl. Abschnitt VI, S. 144) Dr. Woerishoffer in der deutschen Kommis-

---

Convention of the International Association of Factory Inspector held . . . 1897, S. 75; Report of the Chief of the Massachusetts District Police for . . . 1898, Boston 1899, S. 9 fg.). Infolge der strengen Durchführung des gleichen Gesetzes in New York begab sich dann ein Schwarm von Heimarbeitern nach New Jersey und nach Connecticut (Third Annual Report of the Factory Inspectors in Illinois for . . . . 1895, Springfield 1896, S. 64) und bei der IX. Jahresversammlung des Verbandes der Fabriksinspektoren von Nordamerika, im September 1895, wurde hervorgehoben, daß die Schwitzmeister von New York nun in den Staaten New Hampshire, New Jersey, Maine, Vermont, Rhode Island, Ohio, Virginia und Delaware wohnen, in Städten wie auf dem Lande (in farm houses). (Ninth Annual Convention of the International Association of Factory Inspectors of North America, held at Providence, Rhode Island, 1895.) Daher ist der Gedanke einer Regelung des Heimarbeiterwesens von reichswegen unter den Inspektionsbeamten in den Vereinigten Staaten sehr populär.

[1]) Die Neue Zeit, 7. Dezember 1901, S. 297.

sion für Arbeiterstatistik beantragt, Zwischenmeistern der Kleider- und Wäschekonfektion zu verbieten, Arbeiter außer Hause zu beschäftigen. Dadurch wollte er einer ferneren Ausdehnung der Heimarbeit vorbeugen und die Konzentration der Arbeiter in Werkstätten der Zwischenmeister befördern. Der Zwischenmeister sollte nur für die in seinen Arbeitsräumen beschäftigten Arbeiter Mittelsperson sein. Im übrigen sollten die Heimarbeiter in direkter Beziehung zum Verleger stehen.

Dieser Antrag fand nicht die Zustimmung der Kommission; er gilt jedoch, wie schon erwähnt, in Neuseeland als Gesetz seit 1896. Werden dort [1]) Gewebe ausgegeben, um daraus durch Stückmeister oder Heimarbeiter Verkaufsgegenstände herstellen zu lassen, so darf diese Arbeit weder direkt noch indirekt im Subkontrakt weitervergeben werden, sondern muß in den e i g e n e n W o h n r ä u m e n der Ü b e r n e h m e r, und zwar mit e i g e n e n Hilfskräften ausgeführt werden.

Auf einem Umwege strebt dem radikalen Ziele einer allgemeinen Ausrottung der Heimarbeit der in Nordamerika aufgetauchte, auch bereits in die Form eines Gesetzentwurfes gebrachte Vorschlag zu, die Beschäftigung von Heimarbeitern nur im Falle der Entrichtung sehr hoher Spezialtaxen zu gestatten, wodurch der Verleger um die Produktivität dieser Betriebsform gebracht und veranlaßt würde, zum Fabriksbetrieb überzugehen. Der Entwurf [2]) fordert im wesentlichen, daß wer gewerbsmäßig Waren bestimmter Art außer Haus bearbeiten läßt: in »Zimmern oder Gebäuden, welche auch zum Essen, Schlafen, oder zu häuslichen Zwecken benützt werden, es sei denn durch den Portier oder Hausmeister und dessen Familie,« eine jährliche Steuer von 300 Dollars für jeden Außerhausarbeiter zu zahlen habe. Dieser Betrag wird vom Steuereinnehmer des Bezirkes

---

[1]) § 2 des Gesetzes vom 12. Oktober 1896 und § 28 des geltenden Fabriksgesetzes vom 8. November 1901.

[2]) Abgedruckt im Third annual Report of the Factory Inspectors of Illinois for 1895, S. 63, sowie in Bd. 87 der Schriften des Vereins für Sozialpolitik (1899), S. 240 fg.

eingehoben, welcher darüber zwei Bestätigungen ausgibt, wovon die eine dem Verleger, die andere dem Heimarbeiter oder Zwischenmeister übermittelt wird. Der letztere hat sein Quittungsexemplar an einer auffälligen Stelle im Arbeitsraum anzubringen, der Verleger das seinige an einer auffälligen Stelle in seinem Betriebslokale. Die Steuereinnehmer hätten ein Register aller Verleger zu führen, welche ihnen zumindest einmal im Jahre (am 1. Mai) die Liste ihrer Heimarbeiter zuzumitteln haben. Jede Gesetzesübertretung würde mit einer Strafe bis zu 1000 Dollars oder mit Kerker bis zu einem Jahre oder mit beiden Strafen zugleich bedroht sein.

Eine solche Belastung der Hausindustrie würde leichter wirksam werden als ihr direktes Verbot. Allein wenn diese Betriebsform »zwangsweise« verschwindet, so tritt doch immer eine massenhafte Arbeitslosigkeit ein; die in der großen Zahl der Heimarbeiter liegende sachliche Schwierigkeit ihrer »Abschaffung« bleibt bestehen.

Daß auch eine indirekte Aufhebung der Heimarbeit nicht glatt vor sich ginge, ergibt die Erfahrung der australischen Kolonie Victoria. In diesem Gebiete wurden für bestimmte Gewerbe obligatorisch Mindestlöhne eingeführt. Man beabsichtigte hiebei, die Heimarbeit für die Verleger dadurch kostspieliger zu machen, daß man die Stücklöhne für Heimarbeiter etwas höher festsetzte als den Wochenlöhnen der Werkstattarbeiter entsprach; so in der Kleiderkonfektion und in der Schuhmacherei. Dadurch wurde tatsächlich der Heimarbeit der Garaus gemacht. Jedoch viele Arbeiter, welche nicht in die Werkstatt gehen konnten oder dort nicht aufgenommen wurden, blieben nun ohne Erwerb. Man nahm in die Werkstatt nur tüchtige Arbeiter auf und beeilte dort den Gang der Werkzeugmaschinen. Das gewollte Mißverhältnis, welches die Profitlichkeit der Außerhausarbeit aufhob, wirkte sonach wie ein Verbot der Heimarbeit und erzeugte die Nachteile, welche jedes solche Verbot mit sich bringen muß.

VIII. Einschränkung des Absatzes.

Eine Mehrung des Absatzes hausindustrieller Erzeugnisse kann durch Mittel der Verwaltung herbeigeführt werden. Die Organisation des Absatzes durch Mittel der Gesetzgebung oder der Selbsthilfe des Konsumenten übt eine entgegengesetzte Wirkung. Hier wird der Absatz zu Gunsten der Werkstatterzeugnisse organisiert und jener des (*de jure* nach wie vor weiterbestehenden) Verlegers abgegraben.

1. Im Wege der Gesetzgebung kann eine eigentümliche Bezeichnung der hausindustriell gefertigten Waren verfügt werden.

Dies geschah bisher vorwiegend aus sanitätspolizeilichen Rücksichten, um die Käufer vor bestimmten Waren zu warnen.

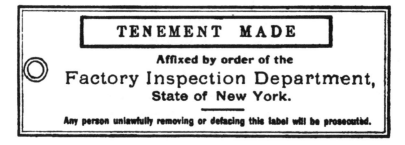

TENEMENT MADE

Affixed by order of the
Factory Inspection Department,
State of New York.

Any person unlawfully removing or defacing this label will be prosecuted.

In New York sind Waren bestimmter Gattung, welche *a)* in unlizenzierten Betrieben oder *b)* unter unreinen, bezw. ungesunden Umständen hergestellt wurden, mit einer kleinen Tafel zu behängen, welche die Aufschrift TENEMENT MADE trägt und nur seitens des Gesundheitsamtes, nach gehöriger Desinfektion des Erzeugnisses, entfernt werden darf. [1]

---

[1] §§ 102 bis 104. Der Zettel, auf dem die Worte *Tenement Made* sowie deren Umrandung rot gedruckt sind, ist auf steifes Papier gespannt, das links eine Öse trägt.

Hier ist also die Markierung auf bestimmte Waren und nur auf den Fall beschränkt, als sie unter gesetz- oder gesundheitswidrigen Verhältnissen erzeugt wurden.

Ähnlich in Kanada, wo die Tafel die Worte »*unsanitary*« trägt[1]), und in Massachusetts, wo Kleidungsstücke markiert werden, welche zu Verkaufszwecken in unlizenzierten Betrieben hergestellt wurden. [2])

In Neuseeland erstreckt sich der Markierungszwang schlechthin auf alle hausindustriell, d. i. in nichtgenehmigten Werkstätten gefertigten Waren, bei welchen Textilien verwendet werden [3]). In Neuseeland unterliegt jedes Lokal, worin zwei oder mehr Personen mit gewerblicher Arbeit beschäftigt werden, als registrierungspflichtige Werkstelle, den Arbeiterschutzvorschriften und der Gewerbeinspektion. Daher gibt es dort fast keine außerhalb des Fabriksgesetzes stehende Hausindustrie, und der Zettelzwang trifft bloß vereinzelte Heimarbeiter; zwei Schwestern oder Mutter und Tochter können Arbeit nach Hause nehmen, ohne daß deshalb dieser entwertende Zettel an ihren Waren angebracht würde: diese arbeiten eben in einer der gesetzlichen Regelung und Inspektion unterstehenden »Werkstelle«. Freilich ist auch die Gewerbeinspektion in Neuseeland ungleich wirksamer als anderwärts. [4])

Der Markierung hausindustrieller Produkte schlechthin, ohne Berücksichtigung der sonstigen Umstände ihrer Herstellung, liegt unzweifelhaft ein sozialpolitischer Gedanke zugrunde. Als in Neuseeland die obligatorische Markierung aller Produkte der Heimarbeit in Frage kam, bemerkte der dortige oberste Gewerbeinspektor: Wenn Waren ein Zettel mit der Angabe, daß sie hausindustriell gefertigt

[1]) § 20a, Abs. 4 des Gesetzes vom 30. April 1900.
[2]) § 58. Insolang die Herstellung solcher Waren nicht konzessionspflichtig war, bestand in Massachusetts ein allgemeiner Zettelzwang für hausindustrielle Erzeugnisse bestimmter Art.
[3]) § 28 des Fabriksgesetzes vom 8. November 1901.
[4]) Vgl. meinen Aufsatz: Eine vorgeschrittene Fabriksgesetzgebung, in Wolfs Zeitschrift für Sozialwissenschaft 1900, S. 216 fg.

sind, angeheftet wird und jemand im Publikum wünscht, sich eine Infektion zu holen oder das verpönte Arbeitssystem zu unterstützen, stehe es ihm immer frei, dergleichen Waren zu kaufen.

2. Diese Verfehmung hausindustrieller Produkte bildet das Gegenstück des in England häufigen Vermerkes auf Büchern: Die Setzer seien zum Gewerkvereinstarife entlohnt worden. Während die andere Bezeichnung die Ware stigmatisiert, soll sie durch diesen lobenden Vermerk dem Konsumenten anempfohlen werden.

Das gleiche Ziel wird in Nordamerika durch die sogenannte »Gewerkschaftsmarke« *(Union Label)* angestrebt. Diese ist dort durch die Propaganda der Gewerkvereine zu großer Verbreitung gelangt und bildet bisher eine amerikanische Eigentümlichkeit. Die Verlagsindustrie wird durch die Einführung dieser Marke insofern berührt, als ihre Produkte der darin liegenden Anempfehlung entbehren müssen. Zunächst ist die Marke ein Beweis, daß die Ware, welche sie trägt, von gewerkvereinten Arbeitern hergestellt wurde; »ist die Konkurrenz im Gewerbe sehr heftig, so ist sie lediglich ein Mittel, um den Unternehmer zu veranlassen, bloß gewerkvereinte Arbeiter zu beschäftigen und dadurch die Zahlung der Mitgliedsbeiträge für die Gewerkschaft zu sichern,« sagt ein Autor.[1] Mit Gewerkvereinlern ist jedoch die Vorstellung leidlich guter Löhne und Arbeitsbedingungen verbunden. Manche amerikanische Gewerkvereine trachten sogar, eine Garantie für die gute Qualität der markierten Waren zu gewinnen.[2] Allein im allgemeinen sind die bezüglichen Gewerkschaftsstatuten ziemlich lax abgefaßt und werden auch lax gehandhabt.

Die Gewerkschaften lassen ihre besondere Marke registrieren und geben dann deren Abdrücke gegen eine geringe Gebühr an die Unternehmer ab, welche sie unter

---

[1] J. G. Brooks, The Trade Union Label im Bulletin of the Department of Labor, März 1898, S. 209.

[2] So bestimmt das Statut der Internationalen Vereinigung der Zigarrenarbeiter Nordamerikas: »Keinesfalls darf die Gewerkschaftsmarke von einer

Kontrole der Arbeiterschaft an ihren Waren anbringen lassen. Die Zigarrenarbeiter kleben sie in Streifenform über den Rand der Zigarrenkiste, die Eiprüfer in Chicago — *egg inspectors* — welche Echtheit und Güte der Eier beglaubigen, auf die Seite der Schachteln, die Fleischaufbereiter und Packer der großen Schlachthöfe auf die Fleischemballage, die Photographen auf die Rückseite der Bilder; Bäcker prägen sie in die Brote ein, Nagelschmiede lassen sie auf den Köpfen der Hufnägel anbringen, Wagenbauer pressen sie auf die Sitze, Ziegelarbeiter in die Backsteine ein, die Schneider nähen sie in die Taschen der einzelnen Kleidungsstücke, die Weißnäherinnen an die Wäsche und Barbiere hängen sie als gewerkschaftliche Bestätigung dessen, daß sie die Gehilfen entsprechend entlohnen und ihnen die von der Gewerkschaft bedungene freie Zeit gewähren, im Schaufenster oder im Lokale auf. Dabei wird seitens der Gewerkschaft durch Anzeigen aller Art, sowie seitens einiger Vereine durch Flugblätter[1]) für die Marke Propaganda gemacht, d. h. auf die Leser eingewirkt, damit diese bei ihren Käufen nach der Marke fragen. Das »New York Journal« veröffentlichte im Jahre 1899 in einer Beilage auf Kartenpapier unter dem Titel »Union Label Bulletin« die Abbildungen von etwa 40 Gewerkschaftsmarken in ihren Originalfarben unter der Bezeichnung ihrer Anbringung. Die Ortsgruppen der Gewerkschaften besorgen eine mündliche Propaganda durch Besuche bei Händlern, welche sie ersuchen, nur markierte Waren zu verkaufen.[2]) Sogar die Briefumschläge der Gewerkschaft sind in den Dienst der Propaganda gestellt, indem sie mit der Gewerkschaftsmarke samt einer Erläuterung ihrer Bedeutung bedruckt sind. Und knapp darunter

---

Fabrik verwendet werden, welche weniger Arbeitslohn zahlt als 6 Dollar für das Tausend. Ebensowenig soll es für Zigarren verwendet werden, welche unter 20 Dollar das Tausend verkauft werden.«

[1]) Der newyorker »Social Reform Club« hat eine Serie gefälliger kleiner Broschüren herausgegeben, worin Wesen, Wert, Geschichte der Gewerkschaftsmarke, ihr gesetzlicher Schutz, einzelne Marken usw. besprochen werden (»Union Label Leaflets«).

[2]) Ein besonderes Agitationszentrum bilden die »Trades Union Label Leagues" in Albany, Rochester, Chicago und Milwaukee.

prangt der siegelähnliche Abdruck der Typographenmarke, welche bestätigt, daß der Briefumschlag selbst unter Ge-

werkschaftsbedingungen gedruckt worden sei. Denn auch die Setzer benutzen das Label. Bisher ist sogar die einzige deutsche Gewerkschaftsmarke jene der deutschen Setzer Amerikas, der »Deutsch-Amerikanischen Typographia«. Viele öffentliche Körperschaften lassen die Setzermarke auf ihren offiziellen Drucksorten anbringen.

Auch Fälschungen von Gewerkschaftsmarken kamen vor. Sie haben in verschiedenen Staaten bereits vor Jahren zur Gewährung eines gesetzlichen Schutzes für die Marken geführt. Desgleichen wird über eine Art unlauteren Wettbewerbes geklagt, indem wenig legitimierte Vereinigungen »Marken« verkaufen, durch deren Anbringung das Publikum nur irregeführt werden soll.

Endlich wurden Versuche unternommen, um zu einer einheitlichen Gewerkschaftsmarke für alle Gewerbe zu gelangen, doch bisher erfolglos.

In Europa besitzt bloß die englische Gewerkschaft der Filzhutmacher[1]) eine Marke nach amerikanischem Vorbild. Gleich den amerikanischen Hutmachern (welche jährlich an 12 Millionen Abzeichen absetzen) befestigen die

---

[1]) »Manche Unternehmer«, so sagt ein Aufruf der Gewerkschaft, »zahlen für eine Arbeit, die $6^1/_2$ Shilling wert ist, $1^1/_2$ Shilling, und jährlich sterben 35% der Filzhutmacher an Lungensucht. Helfet mit, dies zu ändern!«

Engländer ihre Marke unter dem Lederbande im Innern der Hüte.[1])

Von den deutschen Konfektionsarbeitern wurde im Jahre 1894 die Einführung von Kontrolmarken erörtert. Sie sollten gesetzlich geschützt und ihre Herstellung einer Kommission überlassen sein. Sie waren Unternehmern zu erteilen, welche Betriebswerkstätten mit durchaus entsprechenden gesundheitlichen Einrichtungen und modernen Betriebsmitteln hatten, eine festgesetzte Arbeitszeit einhielten und eine Reihe sonstiger Arbeitsbedingungen gewährten, und waren zu entziehen, wenn diese Bedingungen nicht eingehalten wurden.[2])

Nach dem Gesagten erscheint die Gewerkschaftsmarke als eine Empfehlung der Arbeiter an die gesamte Arbeiterschaft, sowie an wohlgesinnte Angehörige der anderen Klassen zu Gunsten bestimmter Waren; sie soll zum Ankauf anreizen.

Diese Bedeutung macht die Marke zu einer Waffe im Lohnkampfe. Auch kann sie für die Förderung des Absatzes in Fabriksstädten wichtig werden. Dadurch aber, daß die Händler nach markierten Waren fragen, werden

---

[1]) Die Buchstaben auf dem männlichen Arm bedeuten »Amalgamated Journeymen Felt Hatters«, auf dem weiblichen Arm: »Felt Hat Trimmers & Wool Farmers«.

[2]) Grandke, a. a. O., S. 375 fg.

die Erzeuger veranlaßt, die Berechtigung zu ihrer Führung
zu erwerben, und mancher Konfektionär, der eigene
Werkstätten besitzt, benützt in Nordamerika den Abdruck
der Label auf Geschäftskarten zur Reklame.[1]) Wie der
Generalsekretär der Vereinigung der amerikanischen Konfektionsarbeiter berichtet, sah sich bereits »eine ganze
Anzahl großer Fabrikanten gezwungen, die an Liefermeister
ausgegebene Arbeit zurückzunehmen, weil die beteiligten
Gewerkschaften nachhaltig an die Mitglieder der Gewerkschaften anderer Gewerbe, sowie an Gönner der Bewegung
appellierten, Geschäften, welche mit nicht markierten
Waren Handel treiben, ihre Kundschaft zu entziehen«.
Man könne annehmen, daß ein Detailhändler lieber seine
geschäftlichen Beziehungen zu einem in dieser Hinsicht
nicht einwandfreien Unternehmer abbricht, als daß er die
Mißgunst seiner Kunden auf sich ladet. Die Marke habe
mithin gute Dienste geleistet.[2]) — Auf einem Kongreß der
Vereinigung wurde sogar beschlossen, ihre Verleihung an
die Bedingung zu knüpfen, daß auch die Handelsangestellten
der Firma Gewerkvereinler seien.[3])

Einen allgemeinen Boykott hausindustrieller Waren
überhaupt empfahl vor kurzem die »Consumers League«
in New York. Dieser Frauenverein strebt seit einer Reihe
von Jahren durch die Propaganda von Versammlungen und
Vorlesungen die Lage der Arbeiterklassen, namentlich der
weiblichen Arbeiter, zu verbessern und hat im Jahre 1897
einen kleinen Kreuzzug wider den Ankauf hausindustriell
gefertigter Waren unternommen; er gibt auch sogenannte
»Weiße Listen« von Firmen aus, welche nach den Erhebungen der Liga den Prinzipien der letzteren gemäß
vorgehen. Die Vereine ähnlicher Tendenz in Brooklyn,
Boston, Philadelphia und Chicago entfalten eine gleiche

---

[1]) Manche Unternehmer verlangen geradezu eine Gewähr für Reklame
seitens der Gewerkschaft, falls sie deren Bedingungen annehmen und die
Marke einführen.

[2]) H. White, The Sweating System; Heft 4 des Bulletin of the Department of Labor, Washington, Mai 1896, S. 374.

[3]) The Garment Worker, Monatsschrift, New York, Januar 1898, S. 11.

Propaganda.[1]) Als Seitenstück zu der gleichfalls geplanten allgemeinen Gewerkschaftsmarke sollte eine einheitliche allgemeine *Consumers Label* geschaffen werden. Dieses Abzeichen sollte den Käufern die Beruhigung gewähren, daß die markierten Waren unter nach jeder Richtung hin günstigen Arbeitsbedingungen hergestellt wurden.[2]) Inzwischen wurde eine Zentralisation der einschlägigen lokalen Vereinigungen in der *National Consumers League* in New York zustande gebracht, welche eine eigene offizielle Konsumentenmarke in vier Größen ausgibt mit dem Text: *Made under clean and healthful conditions. Use of Label authorised after investigation. National Consumers League. Official Label. Registered. Licence Nr. . .*

Es ist bereits angeregt worden, anstatt der bisherigen, die Waren bemakelnden amtlichen Abzeichen, ähnliche empfehlende amtliche Marken zu Gunsten solcher Waren einzuführen, welche in Gänze in Werkstätten hergestellt wurden, worin alle Bestimmungen der Fabriksgesetze beachtet werden.[3]) Ein derartiges amtliches Zeugnis könnte auf die Wahl der Käufer erheblichen Einfluß üben. Ähnlich müssen in Victoria die Möbel einen Stempel tragen, aus dem ersichtlich ist, ob sie importiert oder in Victoria erzeugt und, in diesem Falle, ob sie ganz oder teilweise von Chinesen verfertigt wurden.

Ob die Ware von gesetzeswegen als hausindustrielles Erzeugnis stigmatisiert oder durch die organisierte Arbeiterschaft, bezw. durch die Verwaltung als Produkt einer untadeligen Werkstatt anempfohlen wird, stets wird dadurch der Kaufmann beeinflußt. Wird die als hausindustrielles Erzeugnis markierte Ware vom Publikum gemieden,

---

[1]) Vgl. Mrs. Ch. R. Lowell, Consumers Leagues, Boston 1898. — In Berlin war die Ausgabe weißer Listen mit den Namen jener Damenschneider, welche auf die Heimarbeit verzichten, im Jahre 1901 vom Berliner Frauen-Verein geplant. Es kam jedoch nicht dazu.

[2]) Vgl. die Aufsätze von St. H. Nichols und Maud Nathan in der North American Review vom Oktober 1897 und Februar 1898.

[3]) W. J. Neely, Twelfth annual Convention of the International Association of Factory Inspectors, Boston 1898, S. 44.

so wird auch der Kaufmann vermeiden, sie zu führen; wird die gewerkschaftlich bezeichnete vom Publikum begünstigt, dann wird der Kaufmann für das Führen, und ihm folgend der Produzent für das Herstellen derart markierter Waren Interesse gewinnen.

Auf alle Fälle sind diese Abzeichen nicht zum Vorteil der Heimarbeiter. Was die kaufende Bevölkerung betrifft, ist bei erhobenermaßen gesundheitswidrigen Waren nur deren Entfernung aus dem Verkehr entsprechend. Die bloße warnende Bezeichnung der an sich nicht schädlichen wird auf die wolhabenderen Käufer wahrscheinlich von Einfluß sein und dadurch den Absatz der Heimarbeiter verringern.

*

Dem Konsumenten stehen noch zwei Mittel der Abhilfe zu Gebote: wenn sie gewöhnliche private Kunden sind, der Ausschluß hausindustrieller Erzeugnisse in Konsumvereinen, sind sie hingegen größere Warenbesteller, das Festsetzen der Produktionsbedingungen für die bestellten Erzeugnisse.

Einen namhaften Erfolg hätte die Boycottierung hausindustriell gefertigter Waren, wenn die Konsumvereine sich entschlößen, alle nicht unter entsprechenden Verhältnissen und nicht gegen angemessenen Lohn hergestellten Waren vom Verkaufe in ihren Läden auszuschließen.

Die englischen Konsumvereine haben sich bereits wiederholt mit der Frage beschäftigt, Produkte der Schwitzmeister vom Verkauf auszuschließen; es ist jedoch bisher nicht gelungen, unter den zahlreichen autonomen Vereinen eine bezügliche Einigung herbeizuführen. — Im ganzen dürften übrigens gerade in England wenig hausindustriell verfertigte Waren durch Konsumvereine in Verkehr gebracht werden. Zunächst führen die Konsumvereine in der Regel bessere Waren als der Durchschnitt der für gleiche Kundenklassen tätigen Händler. Dann würde sich ein Konsumvereinsleiter, welcher wissentlich von Schwitzmeistern hergestellte Waren führen würde, erheblichen Unannehmlichkeiten seitens der Vereinsmitglieder aussetzen, falls diese Tatsache bekannt würde. Endlich kauft der weitaus größte Teil der Konsumvereine die meisten Waren im Wege der englischen und der schottischen Groß-einkaufsgenossenschaft der Konsumvereine ein, deren Ein-käufer einerseits strengen Auftrag haben, keine *sweated goods* zu kaufen, während anderseits diese Einkaufsgenossen-schaften eigene Fabriken besitzen, in denen sie die von den Konsumvereinen benötigten Waren selbst herstellen lassen. Eine Anregung des englischen Gewerkschaftskon-gresses von Glasgow (1892), in Verbindung mit dem Ver-bande der englischen Genossenschaften eine *Trade Union Label* einzuführen, blieb ohne praktische Folgen.[1])

Eine wichtige und leicht erfüllbare Aufgabe harrt indes der öffentlichen Körperschaften, soweit sie Warenbesteller sind. Sie können als solche Produkte der Hausindustrie bei Submissionen ausschließen oder können Lohnvorschriften für die zu liefernden Waren fest-setzen. In dieser Hinsicht hat England vorbildlich gewirkt.

---

[1]) Der erwähnte Kongreß befürwortete diese Maßregel aus Rücksicht auf die Nachteile, welche der Verkauf von Waren begründet, die nicht unter entsprechenden Bedingungen hergestellt werden, sowie zur Verbreitung jener, bei deren Erzeugung die Bedingungen der bezüglichen Gewerkschaft berück-sichtigt wurden. Ein gemeinsames Komitee des Gewerkvereinskongresses und des Verbandes der englischen Genossenschaften (Co-operative Union) sollte die Durchführungsvorschriften beraten. Eine weitere Resolution forderte, daß auf jeder Ware der Name des Erzeugers und der Ort der Herstellung kennt-lich zu machen sei. — Der Genossenschaftskongreß von Bristol trat im Mai 1893 den Beschlüssen der Gewerkvereine mit Befriedigung bei und forderte die Genossenschaften Englands auf, deren Durchführung tunlichst zu befördern.

Sodann traten das parlamentarische Komitee der Gewerkschaften und der Ausschuß des Genossenschaftsverbandes zusammen und setzten folgende Vorschläge fest: Der parlamentarische Ausschuß der Gewerkschaften hat den Stempel, die Marke oder den Zettel zu bestimmen und den einzelnen Ge-werkschaften zuzuschreiben; die Form der Bezeichnung ist im Einvernehmen mit der Gewerkschaft, welcher sie dient, festzustellen, dieser gegen Erlag einer Gebühr zuzuweisen und als Schutzmarke der Gewerkschaft einzutragen. Der Gewerkverein haftet dem parlamentarischen Ausschusse dafür, daß Ab-zeichen nur an solche Unternehmer abgegeben werden, welche sich den Ge-werkschaftsbedingungen anbequemt haben. Über die Zahl der ausgegebenen Abzeichen und die Namen der diese empfangenden Unternehmer ist zeit-

Die Kommission zur Abhaltung der Enquete des englischen Oberhauses über Zwischenmeisterwesen und Heimarbeit gab im Jahre 1890 die Anregung: die öffentlichen Körperschaften möchten dafür Sorge tragen, daß die Arbeiter, welche ihre Aufträge ausführen, entsprechende Löhne erhalten. Die Unternehmer, welche sich um Lieferungen bewerben, sollten die Lohnsätze bekanntgeben, die sie zu zahlen beabsichtigen; erscheinen diese entsprechend, so wären nach dem Abschlusse der Verträge Abschriften davon den Arbeitern zuzumitteln oder sie wären ihnen auf eine andere Weise bekanntzugeben. Dieses Vorgehen läge nicht lediglich im Interesse der Arbeiter, sondern würde auch auf die Qualität der Arbeit zurückwirken.[1])

Diese Anregung griff das englische Unterhaus auf. Am 13. Februar 1891 faßte es die Resolution: nach Ansicht des Hauses sei es Pflicht der Regierung, in den von ihr abgeschlossenen Verträgen Vorkehrung zu treffen gegen jene Übelstände, welche die Enquete des Oberhauses aufgedeckt; zu diesem Zwecke hätte die Regierung in ihre Verträge Bedingungen einzuschalten, welche den aus der Weitervergebung von Arbeiten an Subunternehmer erwachsenden Nachteilen vorbeugen, ferner alle Anstrengungen zu machen, um die Zahlung solcher Löhne zu sichern, welche in jedem Gewerbe für tüchtige Arbeiter allgemein gelten.

Infolge dieser Resolution zeigte sich die Verwaltung nunmehr bestrebt, die Verlagsindustrie bei der Vergebung

weilig dem parlamentarischen Ausschusse Bericht zu erstatten, die Liste der bezüglichen Erzeuger aber alljährlich in den Berichten des Verbandes der Genossenschaften wie des Gewerkschaftskongresses zu veröffentlichen.

Da die Gewerkvereine die Tendenz haben, das betreffende Gewerbe im ganzen Lande zu umfassen, wäre damit für jedes einzelne Gewerbe eine bestimmte Gewerkschaftsbezeichnung eingeführt worden. Die Gewerkvereine Englands verhielten sich jedoch dieser Anregung gegenüber so gleichgiltig, daß, wie der dem Genossenschaftskongresse zu Perth 1897 erstattete Geschäftsbericht betont, die Angelegenheit vorläufig auf sich beruhen muß (Reports of Perth Congress 1897; Manchester, Co-operative Union, S. 7).

[1]) Punkt 193 der Schlußanträge, Seite CXXXVII des Fifth Report from the Select Committee of the House of Lords on the Sweating System, London 1890.

öffentlicher Arbeiten durch besondere Bestimmungen zu bekämpfen. Die bezüglichen Zusätze und Bedingungen in den Verträgen werden in England allgemein als Fair wages-Klauseln bezeichnet; durch sie soll das Auspressen der Arbeitskraft, soweit es sich um die Anfertigung von Waren für den öffentlichen Bedarf handelt, hintangehalten werden.

Die englische Admiralität brachte den Unternehmern, welche sie beschäftigte, am 16. Februar 1892 die Resolution mit dem Bemerken zur Kenntnis, daß Unternehmer, welche dieser Resolution entgegenhandeln, von der Liste der Lieferanten gestrichen würden. Manche Verwaltungszweige faßten die Aufgabe konkreter, indem sie. die geforderten »allgemeinen« Löhne näher umschrieben, z. B. als »Löhne, welche in dem Bezirke, wo die Arbeit geleistet wird, für tüchtige Arbeiter allgemein gelten«. In Baugewerben wurde sogar die Angabe der geringsten und der höchsten Stundenlöhne gefordert, und bedungen, daß im Falle ihrer Nichteinhaltung die zu wenig gezahlten Beträge den Arbeitern auf Kosten der Lieferanten amtlich ersetzt würden. Die meisten Verwaltungszweige verboten überdies die teilweise oder die gänzliche Weitervergebung von Lieferungen.

Die londoner städtische Polizeiverwaltung stellt gar ihren Kleiderlieferanten die Bedingung, daß sie die bestellten Waren in eigenen Betriebsstätten herstellen lassen müssen. Sie berücksichtigt ferner kein Anbot, wenn sie nicht »der Meinung ist, daß der Lieferant in der Lage sei, für die angegebenen Preise die von ihm erwarteten Arbeiten gut ausführen zu lassen«. Das englische Handelsministerium verpflichtet gleichfalls seine Lieferanten, alle Bekleidungsstücke, über welche der Vertrag lautet, in ihrer eigenen Fabrik herstellen und zu diesem Behufe keinerlei Arbeit in den Wohnräumen der Arbeiter verrichten zu lassen. Jede Zuwiderhandlung verpflichtet, wenn der Leiter des Handelsamtes sie für erwiesen erachtet, den Unternehmer zu einer Buße bis zu 100 £ für jeden einzelnen Fall.[1])

---

[1]) Vgl. die Schriften Government Contracts, Parlamentspapier Z. 189 des englischen Unterhauses aus .1892, sowie Z. 334 aus 1897, sowie die Labour Gazette (London) vom Dezember 1895, S. 370.

Der londoner Grafschaftsrat traf bald nach seiner Ein-
setzung im Jahre 1899 die Bestimmung, daß alle Personen
oder Firmen, welche mit ihm einen Vertrag abschließen,
zu verpflichten sind, solche Lohnsätze zu zahlen und derartige Arbeitszeiten einzuhalten, wie sie im bezüglichen
Gewerbe allgemein als angemessen und billig erscheinen.
Erweisen sich Beschwerden, daß diesen Bedingungen nicht
Genüge geleistet wird, als begründet, so ist auf weitere
Bewerbungen der betreffenden Firma keine Rücksicht
zu nehmen. Im Jahre 1890 wurde beschlossen, in allen
Verträgen über die Lieferung von Kleidern für Grafschafts-
beamte und -bedienstete die für die Arbeiten jeglicher Art
zu zahlenden Minimallöhne festzusetzen und die Lieferanten zu deren Einhaltung zu verpflichten. Alle Lohnsätze
mußten, sofern die Kleider in Werkstätten der Lieferanten
erzeugt wurden, in jedem Arbeitsraume an auffälliger Stelle
ersichtlich gemacht werden. Bevollmächtigte des Grafschaftsrates durften zu allen vernünftigen Tageszeiten jeden
Teil des Werkraumes frei betreten und jeden Arbeiter
gesondert sprechen, sowie die Lohnlisten einsehen. Im
Falle einer Außerhausarbeit hatte der Lieferant eine Liste
aller Außenarbeiter mit deren Namen und Adressen zu
führen, ob es sich nun um Arbeiter derselben Familie oder
desselben Haushaltes handelte oder nicht, und darin Menge
und Art der ausgegebenen Arbeit zu verzeichnen. Auch
durfte der Unternehmer einem derartigen Heimbetriebe
nicht mehr Arbeit zuweisen, als die auf dem Register er-
sichtlichen Arbeiter vernünftigem Ermessen nach in der
für die Arbeit bestimmten Zeit ausführen konnten. Jedes
Subkontraktwesen war unter schwerer Strafe ausgeschlossen.

In den letzten Jahren ist die Bekämpfung der Heimarbeit energischer geworden. Zu Beginn des Jahres 1894
erwähnt ein Bericht des Fair-wages-Committee des Grafschaftsrates, die Heimarbeit sei in allen Kleiderlieferungs-
verträgen bei schwerer Strafe ausgeschlossen worden.
Der Ausschuß betont hiebei, »daß die Bezahlung der
mit den Gewerkschaften vereinbarten Löhne und die

Einhaltung der mit ihnen vereinbarten Arbeitsdauer und sonstigen Arbeitsbedingungen auch gesetzlich verfügt und eine solche Bestimmung tatsächlich ausgeführt werden könnte. Die Erheblichkeit solcher Maßnahmen hängt natürlich zu sehr großem Teile, und das scheint auch ganz in Ordnung zu sein, von der Wachsamkeit der Gewerkschaften ab; doch zeigt die Erfahrung nicht bloß, daß die Gewerkvereine in dieser Hinsicht sehr wachsam sind, sondern auch, daß die Unternehmer sich im allgemeinen sehr bestreben, die in den Lieferungsverträgen gestellten Bedingungen zu erfüllen.«

Gegenwärtig wird in allen Verträgen des Grafschaftsrates über die Lieferung von Bekleidungsgegenständen der Arbeitern jeglicher Art zu zahlende Minimallohn festgesetzt; die Lieferanten von Kleidern, Schuhen, Hüten und Umhängkrägen sind verpflichtet, die von ihnen zu liefernden Erzeugnisse im eigenen Betriebe herstellen zu lassen; jede Übertretung dieser Bestimmungen begründet eine Strafe von 100 £, welche der Rat in jedem Fall ebenso wie eine Schuld, die der Unternehmer dem Rate zu leisten hätte, einziehen, bezw. von jedwedem Betrag, den der Rat dem Unternehmer aus einem Vertrage schuldet, zurückbehalten kann.[1]

In England sind diesem Beispiele bisher mehr als 200 Gemeindeverwaltungen in der einen oder anderen Richtung gefolgt[2]), und auch in Frankreich, Belgien und Holland zeigt sich das Bestreben, den Erstehern öffentlicher Lieferungsausschreibungen die von ihnen festzustellenden Arbeitsbedingungen vorzuschreiben.[3]

---

[1]) Bei der Lieferung anderer Gegenstände mußten sich die Unternehmer verpflichten, jene Löhne und Arbeitsstunden einzuführen, welche zur Zeit der Bewerbung von den bezüglichen Gewerkvereinen in den Bezirken, wo die Arbeit ausgeführt wird, errungen sind, oder, falls keine Gewerkschaft besteht, welche im Gewerbe als billig gelten. Vgl. die Publikation des Londoner Grafschaftsrates: Standing orders etc., London 1898.

[2]) Vgl. den Bericht: Urban sanitary districts (Conditions of contracts), Parlamentspapier Z. 47 des englischen Unterhauses aus 1898.

[3]) Eine Übersicht hierüber bietet v. Zwiedineck, Lohntheorie und Lohnpolitik, 1900, S. 238 fg.

Eine derartige sozialpolitische Tätigkeit öffentlicher Verwaltungszweige wäre in Österreich nicht zu unterschätzen. Die Erzeugung von Militärwäsche erfolgt nachweisbar unter traurigen Verhältnissen.[1]) Anregungen, im herrschenden System der Arbeitsvergebung für öffentliche Zwecke Wandel zu schaffen, wurden im Abgeordnetenhause bereits gegeben.[2]) Vorangehen sollte die Heeres- und Marineverwaltung. Dieser hätten die Staatsbahnen, die Polizeidirektionen, die Gemeinden und sonstigen öffentlichen Körperschaften zu folgen. Auch in dieser Richtung kommt jedoch der Fortschritt von unseren — Antipoden. Neuseeland ist es, das auch hier energisch durch Gesetze vorgeht und verfügt, daß jeder an einer öffentlichen Lieferung im Werte von über zwanzig £ beteiligte Unternehmer den Arbeitern bei der Herstellung der bezüglichen Waren jene Löhne zu bezahlen und diejenige Arbeitszeit zu bewilligen hat, die ortsüblich als entsprechend gelten.[3])

IX. Organisierung des Arbeitsnachweises.

Fraglich ist, ob durch die Organisierung des Arbeitsnachweises — dessen Bedürfnis nunmehr auch von den öffentlichen Verwaltungen anerkannt wird — den vorhandenen Mißständen in einem gewissen Maße abgeholfen werden könnte. Es wäre immerhin möglich, daß durch die raschere Unterbringung des stellenlosen Arbeiters

[1]) Vgl. den Bericht von Tauß in Bd. III der zitierten Erhebungen der k. k. Gewerbeinspektoren, S. 297 und 300, sowie des k. k. Arbeitsstatistischen Amtes: Der Arbeiterschutz bei Vergebung öffentlicher Arbeiten und Lieferungen, Wien 1900, S. 142.

[2]) Anträge und Ausführungen der Abgeordneten Baernreither, Gessmann, Kaizl und Ruß in der XI. Session des österr. Abgeordnetenhauses, 1892; 419 und 430 der Beilagen, S. 5802 fg., 6249 fg. Über deren Inhalt und Behandlung vgl. den ebengenannten Bericht des Arbeitsstatistischen Amtes, Wien 1900, S. 120 fg.

[3]) »Generally considered in the locality to be usual and fair.« (An Act to provide for fair wages and working hours on public contracts, vom 16. August 1901, Z. 5.)

dessen Übergang zur Heimarbeit in manchen Fällen verhindert würde und daß anderseits die Unternehmer durch eine Erleichterung in der Beschaffung geeigneter Werkstattarbeiter manchmal von dem Anreiz befreit würden, sich an Liefermeister zu wenden. Insoweit dabei die Verlagsarbeit bestehen bleibt, könnte der Arbeitsnachweis hie und da die Zwischenmeister ausschalten, weil sich nun Verleger und Heimarbeiter leichter fänden. Es mag nun zweifelhaft scheinen, ob dies ein Vorteil wäre, da die Tätigkeit vereinzelter Heimarbeiter der Regelung mehr widersteht, als die Zwischenmeisterei, und der Sitzgeselle vielleicht noch weniger widerstandsfähig ist als der Zwischenmeister. Anderseits würde jedoch der Arbeitsnachweis vielleicht einigermaßen die Organisierung der Heimarbeiter befördern, weil die beim Vermittlungslokal Zusammenkommenden und dort in die Listen Eingetragenen für Organisationsbestrebungen leichter faßbar würden.

X. Errichtung von Zentralwerkstätten.

Die Errichtung von Zentralwerkstätten für die Heimarbeiter wäre in ernsteste Erwägung zu ziehen. [1]

In schweizer Städten, wo in der Schneiderei die Konfektionsarbeit wenig verbreitet ist, in Zürich, in Genf und in Lausanne, konnten die Heimarbeiter der Kundenschneider räumlich vereinigt werden in Werkstätten, welche mit gewerkschaftlicher Hilfe errichtet wurden. In der stillen Zeit werden sie auch von Konfektionären beschäftigt.

Desgleichen sind in Wien die verlegten Meerschaumbildhauer, die Pfeifendrechsler und die Knopfdrechsler zum Teil räumlich vereinigt worden. Abgesehen von den Beiträgen der verwandten Gewerkschaften erhielten diese Arbeitergruppen fortlaufend Subventionen aus öffentlichen

---

[1] Vgl. über diese Zentralwerkstätten Anhang III dieser Schrift. — In London werden solche Werkstätten seitens einiger Unternehmer beigestellt, welche sie gegen ein Platzgeld an Verlagsarbeiter der Schneiderei vermieten. (Sherwell, Life in West-London, London 1897, S. 118.)

Mitteln, nämlich von der niederösterreichischen Handels-
und Gewerbekammer.

In Bern wurde im Jahre 1897 von sozialdemokratischer Seite beantragt, den Heimarbeitern der »gesundheitlich am meisten bedrohten Handwerke« aus städtischen
Mitteln unentgeltlich gesunde Werkräume beizustellen.
Hierauf wurden die Gewerkvereine der von der Heimarbeit
meist betroffenen Gewerbe aufgefordert, der Stadtverwaltung die Kosten der Errichtung von Gewerkschaftsateliers für Heimarbeiter bekanntzugeben. Wennauch die
Durchführung dieses Beschlusses auf dem herkömmlichen
administrativen Wege bis jetzt verzögert wurde, gelangte
er doch zum Teil bereits zur Ausführung. Damit wurde
der Weg der Subventionierung von Zentralwerkstätten
aus öffentlichen Mitteln weiter verfolgt.

Die wirtschaftliche Grundlage einer derartigen Vereinigung kann in der Einhaltung eines festen Lohn- und
Preistarifes, in der Einführung maschineller Produktion
oder in anderen Vorteilen liegen, welche einerseits den
Bestand der Arbeitsgruppen gewährleisten und anderseits
diese für jene besonderen Kosten entschädigen, welche
ihnen aus der Vereinigung im Vergleiche zur vereinzelten
Arbeit daheim erwachsen. Die höchste Entwicklung könnte
die Zentralwerkstätte durch ihre Überleitung in eine Produktivgenossenschaft erreichen.

XI. Einwanderungsbeschränkungen.

In jenen Staaten, in welchen die Heimarbeit zumeist
durch eingewanderte Proletarier ausgeübt wird, wie vor
allem in den Vereinigten Staaten von Nordamerika, wurden
wiederholt Einwanderungsbeschränkungen in Vorschlag gebracht. Das übermäßige Angebot von Arbeitskräften in guten, namentlich aber in schlechten Zeiten, bildet
tatsächlich eine der Hauptursachen der elenden Lage der
Verlagsarbeiter. Die Entfaltung der Konfektionsheimarbeit

in Nordamerika nach 1890 bietet geradezu ein Schulbeispiel für die Entstehung des Verlages. Die Zollerhöhungen der Mac Kinley-Bill bedeuteten damals eine wesentliche Erweiterung des Absatzes für inländische Erzeugnisse und bedürftige Hilfskräfte in großer Anzahl bot den Verlegern die Einwanderung dar.

Deren Einfluß auf die Entwicklung des Verlages erweist auch die Lage jener Staaten, die sich in Nordamerika veranlaßt sahen, gegen die Heimarbeit Sondergesetze zu schaffen; sie liegen alle im westlichen Teil Nordamerikas und die bezügliche Gesetzgebung nahm ihren Weg von der westlichen Seeküste aus schrittweise gegen Osten.

In der zwölften Jahresversammlung der Vereinigung der nordamerikanischen Fabriksinspektoren (Herbst 1898) wurde die Resolution gefaßt, in den einzelnen Inspektionsberichten über dieses Jahr die Gouverneure der einzelnen Staaten zu ersuchen, im Wege der gesetzgebenden Körperschaften auf die Bundesversammlung einzuwirken, damit die Einwanderung einer die Inländer unterbietenden Arbeiterschaft in wirksamer Weise verhindert werde. [1])

XII. Verbindliche Mindestlöhne.

Gleichwie es not tut, der Organisationsunfähigkeit der Heimarbeiter durch staatliche und soziale Mittel abzuhelfen, sind auch berechtigte konkrete Forderungen dieser Klasse inbezug auf die Arbeitsbedingungen von staatswegen durchzusetzen. Ihre Organisationen werden niemals die Kraft jener der Werkstattarbeiter erreichen und sie werden niemals ihre wichtigsten Forderungen aus eigener Kraft durchsetzen. Die Hauptaufgabe ihrer Organisationen wird daher sein, den geneigten Gesetzgeber anzuleiten, zu informieren. Er aber besitzt drei besonders wichtige

---

[1]) Twelfth annual Convention, S. 67, Vgl. Thirteenth Convention (1899), S. 88. Ähnlich sprach sich der 1897er Bericht der Gewerbeinspektoren des Staates New York aus (Twelfth annual Report of the Factory Inspectors of the State of New York, 1898, S. 51).

Mittel, um ihnen zu helfen: den staatlichen Arbeiterschutz, der ihnen noch weniger vorenthalten werden
sollte, als Werkstatt- und Fabriksarbeitern — die Regelung der Arbeitsbedingungen im Falle ihrer Arbeit für
öffentlichen Bedarf—und staatlich sanktionierte verbindliche Mindestlohnsatzungen: die Einführung verbindlicher Grenzen, unter welche der Einheitslohn aus Billig-
keitsrücksichten kraft öffentlich - rechtlicher Verfügung
schlechthin, ohne Rücksicht auf den Besteller oder Käufer
der Arbeit, nicht sinken darf. Die Betrachtung der Verhältnisse lehrt, daß es kaum andere Mittel geben dürfte,
der ungleichen Machtverteilung zwischen Verlagsarbeitern
und Verlegern abzuhelfen, die Lage der ersteren wesentlich zu bessern.

Bisher begegnen wir zwei Systemen behördlicher
Mindestlohnsatzungen — beiden im sozialpolitischen Labo-
ratorium unserer Zeit: Australien.

In beiden Fällen erfolgt dort die Festsetzung nicht
für die Heimarbeit allein. Nach dem einen (dem victoria-
nischen) System haben Kommissionen von fachkundigen
Unternehmern und Arbeitern die Vorschriften zu erlassen,
und diese berühren stets das betreffende Gewerbe in seiner
Gesamtheit; nach dem anderen (neuseeländer) System sind
Einigungsämter und ein Schiedsamt damit betraut, die
Bildung von Tarifgemeinschaften zu befördern, bezw. streitige
Arbeitsbedingungen durch Schiedsspruch zu regeln.[1])

Das victorianische System wollte eine Hebung der
Löhne und die Festsetzung der Verhältniszahl zwischen
Arbeitern und Lehrlingen in bestimmten Gewerben bewirken; die Durchführung der Beschlüsse der Lohnkommissionen überwachen die Gewerbeinspektoren. Das
neuseeländische Verfahren sollte den barbarischen Lohn-
kampf — Arbeitseinstellungen und Aussperrungen — durch
ein besonderes Verfahren ersetzen, das zu einem exequier-
baren Übereinkommen, bezw. Erkenntnis führt, dessen
Beachtung die siegende Partei erzwingt, zu welchem Be-

---

[1]) Vgl. über das Nähere Schwiedland, Behördliche Mindestlohnsatzungen in Australien, Schmollers Jahrbuch 1901, S. 597 fg.

hufe das Vermögen der Unternehmer, bezw. der beteiligten Gewerkschaften haftet.

Vermöge des verbindlichen Charakters dieser Satzungen sollen auch jene, welche nicht die Kraft haben, sich gewerkschaftlich zusammenzuschließen oder kraftvolle Vereinigungen zu bilden, dann Tarifgemeinschaften zu erringen und wirksam zu erhalten, durch Fürsorge des Staates dasjenige erlangen, was dem Billigkeitsgefühl entspricht. Diese Absicht ist mit Rücksicht auf die Zahl der Arbeiter wie auf die enorme Bedeutung, welche die Lohnhöhe und die sonstigen Arbeitsbedingungen für ihre kulturelle Lage haben, von der allergrößten Bedeutung.

Die letzten Reste der älteren Maximal-Lohnsatzungen, die, der Autorität des Staates entflossen, unbillige Lohnforderungen verhüten wollten, finden sich noch in unseren Gewerbeordnungen vor,[1]) und schon gewinnt die Vorstellung des Minimallohnes, der sich gegen Unzulänglichkeit des Lohnbezuges richtet, mehr und mehr Leben.

Sie hatte sich bisher in Formen verwirklicht, welche einen vertragsmäßigen Charakter trugen. Bestimmte Lohnsätze durften nicht unterboten werden: 1. kraft Vereinbarung zwischen den bevollmächtigten Vertretern von Arbeitergewerkschaften und (einzelnen oder mehreren zu einer Korporation vereinigten) Unternehmern, bezw. ihren Vertretern, in allen Fällen also kraft Vereinbarung zwischen den unmittelbar Beteiligten (»kollektiv« vereinbarte Lohnsätze, Tarifgemeinschaften) oder — 2. kraft der vertragsmäßig respektierten Willensäußerung öffentlicher Körperschaften als Besteller von Lieferungen, Waren wie Arbeiten, wobei der durch den Vertrag Berechtigte kein Vertragsteil, sondern formell unbeteiligte Dritte, Arbeiter des durch die Klausel verpflichteten Vertragsteiles, waren.

Durch diese beiden Typen des verbindlichen mindesten Einheitslohnes wird hinsichtlich der Lohnhöhe der Inhalt künftiger Arbeitsverträge privatrechtlich im voraus beschränkt.

---

[1]) §§ 72—80 der deutschen, § 51 der österreichischen Gewerbeordnung·

Beide Arten bildeten sich bekanntlich in den letzten Jahrzehnten in England aus, zuerst die ersterwähnte Art, dann die letztere, die bei Bestellungen des Staates, der Kreise und der Gemeinden mehr und mehr zur Übung ward. Auf dem europäischen Festlande wurden die Fragen des Mindestlohnes vornehmlich in Belgien und in Frankreich erörtert. Doch blieben hier die Erwägungen wesentlich im Bann doktrinärer Untersuchungen; diese umfaßten, je nach dem Parteistandpunkte, einerseits die Prüfung, ob etwa das Prinzip des Mindestlohnes sich dem Naturgesetze von Angebot und Nachfrage entgegenstellt oder ob es den Grundsatz der »wirtschaftlichen Freiheit des Individuums« verletzt; anderseits enthielten sie — auf der eifrigeren Seite! — Erörterungen darüber, ob jenes Prinzip mit den Lehren der *Encyclica Rerum novarum* übereinstimmt. Die Klausel entsprechender Entlohnung der Arbeit für öffentliche Zwecke fand hie und da Aufnahme, und die »Hierarchisierung« von Arbeitern öffentlicher Körperschaften wie großer privater Unternehmungen Verbreitung.[1]

In Österreich hat die Verwaltung vorübergehend versucht, dem Elend der Arbeiter der nordböhmischen Glaskleinindustrie durch Schaffung einer Tarifgemeinschaft abzuhelfen, welche sie dem Strafschutz der Gewerbeordnung zu unterstellen erfolglos bemüht war. Im Deutschen Reich führte der berliner Konfektionsarbeiterstreik 1896 zu einem vergeblichen Versuch des zuständigen Gewerbegerichtes, eine verbindliche vertragsmäßige Lohnsatzung zustande zu bringen. Über die Einführung staatlich sanktionierter Mindestlohn-Satzungen kam es in Frankreich zu zwei parlamentarischen Anträgen, desgleichen in England zu einem, gleichfalls ergebnislosen Antrag Dilke's.

---

[1] Siehe über einen ersten Ansatz hiezu in England den Fabian Trakt Nr. 84 (The economics of direct employment) und über die Schaffung von kommunalen Arbeiterbeamten in Deutschland: Klien, Minimallohn und Arbeiterbeamtentum, Jena 1902. Über die typische Bedeutung dieser gemeinwirtschaftlichen Bildungen auf hierarchischem Prinzip vgl. Steinbach, Genossenschaftliche und herrschaftliche Verbände in der Organisation der Volkswirtschaft, Wien 1901.

Unterdessen wurde die australische Gesetzgebung auf diesem Gebiete vorbildlich. Sie verfügte (in Neuseeland) autoritär die angemessene Entlohnung von Arbeiten für öffentliche Lieferungen — entzog also der freien Selbstbestimmung eine wichtige Anzahl von Fällen, in denen sie den Zwang vorsieht.[1]) Ferner schuf sie mit einer für europäische Begriffe erstaunlichen Kühnheit den Typus der allgemeinen behördlichen Lohnsatzung, und zwar gleich in zwei Mustern (einerseits in Neuseeland, anderseits in Victoria).

In Victoria werden die Kommissionen von staatswegen für bestimmte Gewerbe eingesetzt. Die Satzung gilt jeweils für die Ortschaften, für welche sie kundgemacht wird.[2]) In Neuseeland bestehen sieben lokale Einigungsämter und ein Schiedsamt. Das zuständige Einigungsamt bemüht sich, einen Tarifvertrag zwischen den Streitteilen zustande zu bringen. Mißlingt dieser Versuch, so wird die Angelegenheit von amtswegen an das Schiedsamt geleitet. Dieses fällt ein Erkenntnis, das die Arbeits- und Lohnbedingungen für sämtliche Arbeiter und Unternehmer des bezüglichen Gewerbes und auch der verwandten Gewerbe verbindlich festsetzen kann[3]), und zwar die Löhne in ihrer konkreten, tatsächlichen Höhe oder indem die zulässige unterste Lohngrenze bestimmt wird. Auf Grund staatlicher Ermächtigung setzen sonach diese Behörden — die Kommission, bezw. das Schiedsamt — den Inhalt der Arbeitsverträge soweit autoritativ fest.

Ohne jede doktrinäre Neigung, also auch unbeeinflußt von Lehren der Partei, welche eine Zeit lang ein natürliches Lohnminimum kraft »eherner Lohngesetze« befürchten ließ, versuchte man dadurch die konkreten Nachteile des übermäßigen Lohndruckes zu bannen. Die Mißstände wurden, dank der aufklärenden Tätigkeit der

---

[1]) Vgl. S. 194.

[2]) Vgl. die in Betracht kommenden Gesetze im Anhang II.

[3]) Vgl. das Gesetz: An Act to consolidate and amend the Law relating to the Settlement of Industrial Disputes by Conciliation and Arbitration, vom 20. October 1900 samt Novelle vom 7. November 1901.

Arbeiterschaft und der humanitären Kreise in den mittleren Klassen, erkannt und besprochen; ihr Bestehen wirkte nunmehr wie eine Verletzung des sittlichen Empfindens der Gesamtheit. Die weitere Agitation reichte, gestützt auf den politischen Einfluß der Arbeiterklasse, hin, um übermäßigen Lohndruck, welchen zu großes und allzu lebhaftes Angebot oder Mangel an Nachfrage veranlaßt, von staatswegen zu bekämpfen.

Die Prinzipienfragen waren rasch überwunden, und das Interesse richtet sich lediglich auf das materielle Ergebnis: die Höhe der von staatswegen gezogenen unteren Lohngrenze und das Geltungsgebiet der einzelnen Satzung.

Es versteht sich von selbst, daß man bei der Festsetzung des Lohnminimums nicht den im freien Spiel von Angebot und Nachfrage fallweise sich ergebenden niedersten Lohn zu fixieren trachtete — das war ja der Sinn der Gesetzgebung. Man mußte ein Minimum finden, das nicht der tatsächlichen Übung entsprach, die unbefriedigend schien. Der Lohn des durchschnittlichen Arbeiters war gegen den Preisdruck der zur Unterbietung gezwungenen Mitwerber oder der einen Mangel an Aufträgen unbillig ausnützenden Unternehmer zu schützen. Es empfahl sich daher, die unter verhältnismäßig günstigen Arbeitsbedingungen bestehende Übung als Norm festzuhalten, also die Übung, die in Kreisen der gewerkvereinten Arbeit bestand. Hier waren Löhne, welche die Unternehmer zu leisten tatsächlich imstande waren und bei welchen durchschnittliche Arbeiter erfahrungsgemäß bestehen konnten. Derartige vorsichtige Anlehnung an die bereits bestehenden Verhältnisse war in diesem Falle das beste Kompromiß, die praktisch leichteste Lösung, welche zugleich die Gewähr der Durchführbarkeit bot. Ähnlich wurde auch bei uns Gleichstellung der Lohnsätze in allen Werkstätten eines Gewerbes (im Wege der Gewerkschaftsbestrebung) nach dem höchsten bezahlten Lohntarife gefordert.[1]

---

[1] Vgl. Schwiedland, Kleingewerbe und Hausindustrie in Österreich 1894, Bd. II, S. 320.

Überaus bezeichnend ist es aber, daß, während in Europa theoretische Begründungen für die Formulierung eines abstrakten Mindestlohnanspruches in Form allgemeiner Schlagworte vom *living wage* oder vom *salaire familial* oder gar physiologischer Bedürfnisse ersonnen und erwogen wurden, unsere Antipoden sich nüchtern und praktisch an die konkrete Frage hielten, ob eine bestimmte Übung zu sanktionieren oder ob über dieselbe hinauszugehen sei.

Die neuseeländer Einigungsämter sowie das dortige Schiedsamt bestreben sich, inbezug auf sämtliche Arbeitsbedingungen die Übung des Gewerbes, womöglich unter Berücksichtigung der Wünsche der Gewerkschaften, zur Geltung zu bringen. Was die Löhne betrifft, sind die Minimalsätze, die sie feststellen, in der Regel Lohnsätze, welche durchschnittliche Arbeiter tatsächlich bereits früher bezogen. Die Gewerkschaften hingegen sind bestrebt, diesen Satzungen den Verdienst guter Arbeiter zugrunde legen zu lassen.

Nicht überall, freilich, wurde diese Anlehnung an das Bestehende beliebt. In Victoria wurden starke Erhöhungen der unteren Lohngrenzen in lokalen Gewerben (Bäckerei, Maßschneiderei) beschlossen.

Die Folgen einer solchen Maßregel können sein:

1. Umgehungen der Satzung,
2. Verteuerung des Erzeugnisses,
3. Entfaltung der maschinellen Ausrüstung,
4. Auslese unter den Arbeitskräften,
5. Auslese unter den Betrieben, d. i. Untergang der leistungsunfähigsten.

Die Umgehung der Satzung hat sich in zwei Formen gezeigt: einmal durch Schaffung von Heimarbeitsbuden, welche ihr Verhältnis zum Verleger als Kaufsystem maskierten (Konfektion und Tischlerei in Victoria),[1] dann aber

---

[1] Besonders heikel ist die Lohnregelung, wenn sie sich nicht als Lohnabgrenzung, sondern als Festsetzung konkreter, tatsächlich bezogener Lohnsätze darstellt. Dies schien in Neuseeland keine Unzukömmlichkeit zu bieten bei lokalen Gewerben — so bei den Pflasterern oder Hafenarbeitern — ferner bei einer Reihe anderer, die man bei uns durch den Hinweis auf

auch im Betriebe selbst durch Vereinbarungen der Unternehmer und ihrer Arbeiterschaft, die Satzung zu umgehen und den Gewerbeinspektor vorkommenden Falles zu belügen, sowie durch Versuche von Unternehmern, ihre Arbeiter zu benachteiligen. Allein, alle diese Umgehungen sind zunächst nur ein Beweis dafür, daß eine kräftige Organisation der Arbeiter die zu ihren Gunsten erlassenen Gesetze stützen und beleben muß.

Nun könnte man vielleicht meinen, daß eine solche lebensvolle Organisation der Arbeiter staatliche Lohnregelung überflüssig macht. Hinweise auf die Gewerkvereine und auf die Festsetzung von Löhnen bei Übernahme öffentlicher Lieferungen liegen nahe, um die Behauptung zu stützen, daß einerseits die Arbeiter aus eigener Kraft, anderseits das wachsende Gefühl gesellschaftlicher Solidarität das gewünschte Ziel erreichen lassen, ohne einen solchen Apparat zur Lohnsatzung einzuführen, welcher in europäischen Verhältnissen notwendig viel komplizierter sein müßte, als unter den jüngeren australischen Verhältnissen, und welcher die Gefahr begründet, daß die plumpe Hand des Staates in Verhältnisse eingreift, deren Mannigfaltigkeit freie Entfaltung und eine feinfühlige, ununterbrochene Anpassung an die Umstände bedingt und diese auch im öffentlichen Interesse gelegen erscheinen läßt.

Dem gegenüber ist zu Gunsten staatlicher Mindestlohnsatzungen anzuführen: daß ihre Wirkung eine sehr allgemeine

die interlokale Konkurrenz gegenüber einem sozialpolitischen Hoheitsrechte des Staates zu schützen wol bestrebt wäre: so bei Bediensteten in Kühlanstalten (Hilfseinrichtungen der wichtigen Exportgewerbe von gefrorenem Fleisch und gefrorener Butter), bei Seeleuten, bei Bergarbeitern in Kohlen- wie in Goldgruben und bei Wollspinnern. Die Festsetzung eines ungemein detaillierten Lohntarifes kann bereits vor dem Einigungsamt erfolgen; so umfaßt ein zwischen der Schachtelarbeiter-Gewerkschaft und einigen Schachtelfabrikanten von Otago am 25. Juni 1904 vor dem Einigungsamt zu Dunedin vereinbartes Übereinkommen 129 Lohnsätze für die Herstellung der verschiedenen Schachteln. Desgleichen enthielt ein Erkenntnis des Schiedsamtes vom 9. September 1898 einen sieben Druckseiten füllenden Lohntarif für Schuharbeiter und bestimmte überdies, daß jeder Schuharbeiter wöchentlich zumindest 2 £ an Lohn zu erhalten hat.

ist, indem sie alle Angehörigen eines Gewerbes erfassen
können — daß bei ihrer Festsetzung eine gütliche Vereinbarung versucht wird — daß dabei die Billigkeit (in der
Person des Unparteiischen) eine maßgebende Stimme haben,
sogar die Entscheidung selbst fällen kann — daß bei einer
solchen, das gesamte Land berührenden staatlich organisierten Auseinandersetzung schon die Einleitung der Verhandlungen unter der Kontrole der Öffentlichkeit und mit
erfreulicher Ruhe vor sich geht — daß die Öffentlichkeit auch
während der Verhandlungen für die Vorgänge Interesse und
über die in Frage kommenden sozialen und wirtschaftlichen
Verhältnisse Aufklärung und ein Urteil gewinnt — daß zu-
dem die allgemein geltende autoritäre Satzung mit nur verhältnismäßig wenig Zeitaufwand und ohne die Mühen, die
volkswirtschaftlichen wie privaten materiellen Verluste, die
Erbitterung und die sonstigen moralischen Kriegskosten
des Lohnkampfes zustande kommt. Was endlich im besonderen die Verlagsindustrien betrifft, sind ihre Arbeiter
weit davon entfernt, aus eigener Kraft durch ihre Organisation zu Tarifverträgen mit den Faktoren, Zwischenmeistern und Verlegern zu gelangen.

Nun zu den gesetzlichen Sicherungen, die gegen die
Umgehungen der Satzungen möglich sind. Diese hat in
Victoria die Fabriksgesetznovelle aus 1900 angewandt. Sie
bestimmt, daß Arbeiter, welche bei der Lohnzahlung willkürlich verkürzt wurden oder durch einverständliche Annahme allzu niedriger Löhne selbst das Gesetz umgingen,
vom Unternehmer jederzeit neuerlich volle Zahlung zu
fordern berechtigt sind, wie wenn sie nichts erhalten hätten
(§ 15, Absatz 16); ferner, daß der Verzicht des Unternehmers auf gewisse Teilarbeiten den Anspruch des Arbeiters auf das verbindliche Minimum nicht berührt —
Vorschriften, welche sich weit wirksamer erweisen dürften,
als die, übrigens (§ 15, Absatz 11) gleichfalls vorgesehenen Strafsätze für die Unternehmer.

Ein weiteres Hilfsmittel wäre es (wie dies in § 15, Absatz 18, für bestimmte Fälle bereits vorgesehen wurde), dem
Unternehmer die Führung genauer Aufschreibungen über

die Lohnzahlungen aufzuerlegen, welche gestatten, jederzeit die Einhaltung der Satzung zu kontrolieren, und deren
nachweisbare Unwahrheit mit Strafe zu bedrohen. Endlich könnte man für gewisse Fälle die Abnahme eines
Eides vor Gericht zur Beglaubigung dessen, daß die Satzung
eingehalten wurde, vorsehen.

Der Umgehung des im Gesetze festgesetzten Mindestlohnes für Lehrlinge wurde besondere Aufmerksamkeit zugewandt. In Victoria verbot es die Fabriksgesetznovelle
aus 1896, irgendwen in einer Werkstätte zu verwenden,
der nicht zumindest einen Wochenlohn von 2½ sh. erhält.
Nun ließen aber die Unternehmer (namentlich im Modisten-
gewerbe und bei der Frauenschneiderei) bei der Aufnahme
von Lehrmädchen von deren Eltern einen entsprechenden
Betrag — etwa mehrere Pfund Sterling — erlegen, aus
dem sie die gesetzlichen Mindestlöhne allmählich zurück-
zahlten; oder sie bezahlten die 2½ sh. pünktlich am Sonn-
abend aus, um am nächstfolgenden Montag ebensoviel unter
dem Titel eines Lehrgeldes wieder einzuheben. Eine
Besserung dieses Übelstandes ergäbe sich, wenn in diesen
Gewerben durch die Lohnkommissionen, oder durch einen
obligatorischen Lehrvertrag eine fortlaufende Erhöhung
der Lehrlingslöhne nach den Lehrjahren vorgenommen
würde, denn der Lehrherr kann ein »Lehrgeld« nicht wol
im Laufe der Jahre steigern. Diesen letzteren Weg hat
Neuseeland in seinem jüngsten Fabriksgesetz aus November
1901 eingeschlagen. Danach steigt (§ 31) der wöchentliche
Mindestlohn für Lehrjungen und Lehrmädchen — welcher im
ersten Jahr fünf Schillinge beträgt — jährlich um je drei
Schillinge. In Victoria wie in Neuseeland wurden ferner nunmehr Lehrgelder der Angehörigen des Lehrlings in *fraudem
legis* nachdrücklich untersagt: in Victoria, indem das Gelei-
stete in den Bekleidungsgewerben — wo die Bestimmung
allein für Lehrmädchen praktisch ist[1]) — zurückverlangt und
der Unternehmer gestraft wird, in Neuseeland, indem die zivil-

---

[1]) Parliamentary Debates, Sitzung des Oberhauses in Victoria vom
30. Januar 1900. S. 3340—42 des Protokolles. Vgl. § 24 der Fabriksgesetznovelle aus 1900.

rechtliche Rückforderung schlechthin gilt und überdies von jedem Gewerbeinspektor eingeleitet werden kann. [1]

Wesentlicher als Gesetzesumgehungen berühren das Urteil über die Mindestlohnsatzung ihre Wirkungen auf jene Arbeiter, die hinter dem Durchschnitt zurückbleiben. *The slow and infirm!* jene, die einer Mindestlohnsatzung in erster Reihe zum Opfer fallen. Hört die Konkurrenz im Preise auf, so muß in der Leistung weiter konkurriert werden; der Warenverkäufer muß bei gleichen Preisen eine entsprechendere Qualität, der Arbeiter seinem Käufer mehr Produkte bieten. Die mindertüchtigen Arbeiter in Victoria wurden in den reglementierten Gewerben arbeitslos, und sie konnten, wenigstens im Sinne des Gesetzes, auch nicht im Verlag beschäftigt werden, sobald die Lohnsätze für diese Betriebsform höher angesetzt waren als für die Werkstatt. Nun trug die Verwaltung dieser Tatsache Rechnung, indem sie einer Reihe von Unternehmern die Zusicherung gab, in bestimmten Fällen von einer Strafverfolgung abzusehen, trotzdem die Minimalsätze unterboten wurden. Das war eine Interims- und Notmaßregel; die 1900er Novelle — bei deren Beratung die Gegner der ganzen Gesetzgebung sich in erwünschter Weise hinter die armen Beschäftigungslosen verschanzen konnten, indem sie deren Schädigung laut beklagten — ordnete dieses Dispenswesen, dessen Handhabung sie, unter Vorbehalt des Rekurses an den Arbeitsminister, dem obersten Gewerbeinspektor übertrug (§ 15, Abs. 22—24). — In Neuseeland wurde auf die nicht vollwertige Arbeit dadurch Rücksicht genommen, daß das zuständige Einigungsamt oder das Schiedsamt zur Lohnsatzung bemerkte, alte und schwache Leute dürfen zu einem geringeren Lohn Verwendung finden, wenn ihr Lohn zwischen der Vertretung der Gewerkschaft und dem Unternehmer vereinbart, beziehungsweise im Fall einer Meinungsverschiedenheit durch den Vorsitzenden des zuständigen Einigungsamtes festgesetzt wurde.

---

[1] Schwiedland, Lehrlingsschutz in Neuseeland, in Conrads Jahrbüchern 1900, II, S. 52 fg.

Die Schwierigkeit der Beschäftigung von Leuten, welche nicht vermögen, die geringste noch normale Arbeitsleistung ihrer Kategorie aufzubringen, wie Halbinvalide, alte Frauen, Leute mit geringen Anlagen, entspringt aus dem Problem der Lohnregelung selbst. Ein Bericht der schweizer Gewerbeinspektoren aus 1898[1]) erwähnt, daß alte, schwache, unintelligente Arbeiter in Geschäften, die sich mit der Einführung des Minimallohnes brüsten, entlassen wurden. Das ist öfter der Fall in großen Betrieben, wo die Arbeiter eine beamtenähnliche Stellung und abgestufte feste Monatsbezüge erreichen können. Je höher das Minimum und je größer der Zudrang der Arbeiter zur Beschäftigung, desto eher tritt an Stelle der früheren gegenseitigen Unterbietung der Beteiligten ihr Wettbewerb durch gegenseitiges Überbieten der Leistung. Sobald überhaupt ein Fixum der Bezüge feststeht, wird man jüngere, flinkere, raschere Arbeiter vorziehen. Das tun ja im Prinzip alle Ämter. Gleichwol ist die woltätige Folge eines Lohnminimums nicht zu übersehen: es verhindert, daß bei der Auswahl von Leuten die körperlich oder materiell Notleidendsten das allgemeine Niveau des Lohnes beeinträchtigen. Und das liegt im Interesse aller, welche die zu besetzenden Stellungen tatsächlich erlangen. Das besondere Minimum für Halbinvalide trägt den Ansprüchen dieser Rechnung und gefährdet nicht das Lohnniveau der Vollqualifizierten.

Andere Folgen der Lohnregelung hängen mit dem Ausmaß der Mindestlöhne zusammen. In Victoria zeigte sich, daß, wenn verbindliche Mindestlöhne eine erhebliche Lohnerhöhung, über bestimmte Grenzen hinaus, veranlassen wollen, die Unternehmer bestrebt sind, die Verteuerung der Arbeit durch Ausgestaltung des technischen Apparates wettzumachen. Der Maschinismus entfaltet sich, um durch Raschheit der Produktion die Gestehungskosten wieder zu mäßigen. Diese Erscheinung bemerken wir in der Männerschneiderei und bei der Schuhmacherei in Victoria.

---

[1]) Kollektivgutachten vom 17. Februar 1898; abgedruckt im Schweizerischen Bundesblatt vom 3. Mai 1899, Nr. 18, S. 657 fg.

Die Gesamtheit der Arbeiterschaft dürfte dadurch nicht benachteiligt werden, denn Maschinenarbeitern ist vermöge ihrer größeren Bedeutung für den Betrieb das Ansteigen zu höheren Löhnen nicht verschlossen. Eher gerechtfertigt erscheint einige Besorgnis für die kleinen Unternehmer, welche nur eine oder zwei Hilfskräfte haben und bei demselben Lohnminimum mit den größeren Betrieben nicht mehr konkurrieren können, zumal zugleich eine Beschränkung in der Lehrlingshaltung eingeführt wurde! Nach der Einführung der Lohnkommissionen in zahlreichen Gewerben wird sich diese Wirkung vielleicht nunmehr besser verfolgen lassen. Der Ausschluß kleinster Unternehmer, für welche das Lohnminimum zu hoch ist, dürfte wol der Grund sein, daß vielfach auch Unternehmer die Ausdehnung dieser Lohnregelung auf ihr Gewerbe, Hand in Hand mit den Arbeitern, forderten.

Eine besondere, vielleicht beabsichtigte Entwicklung ergibt sich, wenn die Zeit- und die Stücklöhne nicht im gebotenen Verhältnis zu einander stehen.

Vergleichsweise niedrigerer Stücklohn begünstigt noch die (schon an sich durch Regieersparnisse wohlfeilere) Heimarbeit, während mit der vergleichsweisen Niedrigkeit der Zeitlöhne umgekehrt die Werkstattarbeit in besonderem Maße zunimmt. Den letzteren Erfolg bemerken wir in Victoria in der Kleider- und in der Schuhmacherei, den ersteren (infolge Umgehung des Gesetzes seitens der Chinesen) bei der Tischlerei.

Die Vermehrung der Lohnkommissionen dürfte neue technische Schwierigkeiten ergeben, einmal rücksichtlich gewisser Hilfsgewerbe, welche sich verschiedenartigen Industrien angliedern, wie die Wagnerei, Tischlerei, Schmiede, Anstreicherei u. dgl., ferner vielleicht auch rücksichtlich der Zugehörigkeit gewisser Arbeitsverrichtungen zu bestimmten Gewerben.

Allgemein dürfte die Festsetzung eines verbindlichen Minimums in der Arbeiterschaft das Bestreben erwecken, dieses bloß als Entgelt für die niedrigstqualifizierten Ar-

beiter zu betrachten, um für alle anderen auf dieser Grundlage nun einen erhöhten Durchschnittslohn zu erreichen.

Was das Geltungsgebiet der Satzungen betrifft,
wird von Manchen Einheitlichkeit der Verfügungen für
das ganze Gebiet der nationalen Wirtschaft gefordert. In
der Bekämpfung der örtlichen Differenzierung begegnen
sich jedoch Unternehmer und Arbeiter; auf beiden Seiten
wird gestrebt, die Lohnsätze in einem möglichst weiten
Gebiet gleichzuhalten.

Suchen auch sonst die Unternehmer gern die Gegenden mit niedrigen Löhnen auf, so wollen sie doch nicht
dem Staate die Differenzierung der Sätze überlassen.
Namentlich ist es das Interesse der Orte, die unter ein
höheres Minimum fielen, auswärtigen Konkurrenten
die Möglichkeit zu benehmen, der Satzung unter-
liegende Waren etwa an Orten niedrigerer Satzung herzustellen und damit in den teureren Orten erzeugte
Waren zu unterbieten. Allerdings besteht die Möglichkeit dieser Konkurrenz auch heute, wo keine Satzungen
gelten; allein es wäre möglich, daß eine staatliche
Verfügung die bestehenden Verhältnisse verschärft und
auch sonst Unbilligkeiten begeht. Dies der Standpunkt der
Unternehmer. Beim Bestehen einheitlicher Satzungen würden
diese übrigens, bei sonst annähernd gleichen Verhältnissen
das Bestreben zeigen, an den Orten arbeiten zu lassen,
wo die bezügliche Industrie sich konzentriert, da sie dort die
Arbeiter wie die sonstigen Behelfe unter den geeignetsten
Bedingungen vorfänden. — Von den Arbeitern wird nicht
etwa das Zuwandern von Arbeitsleuten nach den Orten mit
höherer Satzung, sondern gleichfalls ein Abfließen der Bestellungen in die anderen Orte befürchtet. Dazu kommt
ihr Bestreben, die Lebenshaltung der Arbeiterschaft möglichst zu heben.

Die von den Arbeitern betonte Einheitlichkeit nationaler Kulturbedürfnisse hat das Ehepaar Webb[1]) anerkannt;

---

[1]) Industrial Democracy, 1902, S. 320 und 774, deutsche Ausgabe (Theorie
und Praxis der englischen Gewerkvereine) I, S. 287 und II, S. 293 Anm.

widersprochen hat ihnen Zwiedineck mit der Bemerkung, daß ein nationales Lohnminimum fast immer lokal verschieden ist, während man sich etwa ein nationales hygienisches Minimum eher denken könnte.[1]) Ausschlaggebend ist nun wol, daß die Befriedigung des gleichen Kulturbedürfnisses nicht überall die gleichen Kosten erfordert.

Betrachten wir aber die Frage etwaiger Verschiebungen der Industrie, so müssen wir solche Verschiebungen innerhalb eines Landes und von Land zu Land unterscheiden. Verschiebungen der Industrie innerhalb des Landes könnte eine Mindestlohnsatzung wol nur dann herbeiführen, wenn sie nicht bloß die bestehenden Verhältnisse gegen Verschlechterung schützen, sondern eine erhebliche Lohnerhöhung über jene hinaus erwirken wollte. Erhöhte sich dadurch der Lohn an Orten mit teurerer Lebenshaltung erheblich, so könnte gedankenmäßig fürderhin der Absatz der dortigen Erzeugnisse durch die Erzeugung in anderen Teilen des Landes beeinträchtigt werden. Dagegen würde diese Gefahr vermieden und die Stellung der Erzeuger im teureren Orte vergleichsweise verbessert werden, wenn umgekehrt das Minimum des Landes jenem gleichgestellt würde, das in der Großstadt herrscht.

Allein, es wäre unzweckmäßig, ein solches Postulat aufzustellen. Die prinzipielle Anerkennung der Forderung nach Mindestlöhnen vorausgesetzt, würde man wol praktisch im konkreten Fall den Mindestlohn nicht nach dem teuersten Orte, an dem die Produktion erfolgt, sondern nach jenen Orten richten, in welchen die betreffende Industrie ihren Schwerpunkt findet, und es bliebe den ersteren Orten überlassen, dieses Minimum in Wirklichkeit entsprechend zu überschreiten. Dieser praktisch naheliegende Vorgang entspricht auch der Billigkeit. Vom Standpunkte dieser genügt es, ein Verhältnis der Lohnsätze herbeizuführen, das dem Verhältnisse in den Kosten der Lebenshaltung in den verschiedenen Produktionsorten entspricht. Die künstliche Stärkung der Konkurrenzfähigkeit einer

---

[1]) Lohnpolitik und Lohntheorie, 1900, S. 384 Anm.

hauptstädtischen Erzeugung gegenüber jener des entlegenen Gebirgstales erfordert die Billigkeit meiner Empfindung nach nicht. Anderseits würde man dadurch zugleich
die Arbeiter des Landes gegenüber jenen der Hauptstadt
unverhältnismäßig begünstigen. Am besten wäre es daher,
einen Minimalsatz mit einheitlichem Ansatz und einigen
fest abgestuften Teuerungszuschlägen anzunehmen, welche
dem Verhältnisse der Kosten des Lebens in den verschiedenen Orten annähernd entsprächen. Diese praktisch
ungleichen **Mindestsätze** entsprächen der Billigkeit wie den
Bedürfnissen vollauf.

Zu ungleichen Mindestsätzen ist man auch in der
Wirklichkeit gelangt. S. und B. Webb selbst teilen zwar
mit, daß die englischen Gewerkvereine einen einheitlichen
Mindestlohn für den ganzen Distrikt, ohne Rücksicht auf
die lokalen Verhältnisse, anstreben, aber einmal ist da nur
von derselben Grafschaft die Rede, und dann fügen die
Verfasser alsbald hinzu, daß, »sobald die Kosten der Lebenshaltung sich merklich verschieden gestalten, auch die
stärksten Vereine Verschiedenheiten der lokalen Lohnsätze zulassen«. Auch Brentano hatte bereits solche gemeldet.[1]) Die nationale Gewerkschaft der englischen Seiden-
hutmacher besitzt zwar eine einheitliche Mindestlohn-
liste, sie gestattet aber ihrer londoner Ortsgruppe, zu
dessen allgemein giltigen Sätzen 10% zuzuschlagen; ferner
besitzen die 631 Ortsvereine, welche die englische Zimmer-
mannsgewerkschaft bilden, 20 Mindestlohntarife, die von
5 d. die Stunde in Truro bis 10 d. die Stunde in London
variieren. S. und B. Webb anerkennen auch selbst, daß
es praktisch am besten wäre, alle städtischen Gebiete
gleich zu behandeln, in den rein ländlichen Gebieten einen

---

[1]) Die englischen Gewerkvereine sind in Hinsicht der Minimallöhne
»weit entfernt, die an den verschiedenen Orten bestehenden Wohnungs- und
Lebensmittelpreise außer acht zu lassen. Auch vergessen sie nicht der verschiedenen lokalen Vorteile und Nachteile bei der Arbeit, wie z. B., daß in
verschiedenen Kohlengruben ein verschiedenes Quantum Arbeit nötig ist, um
eine Tonne Kohlen zu produzieren.« Die Arbeitergilden der Gegenwart, 1872.
II, S. 66. Vgl. auch S. 61.

Abzug vom normalen Minimum, für die Hauptstadt hingegen einen Zuschlag einzuführen, wobei ihnen als Maßstab für die Schwankungen, die Verschiedenheit der Mietpreise für Arbeiterwohnungen in Metropole, Stadt und
Land, sich empfiehlt.

Die Unterscheidung, welche englische Schneider und
Schuhmacher sogar im nämlichen Orte machen, indem sie
die Geschäfte ihrer Verleger in Klassen teilen und die
Lohnsätze danach ansetzen, erscheint mir — insoweit die
Verschiedenheit der Ansätze nicht mit Unterschieden in
der Arbeitsleistung übereinstimmt — als die Anwendung
des kaufmännischen Prinzipes: so viel zu nehmen, als die
Ware verträgt. Diese Übung [die auch in der münchener
gemeinsamen Werkstätte der dortigen verlegten Schneidergehilfen[1]) besteht] scheint der Notwendigkeit, ein nationales
einheitliches Minimum der Lohnsätze aufzustellen, zu
widersprechen.

Auch in Neuseeland ist man zur räumlichen Differenzierung der Arbeitsbedingungen gekommen. Der Bezirk,
auf welchen der Spruch des Schiedsamtes Anwendung
finden muß, ist stets der Bezirk, in welchem die Verhand-
lung geführt wurde. Doch steht es dem Schiedsamt frei,
sein Erkenntnis auf die gleiche Industrie anderwärts auszudehnen. Manche Erkenntnisse haben daher für das ganze
Gebiet der Kolonie Geltung. Doch haben in anderen Fällen
sogar die Einigungsämter, die immer nur für einen Bezirk bestellt sind, den Parteien ortsweise Abstufungen
empfohlen. Der die Wirksamkeit des neuseeländer Gesetzes
prüfende neusüdwaleser Richter Backhouse bemerkt auch
in einem amtlichen Berichte[2]), daß es besser sei, die Schieds-
sprüche räumlich zu spezialisieren, da es augenscheinlich
unbillig ist, für die Hauptstadt und für kleine Orte desselben Bezirkes die gleichen Mindestsätze vorzuschreiben.
Umsomehr gilt das von generellen einheitlichen Bestimmungen für das ganze Land. Demgemäß hat auch die

---

[1]) Vgl. über diese Anhang III.

[2]) Report of the Royal Commission of Inquiry into the Working of
Compulsory Conciliation and Arbitration Laws. Sydney 1901, S. 22.

jüngste einschlägige neuseeländer Gesetzesnovelle aus 1901
dem Schiedsamt rücksichtlich der Abgrenzung des Geltungsgebietes seiner Erkenntnisse die vollste Freiheit gegeben.

In Victoria bestimmen die Kommissionen jeweils die
Orte, für welche ihre Mindestlohnvorschriften gelten. Für
alle diese Orte sind die Satzungen einstweilen einheitlich.

Die Dauer der Bindung wird in Victoria nicht festgesetzt. Die Satzungen werden geändert, sobald sie der
zuständigen Lohnkommission nicht mehr entsprechend
scheinen. In Neuseeland erfolgt wol eine zeitliche Bindung[1]),
doch läßt sich hier der Inhalt der Verträge und Erkenntnisse durch Zusatzübereinkommen abändern. Läuft die
Frist der Geltung des Erkenntnisses ab, so kann die Angelegenheit neuerlich vor das zuständige Amt gebracht
werden, worauf das neue Erkenntnis den geänderten Verhältnissen Rechnung trägt. Bis dahin ist zur Abfassung
eines Zusatzübereinkommens Übereinstimmung aller Beteiligten erforderlich. Diese wird meist eher für Einzelheiten stattfinden, rücksichtlich welcher die geltende
Regelung keine Vorsorge trifft, als rücksichtlich erheblicher Änderungen, da der rechtlich im Vorteil befindliche
Teil einer Verschlechterung seiner Lage sich in der Regel
widersetzen dürfte.

Durch die Festsetzung verbindlicher Mindestlohnsätze
wird der Lohnsatz dem Bereiche spekulativer Betätigung
miteinander konkurrierender Arbeitnehmer wie Arbeitgeber
einigermaßen entrückt und zu einem festeren Produktions-
faktor. Nun werden im Erwerbsleben die Preisschwan-
kungen der sachlichen Produktionsmittel für den einzelnen Unternehmer oft durch wirtschaftliche Einrichtungen
ausgeschlossen. Die Rechtfertigung des reellen Termin-
handels beruht in diesem Ausschluß des Risikos einer
Preisveränderung; der Spinner sichert sich eine Menge

---

[1]) Sie kann bis zu drei Jahren gehen, die Mehrzahl der Übereinkommen
und Erkenntnisse sind indes in aller Regel für eine Dauer bis zu längstens zwei
Jahren geschlossen, bezw. erlassen. (Awards, Recommendations, Agreements etc.
made under the Industrial Conciliation and Arbitration Act, New Zealand; 1901.)

Baumwolle, der Maschinenbauer Roheisen, der Müller Getreide, der Bäcker Mehl durch einen Abschluß zu einem bestimmten Preis gegen Lieferung in einem späteren Termin. Weshalb sollte nun das *corpus vile* des lebendigen, persönlichen Produktionselementes, die Arbeiterschaft, des Risikos der Lohnschwankungen prinzipiell nicht enthoben werden dürfen? Und soll es hier ein Nachteil für den Unternehmer sein, mit einem nach unten zu begrenzten Preisansatz rechnen zu müssen? Wol sichert er sich dort gegen eine Preissteigerung, während hier bloß die Chance der Lohnermäßigung ausgeschlossen wird, allein die Chance der Preisermäßigung ist beim Terminkauf ebenfalls ausgeschlossen. Nur die ziffermäßige Bestimmung des Vorteiles, der dafür erkauft wird, fehlt hier vorerst.

Bei öffentlichen Lieferungen hat die Festsetzung der Mindestlohnsätze wol keine Schwierigkeit: der Lieferungswerber wird mit den gegebenen Einheitspreisen rechnen, demgemäß sein Anbot erstellen und der Besteller die Kosten decken.

Einen naheliegenden prinzipiellen Einwand gegen Lohnsatzungen bildet jedoch die Benachteiligung der Industrie auf dem freien Markte. Da sind indes vor allem die Gewerbe auszuscheiden, welche keine interlokale Konkurrenz zu befürchten haben, wie die Bäckerei oder Kundenschneiderei. Hier zeitigte in Victoria selbst eine starke Erhöhung der Löhne keine Unzukömmlichkeit. Es ist auch dem vorgebeugt, daß etwa infolge der Regelung ein allzugroßer Zudrang von Arbeitskräften in solche rein lokale Gewerbe erfolge. Die Satzung gilt ja jeweils für alle halbwegs gleichartigen Orte; somit könnte nur ein Zuzug vom Lande stattfinden. In diesem Falle fänden aber darum nicht mehr Leute Arbeit, und es müßten daher ebenso viele im Orte beschäftigungslos werden und wieder nach dem Lande abziehen, als von dorther im städtischen Gewerbe Aufnahme fanden.

Was aber die Gewerbe betrifft, die keinen lokalen Charakter haben, ist zu erinnern, daß auch die sonstigen nicht mit dem Lohn zusammenhängenden Produktionsbedingungen von Staat zu Staat und oft von Ort zu Ort höchst ungleichartig sind. Darauf beruht sowol die Industrialisierung des flachen Landes, als auch umgekehrt die Entstehung von Industrien gerade an Orten, wo gleichartige schon bestehen: ihre örtliche Konzentrierung. Dadurch sollen eben die von Betrieb zu Betrieb verschiedenen Produktionsbedingungen nach Tunlichkeit ausgeglichen werden. Immerhin bleibt die Verschiedenheit der Produktionsbedingungen in den einzelnen Betrieben — des Kapitals, des Kredites, der technischen Ausrüstung des Betriebes, der Begabung wie des Glückes seines Leiters — sowie die Verschiedenheit der Produktionsbedingungen von Ort zu Ort bestehen, so z. B. die Verschiedenheit der Frachtraten zu und von jedem Orte im selben Lande — und zu solchen mehr oder weniger schwer beeinflußbaren »natürlichen« Bedingungen der Konkurrenzfähigkeit gesellen sich noch die oft recht willkürlichen Zollhindernisse im wechselseitigen Verkehre der Staaten. Nun betrachtet man aber alle diese Verhältnisse als gegeben und warnt davor, noch mutwillig durch Lohnsatzungen, welche man als die Produktion erschwerend ansieht, die Expansion des eigenen Volkes zu stören.[1]

Der ausländischen Konkurrenz gegenüber kommt aber auch der technische Fortschritt in Betracht, der durch hohe Löhne beeilt wird.

Im Verhältnis zur ausländischen Konkurrenz könnten Verschiebungen der Verhältnisse in Wahrheit sich nur ergeben, wenn das Inland bei einer sehr ungünstigen Gestaltung der geschäftlichen Verhältnisse ein zu hohes Minimum dauernd erhalten wollte.

Im allgemeinen wird die höhere Konkurrenzkraft des Auslandes sich nach den bisherigen Erfahrungen kaum

---

[1] In Österreich machten die Fabrikanten schon um die Mitte des XVIII. Jahrhunderts, als es sich darum handelte, eine Spinnersatzung einzuführen, geltend, daß der Spinnerlohn sich nicht fixieren lasse, weil dadurch der Eifer unter den Spinnleuten aufhören würde, ferner, weil der Preis der Eßwaren und der übrigen Bedürfnisse im Lande durchwegs nicht von gleicher Beschaffenheit sei, so daß der Lohn an den verschiedenen Orten kein gleichmäßiger sein könne.

darauf gründen, daß just die Arbeiter im Ausland wolfeiler werden. Es ist auch kaum anzunehmen, daß die Stellung eines Staates im Konkurrenzkampf dadurch verschlechtert wird, daß seine Unternehmer verhindert werden, einen Notstand der Arbeiter durch Mäßigen der Löhne unter das als notwendig erkannte Minimum auszunützen.

Bei steigender Konjunktur wird die Satzung keine Rolle spielen: da verträgt der Markt die Belastung durch höhere Löhne; diese werden zu solchen Zeiten das Minimum allgemein hinter sich lassen; man wird da möglicherweise die Minima selbst steigern.

Bei fallender Konjunktur hingegen bleibt dem Unternehmer zunächst das Mittel, mit den Löhnen bis an die Grenze der Minima zurückzugehen. Die feiernden Arbeiter werden die beschäftigten rasch soweit zurückgebracht haben. Sodann bleibt es dem Unternehmer unbenommen, aus der Schar der freigewordenen Kräfte die flinksten und geschicktesten Arbeiter für sich auszulesen, die Konkurrenz der Arbeitskräfte nach dieser Richtung auszunutzen. Endlich wird, wenn die Entwicklung der Industrie durch die Höhe der Minima geschädigt werden sollte, das Mittel ihrer Mäßigung gewiß versucht werden, wenn in Zeiten flotten Geschäftsganges Erhöhungen leichten Herzens vorgenommen worden waren. Dabei ist von der Möglichkeit der Zollerhöhungen noch ganz abgesehen!

In Exportländern wäre dieses letztere Hilfsmittel nicht anwendbar und das Augenmerk lediglich auf die Erhaltung oder Hebung der Produktionskraft zu richten. Auch hier könnte man mit der Einführung von Mindestlohnsatzungen nur nach Gewerben individualisierend vorgehen, wie es in Australien der Fall war. Dabei wäre die Exportfähigkeit zu berücksichtigen. Die eine Wirkung der Einführung von Mindestlöhnen: daß sie die technische Ausrüstung der Betriebe nach jeder Richtung, was Arbeiterschaft wie Maschinen betrifft, wesentlich erhöhen — würde die Exportfähigkeit gewiß nicht beeinträchtigen. In Europa wird übrigens bis zur Nachahmung der australischen Versuche noch soviel Zeit vergehen, daß diese

letzteren bis dahin eine Reihe von Lehren ergeben haben
werden, und daß überdies auch zur Erörterung sozialpolitischer Staatsverträge — eben im Hinblick auf Minimallöhne — noch Gelegenheit bleiben wird.

Dann gibt es Fälle, wo das Prinzip der Wirtschaftlich-
keit vor jenem der Bevölkerungspolitik, ich will gar nicht
sagen: der Moral, zurücktreten muß. Philippovich hat
das Wort gesprochen, daß die Aufrechterhaltung einer
Ausfuhr unter jeder Bedingung »Ruin der eigenen Volks-
kraft zu Gunsten des Auslandes« bedeuten kann; Beatrice
Webb schuf die Bezeichnung der Produktion, die in Wahrheit nur Verwüstung ist. Auch kommt es heute mehr und
mehr zum Bewußtsein, daß sich in nicht unerheblichem
Maße Neomerkantilismus im kleinen treiben läßt, der die
Einwirkung der natürlichen Verhältnisse beheben kann.

Bei einzelnen exportierenden Hausindustrien,
welche das Erzeugungsmonopol in zwei oder drei Ländern
oder mitunter auch nur eines einzigen Landes sind, könnte
man wol ohneweiters mit Mindestlohnsatzungen vorgehen
und damit, auch ohne wirtschaftliche Nachteile zu befürchten,
nur Segen stiften.

Eine technische Frage betrifft die Organe, welche
berufen sind, die Lohnsatzungen mit den Bedürfnissen der
Industrie einerseits und der Arbeiterschaft anderseits in
Einklang zu bringen. In Victoria bestehen sie aus Kennern
des jeweils in Frage stehenden Gewerbes und aus Ver-
trauensmännern der beiden Interessenkreise. Nicht immer
sind jedoch alle Interessentenkategorien entsprechend vertreten. Ferner kommt einiges auf die Stimmung in der
Kommission an: ob das Bestreben vorherrscht, sich zu verständigen, oder Feindseligkeit.

Zu erwägen ist noch die Sicherung der Durchführung der Schiedssprüche. Würde eine Partei sich
hartnäckig weigern, eine Entscheidung des Schiedsamtes
zu befolgen, so könnte ihr Trotz vielleicht nicht immer
gebrochen werden. So, wenn die Arbeiter eines namhaften

Gewerbes wie ein Mann ein Urteil ablehnten und in Strike träten. Die Unternehmer haben sich in Neuseeland bereits verabredet, die Anforderung des Schiedsamtes, die Geschäftsbücher vorzulegen, unbeachtet zu lassen. Das ist noch ein geringfügiger Fall, der durch Gesetzesänderung oder Gewöhnung geschlichtet werden kann. Wie aber widerstrebenden Arbeitermassen beikommen? Bereits haben die Arbeiter in einem Falle aus Empörung über den Ausspruch des Schiedsamtes, das ihnen allerdings weniger zusprach, als die Gegner selbst zuzugestehen bereit waren, ihre Leistung allgemein verringert. Eine Massenexekution des Urteils schiene hier unmöglich. Dennoch sehe ich in diesem Umstand an sich keine Gefahr.

Das Fehlen einer Sanktion für solche Fälle erhöht die Verantwortlichkeit der Schiedsrichter und ist geeignet, ihr Gewissen und ihr Billigkeitsgefühl zu schärfen. Sie tragen eine Verantwortung für die Beachtung und Exequierbarkeit ihrer Urteile und damit für den Bestand der ganzen Institution, in deren Dienst sie stehen, und werden daher meist solche Erkenntnisse schöpfen, welche das allgemeine Rechtsgefühl befriedigen. Im äußersten Falle würde freilich wieder die Macht der Konjunktur — diese Grundlage der freiwilligen Einigungsämter — ein Nachgeben des einen Teiles erzwingen, freilich unter Schädigung der ganzen Schiedsgerichtsinstitution. Dagegen, daß es soweit komme, gibt es aber noch manche Sicherung, so Wiederaufnahme des Verfahrens und Überprüfung des Erkenntnisses unter bestimmten Voraussetzungen (z. B. allgemein bei einem Konjunktursumschwung) oder — ein Fall, der sich bereits ereignet hat — Abänderung des Schiedsspruches durch ein freies Zusatzübereinkommen aller Beteiligten.

Die Probe darauf, ob die Erkenntnisse des Schiedsamtes der Macht der Konjunktur folgen, wird bei einem Rück-gang der Geschäfte zu machen sein, wennauch vielleicht in beschränktem Maße: die Übereinkommen und die Schieds-sprüche können ja die Beteiligten auf längere Zeit binden. Immerhin wird es sich zeigen, ob das neuseeländer System elastisch genug ist und die nötige automatische Anpassung an die tatsächlichen Verhältnisse bewährt.[1])

In Victoria sind die Vorschriften der Lohnkommissionen das Ergebnis von Kompromissen zwischen den Vertretern der Arbeiter und jenen der Unternehmer und sie sind nicht für eine bestimmte Zeit festgelegt, können vielmehr über Betreiben jedes Teiles wann immer wieder zur Diskussion gestellt werden.

Gedankenmäßig läßt sich über diese Dinge nicht weiter urteilen. Erdenken läßt sich ja jede Eventualität: welche aber die innere Logik der Tatsachen schließlich ergibt, erweist nur die Erfahrung.

* *
*

Während des 1896er berliner Schneiderstrikes hat das dortige Gewerbegericht als Einigungsamt versucht, eine Verständigung zwischen den Vertretern der Konfektionäre, der Zwischenmeister und der Arbeiter herbeizuführen. Die Konfektionäre verstanden es jedoch, sich bei Zeiten von den Verhandlungen zurückzuziehen. Gleichwol hätte sich das Gewerbegericht allem Anscheine nach als ein geeignetes Organ für die Austragung der Streitigkeiten bewährt, wenn es die Befugnis besessen hätte, einen exekutionsfähigen Schiedsspruch zu fällen.[2]) Man konnte die unverdrossene, gewissenhafte, verständnis- und eifervolle Bemühung des Gewerbegerichtes, sein Bestreben, sich im Rahmen des Möglichen zu bewegen und sich den tatsächlichen Verhältnissen anzupassen, gewahren. Dieser Versuch legt daher die Vermutung nahe, daß er für eine gesetzliche Regelung der Lohnfrage in Europa vorbildlich werden könnte. In diesem Sinne sprachen sich bereits mehrere Autoren aus. So bemerkte P h i l i p p o v i c h bei der

---

[1]) Die Möglichkeit der Abschaffung der ganzen Institution wäre wol nur von einer politisch herrschenden Arbeiterklasse bei sinkenden Konjunkturen zu erwarten, wenn die überwiegende Mehrheit der Gewerkschaften Lohnermäßigungen im Kampf widerzustehen geneigt wäre, solche aber vom Erkenntnis unabhängiger Richter befürchten würde.

[2]) G r a n d k e, a. a. O., S. 341 fg.

Tagung des Vereins für Sozialpolitik, 1899:[1] »Ich bin der Meinung, daß man hier durch irgendwelche autoritären Organe, Staat oder Gemeinde, in Verbindung mit Unternehmern und Arbeitern Mindestlöhne für die in dem betreffenden Bezirke produzierten Waren aufstellen sollte. Daß es möglich ist, davon hat mich überzeugt die Lektüre des Berichtes über den Konfektionsarbeiterstrike in Berlin, wo ein solcher Lohntarif ausgearbeitet und nur unberechtigterweise von den Unternehmern nicht anerkannt worden ist; ferner der Bericht von Jaffé über die Konfektionsindustrie am Rhein, wo man Ähnliches erreicht hat.« [2] Desgleichen Wilbrandt: als »dringend nötig« zur Regelung der Heimarbeit »sind folgende Maßnahmen zu bezeichnen: ..... nach dem Vorbild der älteren Hausindustrieordnungen und des neuesten Vorgehens der Kolonie Victoria in Australien Festsetzung von Mindestlohntarifen durch das Gewerbegericht als Einigungsamt, das zu diesem Zweck (außer dem ihm schon erteilten Recht, die Parteien zum Erscheinen zu zwingen) für die Heimarbeit noch die Befugnis zu erhalten hat, durch Einigungsverfahren und nötigenfalls durch Schiedsspruch einen rechtsverbindlichen Mindeststücklohntarif zum Abschluß zu bringen, der aufrecht zu halten wäre durch hohe, bei jeder neuen Verfehlung stark wachsende Strafen auf Bezahlung geringerer als der festgesetzten Mindeststücklöhne.« [3]

Auch andere Autoren haben in den letzten Jahren die Erstellung von Mindestlohnsatzungen für die Verlagsarbeit befürwortet. So fordert v. Zwiedineck vom Staate Einrichtungen, »welche die Wirksamkeit einer organisierten Arbeiterschaft hinsichtlich der Einflußnahme auf die Lohnbestimmung ersetzen« — ständige Organe, »welche die Lohnverhältnisse für eine in solcher Weise bedrängte Arbeiterschaft vorerst durch kommissionelle Verhandlungen zu

[1] Bd. LXXXVIII der Schriften des Vereins für Sozialpolitik, 1900, S. 48.

[2] Vgl. weiterhin S. 227.

[3] Die deutsche Frau im Beruf; Bd. IV des Handbuch der Frauenbewegung, 1902, S. 220.

einem gedeihlichen Punkte zu bringen versuchen müßten. [1]
»Sobald die in solcher Weise eingeleiteten Auseinandersetzungen beider Vertragsparteien zu keinem Erfolge führen,
muß der Staat mit seinem entscheidenden Machtspruch die
Lösung herbeiführen.« Und Pohle behauptet geradezu:
»Lohnregulierung ist die spezifische Form des Arbeiterschutzes in der Hausindustrie.« [2] Auch von einer mit
staatlichen Lohnsatzungen prinzipiell nicht einverstandenen
Seite wird der »staatlichen Fixierung eines Minimallohnes
für die Heimarbeiter mit der Klausel der Unwirksamkeit
jeder anderen nach abwärts getroffenen Vereinbarung« zu-
gestimmt. [3]

Endlich hat der in der deutschen Heimarbeiterinnen-
bewegung praktisch wirkende Lizenziat Mumm für den
Verbandstag des Gewerkvereins der Heimarbeiterinnen
Deutschlands im Frühjahr 1902 [4] folgende Forderung gestellt: »Förderung von Tarifverträgen mit dem Endziel
obligatorischer Mindeststücklohntarife, die nach Bedarf
vor jeder Saison zu vereinbaren sind.« Solche Förderung von Tarifgemeinschaften sieht Neuseeland vor; wir
haben gesehen, daß seine Einigungsämter diesem Ziele
dienen, daß aber zugleich sein Schiedsamt die Macht hat,
wenn die Einigung nicht erfolgt, Mindestlohntarife mit
verbindlicher Kraft zu erschaffen.

*   *   *

Wenn wir uns fragen, welche der nunmehr erörterten
Mittel der Gesetzgebung und Selbsthilfe unseren Heimarbeitern Abhilfe bringen sollen, müssen wir zugestehen,
daß die Verwirklichung verbindlicher mindester Einheits-

---

[1] Lohnpolitik und Lohntheorie, 1900, S. 391 fg.

[2] Deutschland am Scheidewege, 1902, S. 229. Desgleichen 1901 bei
der Tagung des Vereins für Sozialpolitik, Bd. XCVIII, der Schriften des
Vereins, S. 221.

[3] Zetterbaum, Zur Frage des Minimallohnes; Die Neue Zeit vom
8. März 1902.

[4] Die Heimarbeiterin, Organ des Gewerkvereines der Heimarbeiterinnen Deutschlands für Kleider- und Wäschekonfektion und verwandte
Berufe. Berlin N., Mai 1902.

lohnsätze in Europa in der nächsten Zeit kaum durchzusetzen sein wird. Dazu ist die politische Machtverteilung
zu ungünstig und das gesellschaftliche Solidaritätsgefühl
der einflußreichen Klassen leider zu gering.

Wird aber an die Anwendung des Prinzipes der Mindestlohnsätze gedacht, so sind zunächst die Gewerbe
festzustellen, für welche die bezügliche Institution zu
schaffen ist.

Da könnte nun mit den Hausindustrien, als mit Gewerben, deren Angehörige meist in elender Lage sind,
nächst den rein lokalen Gewerben am ehesten begonnen
werden. Auf diesem Gebiete wären die Versuche zum Teil
leicht zu machen. Auf diesem Gebiete ist es aber auch
im allgemeinen am meisten dringend, Mindestlohnsatzungen
zu erstellen, und es ist bezeichnend, daß die ältesten
Mindestlohnsatzungen (im XVII. und XVIII. Jahrhundert)
für die Heimarbeit erstellt wurden.[1]

Braucht die Hilflosigkeit der Verlagsarbeiter noch
erwiesen zu werden, so bieten die Erhebungen der
österreichischen Gewerbeinspektoren alle Daten hiezu.
Um nur den zweiten Band der Berichte herauszugreifen,
bestehen in Mähren folgende Löhne. Die Messererzeuger
im Bezirke Wallachisch-Meseritsch verkaufen ihre kleinste
Messersorte um 1 Gulden 5 Kreuzer das Hundert. Zwei
Arbeiter erzeugen hievon in 15 bis 16 Stunden, das ist
von 5 Uhr früh bis 8 oder 9 Uhr abends, sechzig Stück.
Dafür erhalten sie vom Kaufmann 60 bis 70 Kreuzer, was
nach Abzug der Kosten des Rohmateriales 30 bis 50 Kreuzer
bedeutet. Da die weiteren Auslagen für Hilfsmittel 15
Kreuzer ausmachen, verbleiben für die 15- bis 16stündige
Arbeit zweier Leute im Tag 25 bis 35 Kreuzer, mithin für
jeden 25 bis 35 Heller (20 bis 30 Pfennige, 28 bis 40 Centimes, 2 bis 3 pence).[2] In der Strohflechterei im Konitzer
Bezirk beträgt der tägliche Durchschnittsverdienst 8 bis 9

---

[1] Vgl. Bücher im Handwörterbuch der Staatswissenschaften, Bd. II.
S. 588 fg. verbo: Arbeiterschutzgesetzgebung in der Schweiz.

[2] Bericht der k. k. Gewerbeinspektoren über die Heimarbeit in Österreich,
herausgegeben vom k. k. Handelsministerium: II. Band, Wien, 1901, S. 4.

Kreuzer, bei 10stündiger fleißiger Arbeit 7$^1/_2$ Kreuzer (15 Heller, 12$^1/_2$ Pfennige, 16 Centimes, 1$^1/_2$ Penny), für Kinder und alte Leute kaum die Hälfte.[1]) Die Einzieherinnen der Bürstenmacherei in Karlsdorf und Umgebung verdienen 1 bis 2 Gulden die Woche, das sind 16 bis 20 Kreuzer (32 bis 60 Heller) im Tag.[2]) Bei der Tucherzeugung in Wallachisch-Klobouk, Boikowitz und Wisowitz bringt es ein fleißiger und geschickter Spinner bei 16stündiger Arbeit im Tag auf 20 Kreuzer (40 Heller), hat er die Wolle auch zu kämmen, auf 10 bis 15 Kreuzer (20 bis 30 Heller).[3]) In der Baumwollweberei zu Mährisch-Rothwasser und Umgebung erlangt ein guter Spuler bei 16stündiger Arbeit 30 Kreuzer, in Rožnau und Umgebung 15 bis 20 Kreuzer, der Weber 20 bis 30 Kreuzer.[4]) In Mährisch-Neustadt verdient eine Posamentenarbeiterin, wenn sie sehr fleißig, geschickt und erfahren ist, pro Stunde 3 bis 6 Kreuzer, je nach dem Muster; der Durchschnitts-Wochenverdienst beträgt aber 1 Gulden 8 Kreuzer (2 Kronen 16 Heller, 2 Francs 25 Centimes, 1 Mark 80 Pfennige, 2$^1/_2$ Schilling).[5]) Bei der Banderzeugung in Karlsdorf und Schönau kommt ein Spuler bei fleißiger Arbeit auf 12 bis 15 Kreuzer im Tag[6]) usw.

Diese Lohnangaben stammen aus normalen Geschäftszeiten. Daß die Leute, welche sie erringen, welche sich damit begnügen, keine Organisationsfähigkeit besitzen, dürfte einleuchten. Die Schwierigkeit, die Arbeiterschutzvorschriften auf sie zu erstrecken, braucht hier nicht neuerlich erörtert zu werden: es ergibt sich vielmehr von selbst, daß es hier vor allem gilt, den Lohn zu heben. Eine moderne, fachlich gebildeten Beamten anvertraute Verwaltung könnte hie und da vielleicht helfend eingreifen — worin ihre Aufgaben lägen, wird später klar werden — die Forderung nach einer gesetzlichen Handhabe zur Einführung verbindlicher Mindestlöhne dürfte indes aus diesen Beispielen hinlängliche Begründung finden.

---

[1]) Ebendort, S. 27.

[2]) Ebendort, S. 37.

[3]) Ebendort, S. 63.

[4]) Ebendort, S. 77—81.

[5]) S. 107.

[6]) S. 115.

Freilich stellen die Heimarbeiter oft Erzeugnisse her, welche sich nur vermöge besonders niedriger Löhne auf dem Markte erhalten. Auch bewirkt oft nur diese Niedrigkeit der Löhne die Industrialisierung bestimmter Gegenden. Für uns ist auch der große kulturelle Unterschied zwischen den verschiedenen Kronländern Österreichs zu beachten, infolge deren ein Ansetzen von Verlagsindustrien in manchen Provinzen eine erhebliche Lohnersparnis und daher ein Abwandern der Verleger bewirken kann, sowie der Umstand, daß wir mit einem zweiten Staat, der eine verschiedene soziale Gesetzgebung hat, in einem Zollgebiet vereinigt sind.

Endlich ist es oft mit der bloßen Lohnerhöhung nicht getan, sondern die höheren Löhne müssen, um entsprechend zu wirken, die Folge erhöhter Bedürfnisse sein, auf Grund deren sie beansprucht und sodann errungen werden.

Indes steht es auch fest, daß die Verleger häufig Lohnerhöhungen zu konzedieren bereit wären und deren soziale Notwendigkeit anerkennen, davon aber absehen zu müssen erklären, insolange nicht alle Verleger sie eintreten lassen.

So wird bezüglich der Heimarbeit in der Baumwollweberei in und um Mährisch-Trübau in den Erhebungen der Gewerbeinspektoren (Bd. II, S. 85) bemerkt, daß die Lebenshaltung dieser fleißigen und willigen Halbbauern so ärmlich und trostlos ist, »daß aus den Kreisen der Industriellen selbst die Anregung gekommen ist, es möchten Minimallöhne geschaffen werden, deren Unterbietung mit hoher Geldstrafe belegt werden soll«. Es liegen, so berichtet die brünner Handels- und Gewerbekammer, Erklärungen aus Industriellenkreisen vor, daß man selbst gegen doppelt so hohe Löhne, als die gegenwärtigen, nichts einzuwenden hätte, wenn die gesamte Konkurrenz an dieselben unweigerlich gebunden wäre.[1]

Einschlägige Versuche wurden anderwärts bereits durchgeführt. So vor allem in der ostschweizer

[1] Vgl. den Summarischen Jahresbericht der Handels- und Gewerbekammer in Brünn über das Jahr 1897, S. 65.

Stickerei. Der »Zentralverband der Stickereiindustrie der Ostschweiz und des Vorarlberges« beruhte auf drei Prinzipien: auf der ausschließlichen Beschäftigung von Verbandsmitgliedern, einem Normalarbeitstag und einem Minimallohn. Sieben Jahre bestand die Vereinbarung und als der Verband anfangs 1892 zu zerfallen begann, wurde zuerst das Lohnminimum reduziert und wenige Tage danach aufgehoben.

In Gablonz (Böhmen) haben die Erzeuger von Lusterbehängen und kleiner Waren aus Krystallglas 1897 die Mindestpreise, zu welchen sie an die Exporteure liefern, sowie die Mindestlöhne, die sie den Arbeitern bezahlen sollten, durch eine Konvention festgelegt. Der ehrliche Teil der Kontrahenten hielt die Preise, das Hauptgeschäft machten aber einzelne außerhalb stehende Unternehmer bei mäßigeren Preisen und schlechteren Löhnen. Das Abkommen litt daher daran, daß keine Macht diese Schädiger der Industrie zur Einhaltung der Beschlüsse bringen konnte. Gleichwol hat die Vereinbarung den 1600 Arbeitern der gablonzer Gegend, welche sie betraf, in den letzten Jahren ihres Bestandes nach einer sorgfältigen Schätzung jährlich um 190.000 Kronen, also pro Kopf um 120 Kronen mehr an Löhnen zugeführt, als diese Leute in den zwei vorhergegangenen Jahren verdient hatten, trotzdem der Geschäftsgang der letzten Jahre kein steigender war. Vor wenigen Monaten ist die Vereinbarung seitens der Exporteure gesprengt worden. Alle Pächter von Schleifmühlen gaben die Pacht auf und führen ihren Betrieb als »Lieferanten« (Faktore) weiter, während ihre früheren Arbeiter die Kraftmiete nun selbst bezahlen und zu ihnen in ein Kaufverhältnis treten mußten. Der Lieferant war von den Lasten der Werkstattregie und eines ständigen Arbeitsverhältnisses befreit, auch der Arbeiterversicherung enthoben und kam daher bei Stapelwaren um 6 bis 7% wolfeiler davon, selbst wenn er den Preisen die früheren Minimallöhne zugrunde legte. Nun schritt aber die Abbröckelung rasch weiter, man beschäftigte nur die wolfeilsten Verlagsarbeiter, und das Arbeitseinkommen der

Leute sank in kurzer Zeit bei der gleichen Leistung auf die Hälfte seiner vormaligen Höhe.

Ähnliche Tarifbestrebungen bestehen scheinbar in der westphälischen Konfektion[1]) und in den französischen Korbflechterdistrikten.[2]) In den letzteren Gebieten pflegen sich die Händler und Erzeuger über die der Marktlage entsprechenden Preise zu verständigen, welche zur allgemeinen Kenntnis gebracht und möglichst genau eingehalten werden.

Solche Bestrebungen sind erklärlich: Die Schaffung verbindlicher Mindestlöhne bedeutet nichts Geringeres, als Beschränkung der freien Konkurrenz in einer neuen Form, welche allerdings in erster Linie den Lohnermäßigungen gegenüber ziemlich wehrlosen Arbeitern, anderseits aber auch den bereits bestehenden und eingeführten Verlegern zum Vorteil gereicht.

Jeder aufstrebende Verleger unterbietet ja die bestehenden Löhne auf drei Wegen. Entweder er wendet sich an die freie Reservearmee der Verlegten und verspricht ihnen Beschäftigung, oder er wendet sich an die ungenügend Beschäftigten und verspricht ihnen ständige Arbeit, wenn sie sich zu entsprechenden Lohnermäßigungen verstehen; ständige Beschäftigung bei derselben Arbeit bedeutet nämlich bessere Einteilung des Materiales, Gewinnung besonderer Übung und größere Bequemlichkeit. Häufig werden endlich Verlagsarbeiter auf unreelle Weise an das neue Unternehmen gewöhnt, indem man ihnen bessere Arbeit verspricht, welche höher entlohnt wird, und nach der Fertigstellung einer Anzahl Stücke damit kommt, daß der Markt plötzlich nur mindere Waren zu gedrückten Bedingungen verlange — ein Vorgehen, das in den beteiligten Kreisen Gegenstand beständiger Klagen ist. Unter solchen Umständen ist der Verleger bei größeren Aufträgen, wenn nicht die Konjunktur augensichtlich im Aufschwung begriffen

---

[1]) Nach dem Berichte von Jaffé in Bd. LXXXVI der Schriften des Vereins für Sozialpolitik, 1899, S. 165 und 177, haben zwei Schneidergewerkschaften in Essen die Einführung eines Mindesttarifes durchgesetzt.

[2]) Fortlaufende Mitteilung dieser Marktpreise in der Zeitschrift »La Vannerie«, Paris IX.

ist, in beständiger Ungewißheit, ob nicht ein Konkurrent
sich fände, der den Auftrag zu niedrigeren Preisen über-
nähme; so wird auch der pointierte Ausspruch eines großen
Verlegers verständlich, welcher ausrief, jede größere Bestellung bedeute einen Lohndruck.

Möglichst sorgfältige Vergleichungen in einem Haus-
industrieorte Nordböhmens haben für die nämliche Arbeit
(bei Verlegern, die sich eines gleich günstigen Rufes
erfreuten) Lohndifferenzen bis zu 30% ergeben. Und
während der größere Unternehmer, welcher den Rohstoff
im großen und gegen Barzahlung beschafft, welcher einen
größeren Absatz und einen geregelten Vertrieb hat, an
sich besser zahlen könnte, als der geringere, den die
Kleinheit seiner Verhältnisse und Betriebsmittel beengt,
ist es doch dieser, der die Lohnbewegung entscheidend beeinflußt. Bei so großen Lohnverschiedenheiten ist es auch
begreiflich, daß sich beständig neue Verleger, die nichts zu
verlieren haben, mit dem Gedanken niederlassen, sie würden bei einiger kaufmännischer Betriebsamkeit durch-
kommen, da eine weitere Ermäßigung der Löhne nie ausgeschlossen sei. Hat einmal der neue Verleger einen
Stamm von Arbeitern an sich gezogen, so müssen sie
bestrebt sein, ihm den Bestand zu ermöglichen, da sie sonst
— Zeiten des Aufschwunges ausgenommen — selbst brot-
los würden.

Bei der Einführung verbindlicher Mindestlohnsätze
wird man nun wissen, wie weit das Untergebot, wie weit
die Konkurrenz aufstrebender kapitalloser Verleger gehen
kann. Die Kosten der sonstigen Produktionsmittel lassen
sich ja leicht berechnen; für die Möglichkeit des Preisdruckes auf Kosten der Arbeiter allein hat man bis jetzt
keinen Maßstab.

Für den Verleger hat die Festsetzung unverbrüch-
licher Mindestlohnsätze schon hiedurch Nebenwirkungen, die
ihm zugute kommen. Zunächst weiß er, bis zu welcher Grenze
seine Konkurrenten die Löhne im äußersten Fall mäßigen
können, und gerade hierüber ist er jetzt in Ungewißheit.
In den Gewerben, wo der Arbeitslohn bis zu 80% der

Gestehungskosten ausmacht, wie in der Spitzenklöppelei, herrscht ein beständiges Bestreben der Verleger vor, die Löhne zu mäßigen, weil sie das gleiche Vorgehen bei ihren Konkurrenten voraussetzen. Nun arbeiten aber besser bezahlte Leute besser, die Qualität ihrer Erzeugnisse hebt sich und damit nimmt die Zahl der Beanständungen wegen schlechter Ausführung ab. Endlich ist der bessere Arbeiter, der Unzulänglichkeiten seiner Werkzeuge und Werkzeugmaschinen zu beurteilen versteht, ein nicht zu unterschätzender Geräteverbesserer. Sorgfältige Arbeiter haben nutzbringende Ideen, kennen die Fehler ihrer Hilfsmittel und haben genügendes Interesse und Verständnis, um die bessernde Hand daran zu legen. Ein Kenner der gablonzer Glasschleifer[1]) schreibt mir: »Die Schleifereibesitzer, ja die Exporteure selbst haben in dem Augenblicke, als irgendein Artikel bereits so schlecht geworden war, daß ihn niemand mehr kaufen wollte, eingesehen, daß die Festsetzung eines Minimallohnes das einzige Mittel ist, um die stete Qualitätsverschlechterung aufzuhalten.« Der Arbeiter, dessen Lohn unter ein bestimmtes Minimum hinabgedrückt wurde, kann überhaupt keine gute Ware mehr liefern: er beginnt schnell zu arbeiten und spart an Zutaten, um noch so viel aus dem Lohn herauszuschlagen, daß er seines Lebens Notdurft decken kann. Geht das nicht mehr, dann erst denkt er an einen Streik, allein zumeist ist dann die betreffende Ware bereits auf dem Markte ruiniert. Wendet sich doch die Mode von einem Erzeugnis ab, das alle Qualitäten verloren. Nun empfindet auch der Händler den Nachteil des unbegrenzten Wettbewerbs, den Nachteil des Dranges nach Wolfeilheit.

Bei der Erlassung solcher Satzungen ist von vornherein zu beachten, daß der Anteil der Arbeit an den Gestehungskosten in den verschiedenen Gewerben sehr verschieden ist. So ist er in der Leinen- und Baumwollweberei sehr gering, in der Glaskurzwarenindustrie, bei der Erzeugung ganz feiner Flechtwaren oder Spitzen hin-

---

[1]) Herr Karl Kostka in Reichenberg.

gegen verhältnismäßig hoch. Auch dieses Moment wird
hier neben den Marktverhältnissen von Belang sein.

In den letzteren Gewerben ist die Lohnerhöhung geboten, weil hier die Verleger bei ungünstiger Marktlage
einem Preisdruck im Handel bereitwillig nachgeben, in
der Voraussetzung, daß die Arbeiter um den Preis der Erlangung großer Aufträge in Lohnermäßigungen willigen
und sich durch Verlängerung der Arbeitszeit entschädigen
werden.

Bei den Gewerben hingegen, in deren Gestehungskosten die Löhne nur einen geringen Bruchteil bilden,
spricht dieses Moment zu Gunsten ihrer Erhöhung, denn
diese hätte für den Marktverkehr keine Bedeutung. So
beträgt der Verkaufspreis der 120 Ellen Baumwollgewebe,
für welche der Weber in Mähren einen Nettolohn von
9 Kronen 60 Heller erhält (8 Heller pro Meter!), 72 Kronen,
so daß der Weblohn bloß $13\frac{1}{3}\%$ des Preises ausmacht. Es
gibt aber auch Fälle, wo der Lohn nur 12% des Verkaufs-
preises der Verleger beträgt. Hier würde wol auch eine
starke Lohnerhöhung volkswirtschaftlich zulässig sein,
zumal die Handweberei da eine Konkurrenz der Maschine
nicht zu befürchten hat, weil sie das schlechteste Material
(Abfallgarne) verwendet, welches auf mechanischen Web-
stühlen reißen würde, und die Preise der Verleger nur im
Hinblick auf die gegenseitige Konkurrenz möglichst niedrig
gehalten werden.

Auf eine naheliegende Form der Umgehung von Lohnsatzungen ist indes sofort aufmerksam zu machen; das ist
die Umwandlung des Lohnverhältnisses in ein Kaufverhältnis; daher fordern die Vorschriften des viktorianischen
Fabriksgesetzes für die zu regelnden Gewerbe die Festsetzung verbindlicher geringster »Preise oder Löhne«. Die
Lohnsatzung muß aber auch deshalb oft zur Preissatzung
werden, weil das Kaufverhältnis in der Verlagsarbeit sehr
häufig ist. Es waltet ebenso dort vor, wo die Arbeiter den
Rohstoff selbständig kaufen, als wo sie ihn aus der eigenen Wirtschaft (Stroh, Holz) beistellen.

Eine weitere Schwierigkeit läge darin, daß Haus-industrien sich sehr vielfach mit der Herstellung von Waren beschäftigen, welche Schwankungen der Mode ausgesetzt sind. Die Verleger scheuen eben den Übergang zum Fabriks-betrieb mit aus dem Grunde, weil Krisen, Modewechsel, Saisonschwankungen bei diesen Waren regelmäßig sind. Bei Waren, deren Konkurrenzfähigkeit geradezu darauf beruht, daß beständig neue Muster auftauchen, die Formen, die Ausführung, der Aufputz, die Zusammenstellung, Farbe und Material wechseln, ist es nun auch äußerst schwierig, autoritäre Lohnsätze in Vorschlag zu bringen. Ein neues Muster wird erfunden, man läßt davon einige Probestücke machen, findet, daß es einen günstigen Absatz gewinnt, und richtet dann die Produktion vornehmlich auf diesen Gegenstand. Bei dieser Hast ist keine Zeit dafür, in Ver-handlungen einzutreten, man will auch nicht sein Muster publik machen und könnte höchstens eine Auseinander-setzung mit einem Ausschuß der eigenen Arbeiterschaft durchführen. Solche Arbeiterausschüsse finden sich aber bisher in der Hausindustrie keineswegs und daher ergäbe sich ein Ausweg wol nur durch die Aufnahme entsprechender organisatorischer Bestimmungen in die Arbeitsordnung. Vielleicht ließe sich dabei das Prinzip festsetzen: der Lohn sei derart zu bemessen, daß ein Durchschnitts-arbeiter mit bestimmten Hilfskräften in einer bestimmten Zeit in der Regel auf einen bestimmten Mindestverdienst kommen könne. Die nötige Individualisierung nach Ge-werben und Arbeiterkategorien könnte ein Einigungsamt in der Gewerbegenossenschaft, welcher die Heimarbeiter (vgl. die Abschnitte V und VI) einzugliedern wären, treffen.[1])

---

[1]) Nach dem jüngsten Ministerialentwurf einer Gewerbenovelle scheint man sich in Österreich mit der subsidiären Festsetzung gewisser Arbeits-bedingungen — mit Ausschluß der Lohnsätze! — durch eine Art Satzung be-freunden zu wollen. Die Ausführung dieser Absicht leidet im Entwurfe freilich an dem Mangel, daß die Entscheidung nicht einem unparteiischen Organ, sondern dem Gutdünken der Arbeitgeberorganisation überlassen ist. (§ 114a des Entwurfes: »Die Genossenschaften sind berechtigt, für den Bereich der Gewerbe ihres Sprengels innerhalb des Rahmens der gesetzlichen

Gegenüber den Erschwernissen solcher Vorschriften für die Erzeuger ist darauf hinzuweisen, daß die heutige freie Konkurrenz auch für sie große Nachteile hat: die neuen Muster werden gradezu als freie gewerbliche Güter behandelt, die jeder sich anzueignen (auf die eine oder andere Weise) bestrebt ist, und so tauchen bestenfalls in raschester Zeit Nachahmungen davon auf. Dieser unlautere Wettbewerb wäre einigermaßen eingeschränkt, wenn ein Solidaritätsgefühl zwischen Arbeitern und Verlegern enstände.

Eine weitere sehr erhebliche Schwierigkeit für die Einhaltung von Lohnsatzungen würden naturgemäß in Gegenden armer und wirtschaftlich einsichtloser Verlagsarbeiter sinkende Konjunkturen begründen. Sinkt der Bedarf, so pflegt man in solchen Gegenden in überstürzter Hast die Käufer durch größere Billigkeit der Ware anzulocken. Die Arbeitszeit wird verlängert, die Überproduktion vermehrt. Sobald die Vorräte der Käufer hinreichend angewachsen sind, bleiben dann die Aufträge ganz aus; inzwischen sind die Arbeitsbedingungen derart verschlechtert worden, daß sie auch bei einer Besserung des Marktes sich nur äußerst schwer heben lassen. Preise und Löhne können sich auch dann nur sehr schwer erhöhen, und der Arbeiter muss infolgedessen trachten, durch quantitative Vergrößerung seiner Leistung die frühere Stufe des Einkommens zu erreichen. In solchen Zeiten würden die Lohnsatzungen sicher häufig umgangen werden.

Von den sonstigen Schwierigkeiten, die sich ergäben, ist die Gefahr, daß eine Verlagsindustrie abwandert,

---

Vorschriften die den üblichen Verhältnissen entsprechenden Bestimmungen über Beginn und Ende der täglichen Arbeitszeit und über die Arbeitspausen, über die Zeit der Entlohnung der Hilfsarbeiter und über die Kündigungsfrist festzustellen. Diese Feststellung hat durch die Genossenschaftsversammlung nach Anhörung der Gehilfenversammlung zu erfolgen und ist als Bestandteil, beziehungsweise Anhang der Statuten von der politischen Landesbehörde nach Anhörung der Handels- und Gewerbekammer zu genehmigen.

»Die erwähnten Bestimmungen haben für den Fall, daß von den der Genossenschaft angehörigen Gewerbeinhabern mit ihren Hilfsarbeitern in dieser Beziehung nicht nachgewiesenermaßen abweichende Vereinbarungen getroffen worden sind, für die Parteien rechtsverbindliche Geltung.«)

wenn ihre Löhne erhöht werden, nicht schlechthin zu verallgemeinern. Ein derartiges Gewerbe kann in agrarische Gegenden verpflanzt werden, es wird sich aber dort nur langsam und allmählich entwickeln. In Industriegegenden treiben ja die Leute bereits andere Gewerbe, und mögen diese auch schlechte Löhne zahlen, ist doch die Bevölkerung zumeist auf dieselben allzusehr angewiesen, als daß sie den halbwegs sicheren ungenügenden Erwerb auf die Gefahr hin aufgäbe, sich eine Zeit lang mit einem noch geringeren begnügen zu müssen, welcher die notwendige Folge der geringeren Übung in der neuangenommenen Beschäftigung wäre.

Dagegen kämen mit den Lohnsatzungen zwei weitere Vorteile in Betracht. Zunächst der Vorteil, daß Verlagsindustrien infolge Lohnerhöhungen zu höheren Produktionsformen — zu motorischem Betrieb, zur Werkstatt oder Fabrik — übergingen, wobei die Naturkraft an Stelle des Menschen als Triebwerk dienstbar ist. Sodann der volkswirtschaftliche und soziale Vorteil halbwegs gerechter Löhne. Über ihren Wert braucht nur auf Ruskins Worte verwiesen zu werden.[1]) Es ist von unvergleichlich höherem kulturellen Wert, wenn dieselbe Kapitalsmenge, im Besitze eines größeren Bevölkerungskreises, dessen Bedürfnissen dient und seine Besitzer auf eine höhere kulturelle Stufe hebt, als wenn sie den Luxus weniger steigert, mag auch dieser nicht zu entsittlichendem und (angesichts des Elends großer Massen) sittlich empörendem Prunk führen.

Die Mannigfaltigkeit der Verhältnisse und die berührten Schwierigkeiten leiten zu dem Schluß, daß man keine starren schematischen Verfügungen erlassen und auch bei der Einführung von Lohnsatzungen für die Verlagsarbeit nicht allzu rasch verallgemeinern darf. Was der einen Hausindustrie ein Segen Gottes wäre, kann für die andere zur Behinderung werden. In diesem Sinne ist dem Worte eines Kenners nur zuzustimmen, der bezeichnend gemeint hat: »Man wird das Hausindustrie-Elend hübsch gruppenweise beim Schopf packen müssen.« Die Gesetz-

---

[1]) Unto this last. P. 47 fg.

gebung hat die rechtlichen Handhaben zur Einführung von Mindestlohnsatzungen zu schaffen, das heißt dafür zu sorgen, daß ihre Verwirklichung möglich und ohne formelle Schwierigkeiten erreichbar sei. Die Einleitung des Verfahrens wäre zum erheblichen Teil der Initiative der Interessenten (wozu auch die Gemeindevertretung zu rechnen ist), zu überlassen, die Festsetzung der Satzung individualisierend vorzunehmen, ihre Durchführung durch die Machtmittel des Staates auf dem Gebiete der Justiz wie der Verwaltung zu gewährleisten.

*   *   *

Im Gegensatz zu dieser Rahmengesetzgebung ist es auf anderen Gebieten des Schutzes der Verlagsarbeiter, wo die Verhältnisse einfacher liegen, möglich, die konkreten Lebensbeziehungen und Arbeitsbedingungen, soweit dies erforderlich erscheint, von vornherein bis ins einzelne zu regeln.

Auf diesen Gebieten entsprächen auch gesetzliche Eingriffe mehr dem Herkommen; die Gesetzgebung könnte hier unverweilt in Angriff genommen werden. Ihre Aufgaben wären: die Förderung der Organisation der Verlagsarbeiter, — die Schaffung bestimmter, den Äußerungen des Sweatingsystems angepaßter Arbeiterschutzbestimmungen, — die Einführung entsprechender Lohnklauseln bei den Bestellungen öffentlicher Körperschaften — und die Ausdehnung der sozialen Versicherung auf den Verlag.

Nach der Erörterung dieser Hilfsmittel wollen wir nunmehr die Maßnahmen der Verwaltung betrachten, die den Verlagsindustrien dienen.

Verwaltungsmaßnahmen.

Die bisher erörterten Mittel zur Regelung der Verlagsarbeit setzen gesetzgeberisches Einschreiten, sowie Betätigung der Selbsthilfe von Seite der Verlagsarbeiter wie des konsumierenden Publikums voraus. Sie erfordern jedoch eine Ergänzung durch Maßnahmen der Verwaltung, welche sich nicht von vornherein in Vorschriften und Regeln fassen lassen, deren Anwendung sich vielmehr nach den örtlichen Verhältnissen richtet.

Dies sind Maßregeln, welche eine überlegene und eifrige Verwaltung je nach den Umständen erdenken mag. Sie wird die Ursachen der konkreten Mißstände im einzelnen Fall erheben und demgemäß ihre sanierende Tätigkeit individualisierend gestalten. Die Mittel der staatlichen Autorität haben da ebenso in Aktion zu kommen wie materielle Unterstützungen und die Findigkeit der beteiligten Geschäftskreise selbst. Bald können Wanderlehrer, Fachkurse oder Fachschulen, bald kann die Beistellung veredelter Modelle und Muster, anderwärts die Beschaffung wolfeiler Rohstoffe, einmal die Beistellung von Maschinen, ein andermal die Ausschreibung von Preisen für gute Arbeiten oder die Errichtung eines technischen Hilfsdienstes, hier die Förderung des Absatzes oder ein Exportkartell, dort ein unverzinsliches Darlehen an einzelne Erzeuger je nach der Lage des Gewerbes und seiner Mißstände Hilfe bringen. Diese Mittel, welche ein kluger, geschäftskundiger und wolwollender Ratgeber in Anwendung bringen mag, können nur beispielsweise angeführt werden; ihre Anwendung bildet eine Art Colbertismus im kleinen — nicht im Sinne technischer Regelung, sondern fruchtbarer wirtschaftlicher Anregung — dessen soziale Folgen die angewandte Mühe lohnen. Ungarn und Rußland wenden sie zur Förderung ihrer ländlich lokalisierten Hausindustrie an; in Österreich, dessen Gesetzgebung der Hausindustrien vergißt, finden wir eine anerkennenswerte Bemühung, ihnen im einzelnen Fall im Wege der Verwaltung zu helfen. Im nachstehenden einige Beispiele.

Swiontniki, in der Nähe von Krakau, ist ein altes polnisches Dorf, in welchem fast seit einem Jahrtausend die Erzeugung von Vorhängschlössern üblich ist. Vor Zeiten wurde auch das Schmieden von Waffen sowie die Herstellung eiserner Lagerbetten und damit ein lebhafter Handel nach der Levante betrieben. An der Erzeugung

der primitiven Vorhängschlösser nahmen Mann und Weib,
Vater und Kinder teil.

Mit dem Aufschwung der analogen Produktion im
Rheinland war der Absatz der galizischen Verlagsindustrie
immer kleiner geworden. Namentlich infolge der Bemühungen des vormaligen Sekretärs der krakauer Handels- und
Gewerbekammer, des Abgeordneten Dr. Weigel, ge-
wannen jedoch allmählich der Landtag von Galizien und
die k. k. Zentralkommission für gewerblichen Unterricht in
Wien Interesse für sie. Stipendien zur Ausbildung künftiger Werkmeister wurden gewährt und in den achtziger
Jahren eine Schlosserschule mit vier Jahrgängen errichtet.
Unter Beihilfe von Land und Staat wurde an diese sodann
eine motorisch betriebene Werkstätte angegliedert, deren
Hilfsmittel die Hausindustriellen zur Herstellung gewisser
Halbfabrikate gegen Entgelt benützen können. Die Schlosserschule bildet jährlich 10 bis 20 Arbeiter aus, welche auch
Stipendien zur Einrichtung ihrer Werkstätte erhalten können;
neben dem Tagesunterricht dieser Schule wurden daselbst
auch abendliche Meisterkurse eingeführt. Bei der
Überleitung der Bevölkerung zu einer höheren Technik
kommt derselben ihre seit Jahrhunderten erworbene Geschicklichkeit für Schlosserarbeiten sehr zustatten. Für die
Zwecke des Rohstoffkaufes und des Vertriebes wurden die
Schlosser zu einer Einkaufs- und Absatzgenossenschaft vereinigt. In Swiontniki und Umgebung leben 480
Schlosserfamilien (700 Vollarbeiter), welche Waren für
¼ Million Kronen erzeugen.

Die Erzeugnisse, welche früher die Verleger selbst
verhausierten, werden jetzt von der Schlossergenossen-
schaft sowie einigen Kaufleuten in Swiontniki und von
zwei krakauer Firmen vertrieben.

Ähnlich wurde in Sulkowice bei Izdebnik eine
Fachschule für Grobeisenwaren errichtet. Die Zahl der
dortigen Schmiedefamilien beträgt 200 mit zusammen 500
Meistern und Gehilfen. Sie erzeugen Nägel, Haken, Huf-
eisen, Zangen, Eisenbeschläge und sonstige Schmiedewaren.
Ihre Verleger sind zugleich die Rohstoffhändler. Die Fach-

schule hat die Gründung einer Einkaufs- und Absatzgenossenschaft veranlaßt und besorgt im Lohn Hilfsar-
beiten (Zerstücken des Rohstoffes, Biegen des Eisens,
Schneiden von Gewinden u. dgl).

In Gablonz in Böhmen führten umfangreiche Arbeits-
niederlegungen nach mancherlei älteren Versuchen (vgl.
S. 200) im Jahre 1898 zu Versuchen der reichenberger
Handelskammer, eine Besserung in der Lage der Glasarbeiter der Gegend herbeizuführen.

Demgemäß wurden damals 1400 Heimarbeiter, welche
sich mit der Erzeugung von geblasenen Perlen beschäftigen, sowie etwa 60 Lieferanten, welche Mittelglieder
zwischen den gablonzer Verlegern (Exporteuren) und
den Arbeitern bilden, zu einer »Produktivgenossenschaft« der Hohlperlenerzeuger vereinigt, welche jedoch
von der räumlichen Zentralisierung der Genossenschafter ab-
sah und auf ihre Arbeit nur durch Anschaffung gleichmäßiger
Arbeitsbehelfe (damit die Größen der Perlen einheitlich werden) und durch den gemeinsamen Bezug von Rohstoffen, wie
Einziehsilber oder Säuren, Einfluß nahm. So ist diese Genossenschaft eigentlich eine Verkaufsgenossenschaft. Das
gemeinsame Verkaufslokal ist in Gablonz und beschäftigt
mehrere kaufmännische Angestellte, welche das Waren-
lager ansammeln und den Vertrieb leiten. Dieses Magazin
besorgt an Stelle seiner Mitglieder den Verkauf an die
hauptsächlich für den indischen Markt arbeitenden Exporteure, liefert diesen zu festbestimmten Preisen und zahlt
den Arbeitern einen für jede Warensorte von vornherein
bestimmten festen Lohn, dessen Einhaltung seitens des
Lieferanten durch den Zwang zur Vorlage von Lohnlisten
und durch sonstige Maßregeln streng kontroliert wird.
Dadurch ist der Hauptgrund des Elends der Arbeiter,
die gegenseitige Unterbietung der Exporteure wie Lieferanten in den Preisen bzw. Löhnen, beseitigt worden.
Die Genossenschaft begann, von der Regierung mit
einer Subvention von 24.000 Kronen und von einem
Glasindustriellen mit einem Gründungskapital von 200.000
Kronen unterstützt, im November 1898 ihre Tätigkeit

mit wachsendem Erfolge und konnte zeitweise die Fülle der
Aufträge, welche wöchentlich etwa 36.000 Kronen betrugen,
kaum bewältigen. Die Verdienste der Arbeiter erreichen
dank entsprechenden Lohnerhöhungen das Doppelte ihrer
früheren Höhe. Die 1400 Mitglieder bezogen im Jahre 1901
monatlich um rund 24.000 K mehr an Materialersatz und
Lohn als sie zu den ehemaligen Preisen erhalten hätten,
was eine monatliche Mehreinnahme von 17 Kronen pro Genossenschafter ausmacht. Zugleich hebt sich die Industrie
selbst, indem sie unter den günstigeren Arbeitsbedingungen weit bessere Waren herstellt.

Im Herbst 1902 wurde eine besondere »Produktivgenossenschaft« der Erzeuger metallisierter oder versil-
berter Perlen auf ähnlicher Grundlage begründet. Ihre
Mitglieder sind jedoch ausschließlich Lieferanten. Deren
gibt es an 20. Sie beschäftigen im eigenen Betrieb und
außer Hause 5- bis 600 Arbeiter, denen sie feste Mindestlöhne zusicherten.

Bei der Krystallglasschleiferei (Lusterbehänge,
Tintenfässer, Flakons u. dgl.), die in Gablonz in
Werkstätten einzelner Exporteure, zumeist aber von
einzelnen, an gemieteten Schleifplätzen tätigen Arbeitern
(Platzgesellen) vorgenommen wurde, boten namentlich
die letzteren Elemente Gelegenheit zu fortwährenden,
alle Arbeiter in Mitleidenschaft ziehenden Lohnunter-
bietungen. Eine Vereinigung der in eigener Erzeugungsstätte produzierenden Unternehmer wurde geschaffen, welche
alle Schleifmühlen, in denen »freie Arbeiter« beschäftigt
waren, pachtete und mit eigenen Arbeitern besetzte oder
zum Stillstand brachte. Damit waren die gegen den
Lohndruck widerstandslosesten Elemente als »Subunternehmer« beseitigt und die Grundlagen für einheitliche
Preis- und Lohnfestsetzungen gegeben, die noch
durch Konventionalstrafen u. a. geschützt wurden. Diese
Maßregeln haben sich bewährt und der Arbeiterschaft
wennauch nicht so namhafte Vorteile wie in der Perlen-
branche, so doch immerhin eine wesentliche Besserung
ihrer Lage verschafft; allein die Konvention ging

Mitte 1901 infolge Austrittes der Exporteure in die Brüche. Jetzt blüht das »Freiörtelwesen« wieder mehr denn je und die Löhne fallen von Tag zu Tag, namentlich bei der Schleiferei von Lusterbehängen, welche einen Stapelartikel bilden.

Die Flakonerzeuger haben, durch Subventionen unterstützt, schon vor zwei Jahren eine Musterschutzkonvention begründet. Bis dahin war es üblich, daß jedes neue Form- oder Schleifmuster sofort von anderen in schlechter Ausführung nachgeahmt wurde, und der Erfinder hatte das Nachsehen. Heute haben die Schleifereibesitzer einen eigenen Musterzeichner, der für sie arbeitet, und schützen sich durch Übereinkommen vor dem Zutodehetzen jeder einzelnen Neuheit. Sie sind mit dem Erfolge zufrieden und streben nach einer staatlichen Unterstützung zur weiteren Kräftigung ihrer Vereinigung.

Bei der Erzeugung der Glasringe für den Orient ist eine starke Überproduktion eingetreten. Eine Enquete versuchte Licht zu schaffen, und man denkt an ein Kartell der Exporteure, um für diesen Monopolartikel der österreichischen Glaskleinindustrie die Preise zu erhöhen. Sachkenner haben indes sehr wenig Zutrauen zum Gemeinsamkeitsgefühl der Händler.

In Tirol ist die Hilfsaktion zu Gunsten der stubaier Kleineisenindustrie hervorzuheben. Dieses Jahrhunderte alte Gewerbe war von der modernen Großindustrie überholt worden; die ererbten Fähigkeiten der fulpmeser Schmiede und reiche Wasserkräfte ließen jedoch einen Versuch zu ihrer Belebung aussichtsreich erscheinen. Zu diesem Behufe wurde unter Unterstützung der zuständigen Handels- und Gewerbekammer, des tirolischen Landesausschusses, des Unterrichtsministeriums und des Handelsministeriums eine Werksgenossenschaft errichtet, welche die Schmiede im Einkaufe des Rohstoffes wie im Vertrieb ihrer Erzeugnisse von den Verlegern möglichst unabhängig machen und sie in den Besitz moderner Erzeugungsmittel setzen sollte. Gegenstand des Unternehmens ist: der »Ein- und Verkauf der zur Kleineisenindustrie gehörigen Materialien«, Verschleiß ihrer Erzeugnisse und Errichtung einer Genossenschaftswerkstätte zum Zweck der gemeinsamen Benützung mechanischer Betriebsmittel.

Die Turbine der Fachschule betreibt die Maschinen in einem neu errichteten entsprechenden Bau. In demselben erfolgt sowol die Herstellung von Halbfabrikaten, die auf Rechnung der Genossenschaft erzeugt und nach einem Stückpreise abgegeben werden, als auch die Herstellung mancher fertiger Fabrikate für gemeinsamen Verkauf. Die Erzeugung dieser Gegenstände erfolgt durch Genossenschaftsmitglieder, welche die Genossenschaft entlohnt. Doch steht es den Mitgliedern frei, zur Erzeugung von eigenen Halb- oder Ganzfabrikaten die Maschinen der Genossenschaftswerkstätte nach einem Stundentarife zu benützen.

Durch diese Neuerungen wurden die Herstellungskosten ermäßigt und die Qualität der Ware gehoben; auch konnte die Erzeugung einer Anzahl besser bezahlter, feinerer Verkaufsgegenstände neu aufgenommen werden.

Die Zahl der Mitglieder beträgt 51 unter 70 Schmieden; der Wert der 1901 gemeinsam abgesetzten Produkte 75.000 Kronen. Der Gesamtumsatz erreichte allerdings das Doppelte, doch ist darin der Verkauf von Rohmaterialien, deren Bezug auch Nichtmitgliedern freisteht, eingerechnet. Der Bruttogewinn der Genossenschaft überstieg 21.500 Kronen, somit pro Genossenschafter 400 Kronen. Die Erzeugnisse werden möglichst an Großhändler verschickt. Die Genossenschaft hat einen dauernd angestellten Reisenden, ferner einen Platzvertreter in Wien und gibt einen illustrierten Katalog sowie ein Preisbuch über ihre Erzeugnisse aus, welche sich den Weg nach Süddeutschland, der Schweiz und Italien bahnen, ohne nunmehr durch die Hände der ortsansässigen Verleger zu gehen. Die Löhne bzw. die Gewinnstraten haben sich seit 1898 gehoben, u. zw. je nach der Qualität des Arbeiters und der Gangbarkeit seines Erzeugnisses um 2 bis 4 Kronen pro Woche.

In Niederösterreich bemüht sich die wiener Handels- und Gewerbekammer seit Jahren um die Besserung der

Lage der niederösterreichischen Kleineisenzeugschmiede in Waidhofen a. d. Ybbs und Ybbsitz. Anfänglich wurde eine bloße Lehrwerkstätte errichtet, um die Technik des Gewerbes zu heben, in deren Zurückgebliebenheit man die ausschließliche Ursache des Niederganges erblickte Lehrlinge sollten ausgebildet und Gehilfen die Möglichkeit technischer Fortbildung geboten werden. Da jedoch die in der modernen Arbeitsweise ausgebildeten Lehrlinge in rückständigen väterlichen Werkstätten mangels entsprechender Einrichtungen ihre Kenntnisse nicht verwerten konnten, fielen sie in die alte Arbeitsweise zurück oder suchten in modernen Fabriken Stellung. Die Mehrzahl der Lehrlinge rekrutierte sich bald nicht mehr aus Söhnen von Schmiedmeistern, sondern aus Söhnen kleiner Leute verschiedener Art, welche von vornherein die Beschäftigung in einer Fabrik oder den Eintritt in eine höhere Gewerbeschule ins Auge faßten. Infolgedessen wurde allmählich das Hauptgewicht auf die Herstellung von Halbfabrikaten gelegt, welche die einzelnen Schmiede wegen des Mangels der notwendigen Maschinen selbst nicht vorteilhaft erzeugen konnten. Zu dieser Erzeugung wurden in der Lehrwerkstätte Arbeiter eingestellt und die Lehrlinge insoweit herangezogen, als die Anfertigung von Gesenken und Schnitten zu ihrer Ausbildung in der Gesenkschlosserei benützt werden konnte. Nun wurden hübsche Erfolge erzielt, welche auch die wiener Feinzeug- und Messerschmiede bewogen, sich durch Bezug von Halbfabrikaten an diesem »Hilfswerkstättendienste« zu beteiligen.

Um der übermäßigen Verteuerung des Rohstoffes durch die waidhofener Verleger entgegenzuwirken, wurde in Ybbsitz ein Rohstofflager errichtet. Die meisten Schmiede müssen zwar mit Rücksicht auf das Gegengeschäft nach wie vor ihren Bedarf bei den waidhofener Verlegern decken, doch bewirkte das Bestehen des Rohstofflagers trotz seines verhältnismäßig geringen Umsatzes eine fühlbare Ermäßigung der Eisenpreise. Die Bildung eines ähnlichen Unternehmens in Waidhofen ist im Zuge. Ferner ist geplant, in Wien ein Lager zu errichten, welches von der Lehrwerkstätte Halbfabrikate beziehen und diese an die wiener Kleingewerbetreibenden absetzen soll.

In Verbindung mit der Lehrwerkstätte steht eine Schleiferei, welche den früher in elenden Schleifhütten untergebrachten Schleifern gegen sehr geringe Pachtzinse Kraft sowie allen Anforderungen entsprechende Arbeitsräume und Werksvorrichtungen bietet. Für den gemeinsamen, waggonweisen Bezug von Schleifsteinen wird den Schmieden ein regelmäßiges Darlehen von 400 fl. gegeben, das nach der Rückzahlung wieder erneuert wird.

Endlich wurde der Versuch gemacht, durch Gründung einer Verkaufsgenossenschaft der gegenseitigen Konkurrenz der Schmiede ein Ende zu bereiten. Es gelang indes nur zeitweilig, zwischen den sieben Hackenschmieden von Ybbsitz eine Art Kartellvereinbarung zustande zu bringen. Gleichwol bewirkte diese, daß während ihres Bestandes die Preise trotz der schlechten Konjunktur höher standen als nachher, zu einer Zeit, wo die Schmiede mit Arbeit geradezu überhäuft waren. Die Vereinigung aller Zweige des ybbsitzer Schmiedegewerbes zu einer Verkaufsgenossenschaft behufs Bestellung eines wiener Handlungshauses zum Generalvertreter und planmäßiger Organisation des Absatzes scheiterte an dem Widerstande und der Unaufrichtigkeit eines Teiles der Schmiede. Dagegen gelang es, zwischen einzelnen Schmieden und einem wiener Exporthause eine Verbindung behufs Organisierung des Exportes herzustellen, welche nach den anfänglichen Ergebnissen schöne Erfolge verspricht.

Eine Ausschaltung der alten Verleger sollte auch die Notstandsaktion des niederösterreichischen Landesausschusses zur Milderung der Webernot in Niederösterreich bewirken. In diesem Kronlande stellen im Waldviertel etwa 12.000 verlegte Handweber die mannigfachsten Gewebe her, von Roßhaarstoffen bis zu Chenillevorhängen, von Verbandstoffen bis zu fassoniertem Seidenzeug. Die mit einer Subvention des Landesausschusses im Belaufe von 60.000 Kr. gegründete sogenannte Produktivgenossenschaft der waldviertler Weber begann ihre Wirksamkeit mit 1. März 1899 und besitzt in Wien eine Verkaufsstelle. Sie beschafft für ihre 300 bis 400 Mitglieder die Rohstoffe, läßt Muster herstellen und besorgt den Vertrieb der Waren. Ihre Teilnehmer sollen je 10 Kronen als Anteile einzahlen. Sie arbeiten alle in ihrer eigenen Wohnstätte und erhalten Rohstoffe wie Aufträge im Wege der angestellten Faktore, welche auch die Gewebe übernehmen. Die Gemeinsamkeit der Genossenschafter erstreckt sich sonach bloß darauf, daß sie an den Vorteilen der Leitung ihrer Arbeit durch die neue juristische Persönlichkeit teilhaben. Bisher haben Krankenanstalten, Waisenhäuser und ähnliche öffentliche Institute des Kronlandes ihre Aufträge der Produktivgenossenschaft übertragen. Deren Zukunft wäre gewährleistet, wenn jene Waren, welche sich am marktfähigsten erweisen, in erhöhtem Maße für Exportzwecke hergestellt würden.

Im Süden der Monarchie, in Mariano bei Görz, wirkte die k. k. Fachschule für Holzindustrie höchst segensreich zur Besserung der Lage der dort lokalisierten traditionellen Erzeugung von Holzsesseln. In den siebziger Jahren erhielt sich dort eine verlotterte und dem Hunger preisgegebene Arbeiterbevölkerung höchst mühsam bei der Erzeugung primitiver Holzsessel.[1]) Die Fachschule übernahm

---

[1]) »Ende der siebziger Jahre war die Hausindustrie in sehr große Notlage geraten; durch Erhöhung des Einfuhrzolles ging das bisherige Hauptabsatzgebiet, Italien, verloren, die Aufnahmsfähigkeit der anderen Absatzquellen war bald erschöpft, die Magazine füllten sich trotz eingetretener Schleuderpreise. Das Hauptprodukt der Hausindustrie, ein Strohsitzsessel, war ein elendes Machwerk, hergestellt mit den primitivsten Werkzeugen, das Holz wurde frisch von der Säge weg verarbeitet, so daß die Kauflust selbstverständlich sinken mußte. Die Tischlereiwerkstätten befanden sich in einem pitoyablen Zustande, sie waren feucht, schlecht verschlossen und hatten die nackte Erde als Fußboden; die Dürftigkeit und Verlotterung war eine allgemeine, die Bevölkerung durch ungenügende Nahrung entkräftet. Ein Großindustrieller, der von maßgebenden Persönlichkeiten um Errichtung einer Fabrik von Möbeln aus massiv gebogenem Holze zu Mariano ersucht wurde, erklärte, daß die Bevölkerung viel zu schwach und zu wenig ausdauernd für eine derartige Arbeit sei.« (Zentralblatt für das gewerbliche Unterrichtswesen in Österreich, 1900, S. 183.)

i. J. 1880 die Vermittlung auswärtiger Aufträge, führte bessere Werkzeuge ein, schuf neue Modelle, bahnte selbst einen Export an, gründete eine Produktivgenossenschaft und führte innerhalb dieser Maschinenbetrieb und Arbeitsteilung für die Herstellung der meisten hölzernen Halbfabrikate ein. Die Genossenschaft entlohnt ihre Mitglieder, welche die Holzbearbeitungsmaschinen bedienen, und liefert deren Erzeugnisse gegen Verrechnung den Genossenschaftern. Diese stellen dann die Enderzeugnisse in den Heimbetrieben auf eigene Rechnung her und geben sie an die Genossenschaft ab, welche sich um die Vermittlung der Aufträge bekümmert und den Vertrieb zu einheitlichen Preisen vermittelt. Ein Angestellter besorgt dabei die Korrespondenz, die Zuweisung der Aufträge, die Buchhaltung, den Versand, das Inkasso und die Verrechnung. Heute leben in Mariano und Umgebung 300 Arbeiter, die Hälfte sämtlicher Tischler der Gegend, vom Ertrage der Produktivgenossenschaft. Die maschinelle Einrichtung wurde dieser letzteren, wie auch manchen der früher erwähnten Genossenschaften, vom Gewerbeförderungsfonds des k. k. Handelsministeriums beigestellt.

Über diesen sowie über die gewerbefördernde Tätigkeit der Fachschulen ist nun einiges zu sagen.

Die gewerblichen Unterrichtsanstalten, namentlich die Fachschulen, üben in Österreich einen sehr wichtigen Einfluß auf die Kleingewerbe aus. Allerdings pflegen ihre tüchtigeren Schüler selbst in Gegenden mit lokalisierten Hausindustrien die Heimat zu verlassen und in großen Werkstätten und Fabriken auswärts Stellung zu suchen. Doch wird auch gestrebt, den ortsansässigen Gewerbebetrieb alten Stils zu modernisieren, in technischer, künstlerischer wie wirtschaftlicher Richtung vorwärts zu bringen. Als seit 1892 der Gewerbeförderungsdienst des Handelsministeriums für ähnliche Zwecke Geldmittel aufbieten konnte, begannen einige Fachschulen, hiedurch unterstützt, eine umso lebhaftere Tätigkeit zu entfalten. Ihre Leiter versuchten auf das wirtschaftliche Getriebe der Gegenden mit lokalisierten Verlagsindustrien energischer einzuwirken.

Dieses Eingreifen der Schule in das gewerbliche Leben erfordert Takt, Geduld und einen hohen Grad von Umsicht, viel Selbstlosigkeit und Mühe. Es geht[1]) darauf aus, die Bildungsinteressen des Gewerbestandes wahrzunehmen, zu wecken und zu befriedigen, fachliche Auskünfte und Rat interessevoll und unentgeltlich zu erteilen, der Schule zukommende Bestellungen weiterzuleiten und deren Ausführung durch Mithilfe bei der Beschaffung der Rohstoffe, durch bereitwillige Beistellung von Skizzen und Detailzeichnungen, durch Hingabe und Beschaffung von Modellen und Vorbildern, sowie durch Überwachung der Arbeit zu fördern, endlich die Bildung freier Wirtschaftsgenossenschaften anzuregen und herbeizuführen. In einzelnen Fällen stellte das Unterrichtsministerium Werkgenossenschaften, sogar einen Werkmeister auf Staatskosten bei. Mit Recht konnte daher eine offizielle Publikation sagen, daß Österreich ohne Selbstüberhebung mit Befriedigung auf die direkte Gewerbeförderung im Wege seiner staatlichen Schulen blicken darf, denn in dieser Ausdehnung und in ihrer systematischen Organisation sei diese noch bei keinem anderen Kulturstaate vorhanden.

Der Gewerbeförderungsfonds verteilt unentgeltlich Darlehen und verleiht namentlich Motoren und Werkzeugmaschinen an gewerbliche Genossenschaften. Um solcher Hilfe teilhaft zu werden, gründen kleine Gewerbsleute häufig Werks- oder Produktivgenossenschaften. Auch werden bestehende Genossenschaften durch solche Zuwendungen lebensfähig gemacht. So entstand z. B. im Hutmacherdorf Myslenice, unweit von Krakau, über Anregung des früheren bäuerlichen Landtagsabgeordneten der Gegend eine Produktivgenossenschaft, welche in einem Bauernhause gröbere Woll- und Haarhüte für den Vertrieb auf den Märkten herstellt. Der galizische Landesausschuß hat dieser Vereinigung einen erfahreneren Hutmachergehilfen als Werkmeister beigestellt. Unter dessen Leitung wird durch die Mitglieder wie durch besoldete

---

[1]) »Gewerbeförderung im Wege gewerblicher Unterrichtsanstalten« im Zentralblatt für das gewerbliche Unterrichtswesen, 1900, S. 173 fg.

Arbeitskräfte der Genossenschaft das Fachen, Filzen, Walken, Färben und Formen in der gemeinsamen Werkstätte, das weitere Herrichten der Hüte aber im Heimbetriebe vorgenommen. Um den Mitgliedern die Ausübung ihres Handwerkes zu erleichtern, soll nun der Gewerbeförderungsdienst für einzelne Teilarbeiten motorisch betriebene Maschinen beistellen. In Wien wurden die Zentralisationen der früheren Heimarbeiter der Pfeifen- und der Knopfdrechslerei vom Gewerbeförderungsdienst mit Benzinmotoren und entsprechenden Drehbänken versehen, nachdem sie sich zu diesem Behufe formell als Werksgenossenschaften konstituiert hatten.

Zu erwähnen ist noch, daß bereits erwogen wurde, an den Gewerbeförderungsdienst eine technische und kommerzielle Abteilung zur Förderung der Heimarbeiter anzuschließen[1]), ferner, daß in einzelnen Fällen bereits die Genossenschaftsinstruktoren eingegriffen und Assoziationen von Hausindustriellen auch Unterstützungen aus Landesmitteln erwirkt haben.

Das tätige Eingreifen der Verwaltung zur Hebung von Verlagsindustrien setzt ein verständnisvolles Erfassen der gesamten wirtschaftlichen und sozialen Lage der Arbeiter voraus. Vorschriften werden sich daher hiefür kaum geben lassen. Die Unterstützung geht in Österreich bis zur Lieferung maschineller Einrichtungen für Verleger.[2]) Man kann jedoch im allgemeinen sagen, daß bei einer einschlägigen Aktion zunächst auf eine **wirtschaftliche Kräftigung** der betreffenden Hausindustrie Bedacht zu nehmen ist. Ein Mittel hiezu ist die **Erweiterung und Organisierung des Absatzes** unter Umgehung der Verleger. In Mariano ist es, dank privater

---

[1]) Vgl. einen einschlägigen Antrag der Abgeordneten Dr. Schreiner Dr. Nitsche und Genossen, 1342 der Beilagen zu den Protokollen des Abgeordnetenhauses.

[2]) So für die »Werksgenossenschaft der vereinigten Webwaren-Erzeuger«, r. G. m. b. H. in Bennisch (Schlesien), welche Appreturmaschinen aus dem Gewerbeförderungsfond erhielt.

Hilfe, gelungen, direkte Exportaufträge zu sammeln und auszuführen.

Neben der Schaffung eines genügenden Absatzes wird es sich sodann um Erhaltung und Hebung der Verkaufspreise und des Verdienstes der Erzeuger handeln. Das erstere kann durch Zentralisation des Vertriebes erreicht werden; den Gewinn aber ergeben: die Verbilligung des Rohstoffbezuges durch gemeinsamen Einkauf, — die Verbilligung der Erzeugung durch Verbesserung der Werkzeuge oder auch durch maschinelle Herstellung von Halbfabrikaten (unter Benützung des Gewerbeförderungsdienstes) — sowie die Besserung der Qualität der Erzeugnisse, wozu die Anleitung der Fachschule von wesentlichem Vorteil sein kann[1]).

Im ganzen handelt es sich also um Mehrung des Absatzes durch kaufmännische Bemühung und Ausschaltung der Verleger — ferner um Hebung des Geschmackes und der Qualität der Erzeugnisse — und um Ermäßigung der Gestehungskosten.

Soziale Hilfe.

An die wirtschaftspolitischen Maßnahmen der Gesetzgebung und der Verwaltung und an die Selbsthilfe der Arbeiter wie der Verbraucher können sich endlich Einwirkungen der sozialen Hilfe — der freiwilligen Tätigkeit der oberen Schichten der Gesellschaft zu Gunsten der unteren — anschließen.

Ihre Wirksamkeit zur Herbeiführung einer Organisation unter den Heimarbeiterinnen haben wir bereits (Abschnitt V) geschildert, desgleichen die Tätigkeit einer australischen privaten Arbeiterschutzgesellschaft erwähnt, welcher das englische *Industrial Law Committee* sowie die festländischen europäischen freien Arbeiterschutzgesellschaften wol nachstreben könnten!

---

[1]) In Nordamerika wurde auch der Versuch gemacht, die Heimarbeiter mancher Gewerbe durch technischen Unterricht zu einer anderen Beschäftigung überzuleiten; die Folge war aber Lohndruck und Desorganisation in den Gewerben, welchen sie sich in größerer Anzahl zugewandt. (Twelfth

Sodann wäre der Bau von Volkswohnungen zu erwähnen. In den Häusern, welche der londoner Grafschaftsrat im Ostende Londons, einem ureigentlichen Bezirke der Heimarbeit, errichtet hat, sind in den Höfen kleine Werkstätten erbaut, welche mit Oberlicht versehen sind und sich nach dem Hofe zu öffnen. Diese lichten Werkstätten sollen an die Inwohner der mehrstöckigen Vordergebäude zu niedrigen Preisen vermietet werden, um sie zu veranlassen, ihre Arbeit außerhalb ihrer Wohnräume zu verrichten. Daneben läge natürlich auch daran, gesunde und gute Wohnungen zu beschaffen. Die Wohnungsmisère unserer Großstädte ist bekannt. Sie besteht aber auch fast in gleicher Intensität in den sich rascher entwickelnden kleinen Städten und Märkten gewerblichen Charakters.

Ein soziales Hilfsmittel anderer Art sind die für Arbeiterinnen bestimmten Gasthäuser, welche in Paris und in Lyon[1]), als vortreffliche Volksrestaurants und Lesehallen, errichtet wurden.

Vereine, welche erwerbslosen Arbeiterinnen Arbeit zuweisen, bestehen gleichfalls in Lyon, Marseille und anderwärts.[2]) Sie gewähren zeitweilig Arbeit außer Hause oder auch in einer besonderen Werkstätte und vermindern damit zum Teil die Last der stillen Zeit wie der aus anderen Gründen eintretenden Beschäftigungslosigkeit.

Vorschußvereine, solche, die unentgeltlichen Rechtsschutz gewähren, Konsumvereine und alle

---

annual Convention, S. 43; Twelfth annual Report . . . NewYork, S. 51.) Ähnliche Erfahrungen wurden auch in Österreich gemacht. Als hier die Kunsttischlerei und Bildhauerei in der Provinz durch Fachschulen gefördert wurde, klagten die städtischen Gewerbetreibenden über den ihnen entgehenden Absatz, und nachdem die Korbflechterei als Notstandsaktion durch Wanderlehrer verbreitet worden war, verfiel das wiener Korbflechtergewerbe umso rascher der Hausindustrie.

[1]) Benoist, Les ouvrières de l'aiguille à Paris, Paris 1895, S. 231 fg., und Bonnevay, a. a. O. S. 106 fg. Ein ähnliches Unternehmen bildet die Association alimentaire in Grenoble.

[2]) Die bezüglichen Adressen in dem Repertorium La France Charitable et Prévoyante, Paris 1896.

sonstigen Wohlfahrtseinrichtungen, welche für die gewerbliche Arbeiterklasse und im besonderen für Arbeitslose [1]) Bedeutung haben, können auch für den Heimarbeiter von Vorteil sein. Heute verfällt dieser in letzter Linie sehr oft der Armenpflege und dem Spital, und dem könnte auch durch Maßnahmen der sozialen Hilfe da und dort entgegen. gewirkt werden.

Die Hauptsache bleibt freilich die Anwendung der Hilfsmittel wirtschaftspolitischer Art: jener der Gesetzgebung, der Selbsthilfe und der Verwaltung.

Abschluß.

Wol ist die Hebung der Verlagsarbeiter, welche man heute schon als zum »fünften Stande« gehörig bezeichnen kann, eine ungeheure Aufgabe, deren schrittweise Lösung bestenfalls sehr lange Zeit erfordern wird. Allein man kann heut zumindest nicht mehr leichthin sagen, daß gegen die schrecklichen Übel der Heimarbeit keine Abhilfe möglich ist. Unsere Zeit weist uns hier nicht bloß die Aufgabe, sondern auch Mittel zu deren Lösung.

Bei der Besprechung dieser haben wir zugleich das Für und Wider jeder einzelnen Maßregel erörtert. Für Österreich ergab sich uns als unmittelbar zu verwirklichende Aufgabe teilweise die Durchführung, teilweise die Abänderung und Erweiterung der Gewerbeordnung, dann die Durchführung der Zwangsversicherung der Verlagsarbeiter für den Fall der Krankheit, die Einflußnahme von Heer, Marine und öffentlichen Körperschaften als Warenbestellern auf die Arbeitsbedingungen. Die weiteren Maßnahmen der Gesetzgebung hätten an diese anzuschließen.

Als allgemeines Ergebnis der Betrachtung läßt sich sonach betonen, daß die Heilung der mannigfachen Übel, welche die Verlagsindustrie begründet, nicht von einer einzelnen Maßregel erwartet werden kann. Gleichwie die Förderung der Handelsbeziehungen eines Staates nicht mit

---

[1]) Vgl. Rivière, Mendiants et vagabonds, 1902, S. 156 fg., ferner Lecoq, L'Assistance par le Travail en France, 1900, S..305 fg.

der Anwendung einer Rezeptenformel zusammenfällt, sondern nur eine Vielheit von Maßregeln die Industrie im Inland zu beleben und ihre Ausfuhr zu fördern vermag, kann auch hier nicht eine einzelne gesetzgeberische Idee genügende Abhilfe schaffen. Wie dort ein industriefreundlicher Geist, muß hier sozialpolitisches Bestreben Gesetzgebung wie Verwaltung erfüllen.

Dann ist festzuhalten, daß der Anwendung jedes einzelnen Hilfsmittels, ob es nun alle oder nur bestimmte Verlagsindustrien betreffen soll, sorgfältige Erhebungen über die konkreten Mißstände wie über die wirtschaftlichen Grundlagen der betreffenden Gewerbe vorangehen müssen. Um gesetzgeberische Vorschläge mit Anspruch auf Beachtung hervorzubringen, bedarf es der Anschauung der eigenen heimatlichen Verhältnisse, die es zu bessern gilt. Soll nicht bloß zwischen widerstreitenden Interessen mechanisch ein Kompromiß versucht, sondern ein auf sicherem Wissen beruhender, sachlicher und in sich fruchtbarer Gedanke zur Tat werden, so muß eigenes Urteil heranreifen. Dessen Grundlage bilden zwar die Kenntnisse und Wünsche aller Interessengruppen, in seinem Werte muß es jedoch über diese emporragen. Um dieses Ziel zu erreichen, muß der Bureaukrat zum Erhebungskommissär werden. Er soll nicht bloß fremde Meinungen bei Enqueten hören, diese vielmehr zum Ausgangspunkt seiner Forschungen machen, und so auf Anschauung beruhende eigene Sachkenntnis zur Beratung von Gesetzen mitbringen, mit deren Entwerfung allerdings nicht weiter gezögert werden darf.

Im vorstehenden ist niedergelegt, was die Betrachtung der in den verschiedenen Staaten bisher erprobten Maßregeln und einige allgemeine Kenntnis des Gegenstandes ergibt.

Sie weisen im großen die Richtungen, in welchen gegangen werden kann.

Welche hievon jeder einzelne Staat zunächst beschreiten wird, das hängt freilich auch von der jeweiligen

Entwicklung seiner wirtschaftlichen, sozialen und politischen Faktoren ab: von der Bedeutung, welche die Industrie, und dem Einfluß, den die Arbeiterschaft errungen, von der Macht der wirtschaftlichen und sozialen Widerstände, welche der Durchführung der einzelnen Bestimmungen jeweils entgegenstehen. Dabei spielt auch die allgemeine Bedeutung der zu regelnden Gewerbe eine Rolle. Es ist begreiflich, daß die Staaten der nordamerikanischen Union die Konfektionsgewerbe, welche sich dort rasch entfalten, leichter zu regeln unternahmen als das Deutsche Reich, das in manchen Zweigen derselben eine nicht zu unterschätzende Ausfuhrindustrie erblickt. Gleichwol sind die Mißstände der Verlagsarbeit in Europa so weit gediehen, daß weiteres Zögern moralisch unverantwortlich ist.

ANHANG.

Statistische Übersichten.

A. Frankreich.

Im Anschluß an die Ausführungen auf S. 17 fg. enthalten die nachstehenden Tabellen eine Übersicht über die »Alleinbetriebe« in der Stadt Paris, in den pariser Vorstädten und im Departement der Seine et Oise, sofern sie in einem dieser Gebiete die Zahl von zehn Betrieben übersteigen. Über den Begriff des »Alleinarbeiters« (Alleinbetriebes) im Sinne der französischen Zählung vgl. S. 19.

Gewerbe	Paris		Vororte		Seine-et-Oise	
	Männer	Frauen	Männer	Frauen	Männer	Frauen
Brotbäcker	—	—	25	—	240	—
Kuchenbäcker	63	—	24	—	42	—
Zuckerwarenerzeuger .	17	—	—	—	—	—
Wurstmacher u. Selcher	38	8	36	—	174	10
Parfumerzeuger . . .	4	9	—	—	—	—
Erzeuger von Kartonagen	89	407	12	68	—	—
Papiersäckeerzeuger u. Falzerinnen	16	20	—	—	—	—
Buchbinder	94	86	—	—	—	—
Vergolder für Druckzwecke	12	4	—	—	—	—
Industriemaler	39	74	—	—	—	—

Gewerbe	Paris		Vororte		Seine-et-Oise	
	Männer	Frauen	Männer	Frauen	Männer	Frauen
Ordner und Hefter von Druckbogen	12	145	—	—	—	—
Buchdrucker	52	5	—	--	27	—
Buchdrucker und Lithographen	54	2	---	--	—	—
Lithographen	28	—	. .	—	—	—
Autographienerzeuger .	40	9	—	—	—	—
Stein-Zeichner -Graveure, -Kalligraphen	143	1	—	—	—	—
Holzschneider	108	3	—	—	—	—
Photographen	178	25	58	4	32	1
Emailleure für Photographien	7	4	---	—	--	—
Operateure und Retoucheure für Photographien	13	13	—	—	—	—
Restaurateure von Gemälden und Kunstgegenständen . . .	28	4	—	—	—	—
Abhaspeler u. Zurichter	1	31	—	—	—	—
Handweber	22	4	14	6	39	4
Seiler, Erzeuger von Bindfaden, Schnüren etc.	11	—	13	—	21	—
Abhaspeler, Zurichter und Aufbäumer von Seide	2	35	—	—	—	—
Färber (ohne nähere Bezeichnung) . . .	25	—				
Appreteure u. Reiniger (ohne nähere Bezeichnung)	6	6	—	—	—	—
Wirker	39	36	—	—	—	—
Trikotwarenerzeuger .	2	30	—	—	. —	—
Erzeuger von Gummi- und Kautschukgegenständen	12	5	—	—	—	—

Gewerbe	Paris		Vororte		Seine-et-Oise	
	Männer	Frauen	Männer	Frauen	Männer	Frauen
Erzeuger von elastisch. Strümpfen und Bandagen	21	37	—	—	—	—
Erzeuger von Spitzen und Guipuren . . .	—	147	—	48	—	33
Stoff - Plissierer und Kräusler	4	12	—	—	—	—
Erzeuger von Fabriksspitzen	2	25	—	—	—	—
Textilzeichner	119	5	27	1	—	—
Sticker	99	2631	28	476	1	138
Erzeuger von Schleiern u. Spitzenapplikation auf Tüll	8	128	—	55	—	—
Erzeuger v. Vorhängen	19	3	—	—	9	20
Posamentenmacher . .	429	1736	37	220	36	245
Erzeuger von Militär-Posamenten	1	10	—	—	—	—
Erzeuger v. Posamentfeinzieraten	1	10	—	—	—	—
Erzeuger von Militärausrüstungsgegenständen	7	18	—	—	—	—
Zuschneider u. Appreteure von Shawls .	3	18	—	—	—	—
Wollkrämpler und Matrazenmacher . . .	272	793	39	252	58	176
Tapezierer und Dekorateure	402	—	70	—	68	—
Handtapisserie	9	230	9	81	—	22
Männerschneider . . .	2222	—	311	—	269	10
Damen- und Kinder-Konfektionsschneider	13	135	—	—	—	—
Erzeuger fertiger Kleider	45	445	20	166	2	42
Hosenschneider . . .	102	1690	5	152	—	26
Westenschneider . . .	37	3099	—	390	1	89

Gewerbe	Paris		Vororte		Seine-et-Oise	
	Männer	Frauen	Männer	Frauen	Männer	Frauen
Kostümschneider . . .	5	25	—	—	—	—
Damenschneider . . .	90	21400	—	13424	12	11219
Maschinstepper (Zwischenmeister) . . .	81	977	18	375	—	—
Erzeuger von Kleiderschnitten	34	2	—	—	—	—
Gewebeflicker	31	372	—	78	—	—
Knopfloch- und Weberaugenmacher	1	12	—	—	—	—
Miedermacher	19	1285	—	217	—	59
Wäscheerzeuger . . .	63	6901	6	1562	—	750
Kravattenmacher . . .	26	566	—	59	—	—
Strumpfband- u. Hosenträgererzeuger . . .	2	20	—	—	—	—
Schirmmacher	36	117	—	—	—	—
Schirmflicker	12	22	12	36	—	—
Hutmacher	123	102	—	—	17	15
Kappenschneider . . .	127	418	5	21	—	—
Erzeuger von Mode- und Modistenwaren .	—	4432	—	500	—	235
Erzeuger v. Filzschuhen und Socken	12	7	—	—	51	2
Kunstblumenmacher u. Federnschmücker . .	194	2906	70	941	5	114
Erzeuger von Blumen u. Kränzen aus Perlen	22	198	1	55	—	42
Perlensticker	9	256	—	41	4	66
Färber und Fleckputzer	21	29	—	—	—	—
Haararbeiter	7	7	—	—	—	—
Lederfärber	53	25	—	—	—	—
Trommelfellerzeuger .	25	—	—	—	—	—
Lederzurichter	18	—	—	—	—	—
Weißgerber	19	11	—	—	—	—
Sämischgerber	54	—	—	—	—	—

Gewerbe	Paris		Vororte		Seine-et-Oise	
	Männer	Frauen	Männer	Frauen	Männer	Frauen
Sattler	227	—	109	—	163	—
Schuhstepper	71	665	2	77	—	—
Erzeuger von Leder-waren	40	8	—	—	—	—
Futteralmacher	105	34	—	—	—	—
Brieftaschen- u. Börsen-erzeuger	84	37	—	—	—	—
Schuhmacher	4035	—	967	—	1177	22
Schuhflicker	364	—	80	—	—	—
Galoschenmacher . . .	78	—	28	—	—	—
Handschuhzuschneider und Näher	41	154	25	33	—	—
Wagner und Stell-macher	63	—	79	—	378	—
Faßbinder	158	—	91	—	208	—
Stockdrechsler	25	3	—	—	—	—
Tischler	1167	—	261	—	135	—
Sesseltischler	87	—	—	—	67	59
Holzbildhauer	243	2	34	2	—	—
Rohrflechter	35	169	12	30	—	—
Strohsesselflechter . .	41	104	25	46	17	91
Möbellackierer und An-streicher	20	11	—	—	—	—
Holzvergolder, -ver-silberer und -gra-veure	91	13	—	—	—	—
Holzdrechsler	234	—	30	—	65	2
Holzlackierer	32	34	—	—	—	—
Erzeuger von Holz-schuhen	—	—	—	—	44	—
Reifenmacher	—	—	—	—	34	—
Erzeuger von Kork-waren	21	1	—	—	—	—
Rauchrequisitenerzeuger	70	15	—	—	—	—

Gewerbe	Paris		Vororte		Seine-et-Oise	
	Männer	Frauen	Männer	Frauen	Männer	Frauen
Fischbeinerzeuger . .	17	17	—	—	—	—
Fächermacher, -ver- golder, -presser, -ma- ler etz.	63	62	—	—	—	—
Perlmutterarbeiter . .	49	3	—	—	—	—
Jetwarenerzeuger . . .	9	25	—	—	—	—
Knopfdrechsler . . .	22	28	—	—	20	3
Erzeuger von Spiel- zeug aus Holz und Pappe	37	29	—	—	—	—
Korbmacher	99	26	69	5	92	5
Bürstenbinder	80	78	17	15	34	41
Hufschmiede	58	—	39	—	217	—
Messerschmiede . . .	74	—	—	—	—	—
Scherenschleifer . . .	151	—	56	—	30	...
Feilenhauer	48	—	—	—	—	—
Präger, Stanzer . . .	28	1	—	—	—	—
Bauschlosser	484	—	193	—	273	—
Eisenblecharbeiter u. Waffenschmiede . .	71	—	—	—	—	—
Mechaniker	442	—	116	—	111	—
Schmiede	98	—	38	—	57	—
Monteure	89	—	—	—	—	—
Maschinisten, Eisen- hobler, Dreher, Fräser	43	—	—	—	—	—
Metalldreher	185	—	25	—	—	....
Erzeuger von Fahr- rädern	27	—	—	—	—	—
Erzeuger elektrischer Apparate	105	—	23	—	32	—
Kupferschmiede . . .	102	—	57	—	102	—
Versinner	94	15	62	4	45	—
Ziseleure	375	—	21	—	—	—

Gewerbe	Paris		Vororte		Seine-et-Oise	
	Männer	Frauen	Männer	Frauen	Männer	Frauen
Bronze- und Kupfer- monteure	109	—	—	—	—	—
Metallschleifer und –bohrer	38	60	—	—	—	—
Polierer	80	79	—	—	—	—
Nieter	8	49	—	—	—	—
Erzeuger von Messing- ketten	12	18	—	—	—	—
Metallstanzer	46	29	—	—	—	—
Erzeuger chirurgischer Instrumente	20	4	—	—	—	—
Erzeuger optischer In- strumente	62	10	—	—	—	—
Optiker	18	5	—	—	—	—
Weißblecharbeiter . .	127	—	28	—	52	—
rzeuger von Lampen .	35	—	—	—	—	—
Metall- und Gips-Bron- zierer	19	3	—	—	—	—
Kupferstecher	17	1	—	—	—	—
Graveure	181	9	24	—	—	—
Notenstecher	8	20	—	—	—	—
Schmuckgraveure . . .	49	2	—	—	—	—
Metallgraveure	147	1	—	—	—	—
Erzeuger von Kinder- spielzeug	18	9	—	—	—	—
Uhrmacher u. Juweliere	723	22	180	4	217	—
Erzeuger von Saiten- instrumenten . . .	35	—	—	—	—	—
Metallvergolder u. -ver- silberer	27	2	—	—	—	—
Vergolder	49	26	—	—	—	—
Goldarbeiter	43	3	—	—	—	—
Polieren von Gold- u. Schmucksachen . .	5	32	—	—	—	—

Gewerbe	Paris		Vororte		Seine-et-Oise	
	Männer	Frauen	Männer	Frauen	Männer	Frauen
Erzeuger von Schmuck-sachen	540	126	60	6	—	—
Juweliere	27	—	—	—	—	—
Edelsteinschneider . .	46	3	—	—	—	—
Polierer und Zwingen-macher	56	183	—	—	—	—
Steinschneider	146	—	32	—	176	—
Bildhauer	214	—	42	—	25	—
Gipsfigurenerzeuger .	21	—	—	—	—	—
Former und Gießer .	58	—	—	—	—	—
Schildermacher . . .	18	—	—	—	—	—
Schriftenmaler	77	—	26	—	—	—
Porzellanmaler	123	36	23	4	—	—
Glasbläser und Spinner	35	6	—	—	—	—
Spiegelerzeuger . . .	23	—	—	—	—	—
Glasschneider u. Gra-veure	52	2	—	—	—	—
Emailleure	31	40	—	—	—	—
Erzeuger von Gold- u. Silberketten	—	—	—	—	2	27
Erzeuger von Chenillen und Fransen aus Stoff	—	—	—	19	—	—

B. Deutsches Reich.

Nachweise auf Grund der »Statistik des Deutschen Reiches«, Neue Folge, Band 119, S. 194 fg. und 271* fg. Über die Terminologie vgl. S. 21 fg. dieses Buches.

Zahl der in den wichtigsten Gewerben
hausindustriell beschäftigten Personen im Jahre 1895.

Gewerbearten	nach Angabe der	
	Hausindu-striellen	Verleger
Industrie der Steine und Erden	4236	5821
darunter:		
Ziegelei und Tonröhren	17	284
Töpferei	451	217
Porzellan	1055	3189
Spielwaren aus Porzellan	19	218
Glasveredlung	580	598
Glasbläserei von der Lampe	936	273
Spiegelglas und Spiegel	197	53
Spielwaren aus Glas	103	307
Metallverarbeitung	20105	19572
darunter:		
Gold- und Silberwaren	1195	395
Gold- und Silberdrahtzieherei	223	1855
Zinngießer	83	311
Spielwaren aus Metall	255	208
Sonstige Blei- und Zinnwaren	149	20
Gürtler, Bronzeure	184	629
Sonstige Metallegierungen	527	1597
Klempner	989	51
Blechwaren	232	486
Nagelschmiede	581	100
Stifte, Schrauben, Ketten	875	974
Schlosserei, Geldschränke	3010	1541
Zeug- und Messerschmiede	4150	5057
Scherenschleifer	1018	18

Gewerbearten	nach Angabe der	
	Hausindustriellen	Verleger
Feilenhauer	1669	607
Eiserne Kurzwaren	949	3278
Näh- und Stecknadeln	26	307
Nadler- und Drahtwaren	251	1678
Industrie der Maschinen und Instrumente .	9093	5859
darunter:		
Spinnereimaschinen	330	186
Maschinen anderer Art . . . ·	229	221
Büchsenmacher	517	33
Uhrmacher	1067	1487
Pianoforte- und Orgelbau	183	119
Geigenmacher	943	66
Zieh- und Mundharmonika	1509	1664
Sonstige Musik-Instrumente	1234	475
Physikalische Instrumente	741	548
Chirurg. Instrumente	281	381
Lampen (ohne elektr.)	59	225
Chemische Industrie	299	1193
darunter:		
Bleistifte	219	577
Zündhölzchen	6	359
Industrie der Leuchtstoffe	131	324
darunter:		
Stearin- und Wachskerzen	33	222
Textilindustrie	195780	248563
darunter:		
Seidenspinnerei	1858	244
Wollenspinnerei	931	602
Flachs- und Hanfhechelei	780	546
Baumwollenspinnerei	1296	635
Seidenweberei	18656	26211
Wollweberei	27790	31002
Leinenweberei	26291	35291

Gewerbearten	nach Angabe der	
	Hausindustriellen	Verleger
Juteweberei	79	136
Baumwollweberei	33208	29330
Weberei von anderen Waren	17351	44555
Weberei ohne Stoffangabe	91	37
Gummi- und Haarflechterei	1338	995
Strickerei und Wirkerei	27762	34202
Häkelei und Stickerei	5863	10474
Spitzen, Weißzeugstickerei	14378	14397
Wollfärberei, -Druckerei	891	1033
Leinenbleicherei, -Färberei	332	2725
Baumwollbleicherei und -Färberei	918	145
Appretur für Strickwaren	510	803
Sonstige Bleicherei und Färberei	735	255
Posamenten	12554	13687
Seilerei, Reepschlägerei	333	161
Netze, Segel, Säcke	180	819
Papierindustrie	5843	5099
darunter:		
Papier und Pappe	130	266
Papiermache	128	253
Spielwaren aus Papiermaché	1914	152
Buchbinderei	2336	2278
Kartonagen	1209	1352
· Lederindustrie	5106	4245
darunter:		
Gerberei	546	126
Gummiwaren	51	496
Riemer und Sattler	3015	2814
Spielwaren aus Leder	390	638
Tapeziererarbeiten	1024	134
Industrie der Holz- und Schnitzstoffe . . .	37140	25366
darunter:		
Holzdrahtstifte	158	1225
Grobe Holzwaren	2169	1426

Gewerbearten	nach Angabe der	
	Hausindu- striellen	Verleger
Tischlerei, Parkettenfabrikation	13248	3281
Korbmacher, Korbflechter	8394	2114
Strohhutfabrikation	1099	5553
Sonstige Flechterei von Holz	1047	1948
Drechslerei	2787	1431
Spielwaren aus Holz	1817	503
Sonstige Dreh- und Schnitzwaren	2132	1578
Korkschneiderei	394	634
Bürsten- und Pinselmacher	1395	2138
Stöcke, Schirme . . . . ˙ . .	586	1794
Industrie der Nahrungsmittel . . ˙ . ˙	15918	24518
darunter:		
Konserven und Senf . . . . ˙ . .	14	407
Tabakfabrikation	15457	23958
Bekleidungs- und Reinigungsindustrie . .	159360	137414
darunter:		
Näherei	40850	1069
Schneiderei	70316	20429
Kleider- und Wäschekonfektion	2603	66411
Putzmacherei	1223	309
Fertigstellung von Puppen	1397	2040
Künstliche Blumen	1941	3804
Hutmacherei	621	1922
Mützenmacherei	632	306
Kürschnerei	1633	1634
Handschuhmacher	3905	9842
Kravatten, Hosenträger	1484	5612
Korsetts	1226	4803
Schuhmacher	26553	19092
Wäscherei, Plätterei	4942	130
Polygraphische Gewerbe	2136	1109
darunter:		
Schriftgießerei, Holzschnitt	280	127
Buchdruckerei	682	542

Gewerbearten	nach Angabe der	
	Hausindu-striellen	Verleger
Stein- und Zinkdruckerei	751	209
Farbendruckerei	240	183
Künstlerische Gewerbe	1835	217
darunter:		
Maler und Bildhauer	203	22
Graveure, Modelleure	1041	63
Musterzeichner, Kalligraphen	429	79
Sonstige künstlerische Gewerbe	162	52

Zahl der hausindustriell

in den Gemeinden mit

Orte	Industrie der Steine und Erden	Metallverarbeitung	Industrie der Maschinen und Instrumente	Chemische Industrie	Industrie der Leuchtstoffe, Fette, Öle	Textil-Industrie
Königsberg . .	7	107	21	—	—	75
Danzig	4	40	8	—	—	36
Berlin	226	988	523	1	2	2608
Charlottenburg .	1	53	10	—	—	19
Stettin	6	24	6	—	—	47
Breslau	14	85	36	—	—	773
Magdeburg . .	1	9	13	—	—	29
Halle a. S. . .	—	13	10	—	4	22
Altona . . .	10	35	4	—	—	56
Hannover . . .	—	58	10	—	—	39
Dortmund . . .	1	13	6	—	—	8
Frankfurt a. M.	—	41	15	1	—	55
Düsseldorf . .	3	16	6	—	—	19
Elberfeld . . .	18	58	21	—	—	2756
Barmen	—	68	8	—	—	3367
Krefeld	—	45	55	—	—	3068
Köln	13	74	22	—	12	121
Aachen	4	51	42	—	—	110
München . . .	12	31	15	2	—	250
Nürnberg . . .	16	385	95	66	14	55
Dresden	145	24	8	1	—	213
Leipzig	1	7	60	—	—	377
Chemnitz . . .	—	2	1	—	—	507
Stuttgart . . .	—	57	11	—	—	210
Braunschweig .	—	7	1	1	—	23
Bremen	—	—	—	—	—	28
Hamburg . . .	5	155	45	1	—	152
Straßburg i. E.	9	68	6	—	—	64
	496	2484	1058	73	32	15087

beschäftigten Personen

mehr als 100.000 Seelen.

Papier-Industrie	Leder-Industrie	Industrie der Holz- und Schnitzstoffe	Industrie der Nahrungs- und Genußmittel	Beklei- dungs- und Reini- gungs- gewerbe	Polygra- phische Gewerbe	Künst- lerische Gewerbe	Summe
11	63	304	1	1765	144	1	2526
1	12	71	1	916	—	—	1090
862	1091	4046	419	35726	719	565	47952
2	14	69	3	289	13	7	482
7	15	73	2	2277	17	1	2477
136	99	675	276	7519	51	38	9721
19	34	112	30	1133	8	14	1405
5	11	46	4	571	—	—	690
12	33	129	1634	1119	5	2	3054
16	18	140	12	876	20	14	1216
8	8	22	—	336	—	1	411
29	75	57	1	1154	24	4	1458
1	18	64	—	428	6	4	566
64	37	111	2	1561	10	9	4647
109	16	65	—	555	59	5	4252
54	4	80	4	1245	7	104	4640
28	41	396	13	1767	72	18	2587
20	13	133	5	606	5	—	989
28	46	253	10	2564	37	29	3292
193	41	477	1	661	67	30	2109
36	81	208	85	2262	46	21	3131
82	60	104	278	2081	201	46	3297
43	2	25	56	596	—	19	1251
104	33	79	3	907	25	61	1515
3	4	9	13	266	—	—	328
4	3	28	271	350	4	—	690
82	71	441	569	2495	67	32	4133
16	24	163	2	1049	1	1	1403
1975	1967	8380	3695	73074	1608	1026	111312

II.

Übersicht über die Spezialgesetzgebung
wider die Heimarbeit.

Selbst in den Staaten, welche die Hausindustrie der Wirksamkeit der allgemeinen Arbeiterschutzgesetze unterstellen, hat sich zur Beeinflussung dieser regellosen Produktionsform zumeist die Erlassung von Sonderbestimmungen aus Gründen des Arbeiterschutzes wie der Sanitätspolizei als notwendig erwiesen.

Im nachstehenden wird das gesammelte Material in geographischer Anordnung mitgeteilt.

Deutsches Reich.

Die kaiserliche Verordnung vom 31. Mai 1897, R.-G.-Bl. S. 459, erstreckt (§ 1) die Bestimmungen der §§ 135 bis 139 und des § 139 b der Gewerbeordnung mit den folgenden Abänderungen auf Werkstätten, worin die Anfertigung oder Bearbeitung von Männer- und Knabenkleidern (Röcken, Hosen, Westen, Mänteln u. dgl.), von Frauen- und Kinderkleidung (Mänteln, Kleidern, Umhängen u. dgl.), sowie von weißer und bunter Wäsche im großen erfolgt (Kleider- und Wäschekonfektion).

Kinder unter 13 Jahren dürfen (§ 2) überhaupt nicht und über 13 Jahren nur dann beschäftigt werden, wenn sie nicht mehr zum Besuch der Volksschule verpflichtet sind. Im Alter unter 14 Jahren beträgt die Maximalarbeitszeit sechs Stunden täglich, zwischen 14 und 16 Jahren zehn Stunden. Dabei dürfen die Arbeitsstunden (§ 3) nicht vor

5¹/₂ Uhr morgens beginnen und nicht über 8¹/₂ Uhr abends dauern. Jugendlichen, welche nur sechs Stunden täglich beschäftigt werden, ist »zwischen den Arbeitstunden« eine zumindest halbstündige Pause zu gewähren; die übrigen haben Anspruch auf 1¹/₂ Stunden Pause zu Mittag oder auf eine Stunde mittags und je ¹/₂ Stunde vor- und nachmittags. Diese Pausen sind arbeitsfrei und können nur dann innerhalb der Arbeitsräume verbracht werden, wenn dort derjenige Teil des Betriebes, in welchem Jugendliche Verwendung finden, eingestellt ist, oder wenn der Aufenthalt im Freien nicht tunlich und andere geeignete Aufenthaltsräume ohne unverhältnismäßige Schwierigkeiten nicht beschafft werden können. Sonn- und Festtage und die Stunden für den religiösen Unterricht sind freizugeben.

Arbeiterinnen dürfen (§ 4) nicht zwischen 8¹/₂ Uhr abends und 5¹/₂ Uhr früh und· an Vorabenden der Sonn- und Festtage nicht nach 5¹/₂ Uhr nachmittags beschäftigt werden.

Die Maximalarbeitszeit von Arbeiterinnen über sechzehn Jahren sind elf Stunden täglich, an Vorabenden der Sonn- und Festtage zehn Stunden.

Zwischen den Arbeitsstunden muß den Arbeiterinnen eine mindestens einstündige Mittagspause gewährt werden. Im Falle sie ein Hauswesen zu besorgen haben, sind sie auf Wunsch ¹/₂ Stunde vor der Mittagspause zu entlassen, sofern diese nicht mindestens 1¹/₂ Stunden beträgt.

Wöchnerinnen dürfen während vier Wochen nach ihrer Niederkunft überhaupt nicht und während der folgenden zwei Wochen nur beschäftigt werden, wenn ein ärztliches Zeugnis dies für zulässig erklärt.

Arbeiterinnen über sechzehn Jahren dürfen (§§ 6, 7) an sechzig Tagen im Jahre über die im § 4 festgesetzte Zeit beschäftigt werden. Diese Beschäftigung darf aber dreizehn Stunden täglich nicht überschreiten und nicht länger als bis 10 Uhr abends dauern. Ausnahmen hievon sind zulässig, wenn Naturereignisse oder Unglücksfälle den regelmäßigen Betrieb unterbrochen haben.

Jeder Tag, an dem Überarbeit stattgefunden hat, ist noch an diesem Tage selbst in ein Verzeichnis einzutragen, welches auf Erfordern der Ortspolizeibehörde, sowie dem Gewerbeaufsichtsbeamten jederzeit vorzulegen ist.

, Erfordert die Natur des Betriebes oder Rücksicht auf die Arbeiterinnen anderweitige Regelung der Arbeitszeit, so ist diese mit der Einschränkung statthaft, daß die Jugendlichen nicht länger als sechs Stunden beschäftigt werden dürfen, ohne daß Pausen von zumindest einstündiger Dauer gewährt würden.

Der Arbeitgeber hat (§ 5) vor dem Beginn der Beschäftigung von Arbeiterinnen oder Jugendlichen der Ortspolizeibehörde hievon unter Angabe der Werkstätte schriftlich die Anzeige zu machen. Er hat dafür zu sorgen, daß in den Werkstatträumen, worin Jugendliche beschäftigt werden, an einer in die Augen fallenden Stelle ein Verzeichnis derselben unter Angabe des Beginnes und Endes ihrer Arbeitszeit und unter Angabe der Pausen, sowie eine Tafel ausgehängt sei, welche (in der von der Landes-Zentralbehörde bestimmten Fassung) in deutlicher Schrift einen Auszug aus den Bestimmungen dieser Verordnung enthält.

Die Verordnung gilt nicht für Werkstätten, in welchen

1. der Arbeitgeber ausschließlich zu seiner Familie gehörige Personen oder nur gelegentlich nicht zu seiner Familie gehörige Personen beschäftigt;

2. die Herstellung oder Bearbeitung von Waren der Kleider- und Wäschekonfektion nur gelegentlich erfolgt.

In Preußen wird diese Verordnung [1]) weder auf Schneiderwerkstätten, in denen auf Bestellung nach Maß für den persönlichen Bedarf der Besteller gearbeitet wird, noch auf die Näh- und Plättstuben für sogenannte Privatkundschaft angewendet. Sie gilt jedoch, weil eine Herstellung »im großen« vorliegt, wenn der Unternehmer, der die Waren in den Verkehr bringen will, diese in

---

[1]) Verordnung des Ministers für Handel und Gewerbe vom 16. Juni 1897, M.-Bl. S. 199.

Massen herstellen läßt, gleichgiltig, ob in den einzelnen Werkstätten, die für den Unternehmer oder seine Zwischenmeister arbeiten, nur wenige Stücke hergestellt werden.

Nach dem Berichte der badischen Fabriksinspektion [1] fielen von den Betrieben, »in denen Kleidungsstücke und Wäsche auch im großen hergestellt wurden«, nur wenige unter dieser Verordnung, da die meisten Maßgeschäfte waren, »in denen nur nebenher in der stillen Zeit auch Konfektionsgegenstände angefertigt wurden«.

Die deutsche Gewerbenovelle vom 30. Juni 1900, R.-G.-Bl. S. 321, ermächtigt (§ 114 *a*) den Bundesrat, für bestimmte Gewerbe Lohnbücher oder Arbeitszettel vorzuschreiben. In diese sind vom Arbeitgeber oder dem dazu Bevollmächtigten einzutragen: Art und Umfang der übertragenen Arbeit (bei Akkordarbeit die Stückzahl), die Lohnsätze und die Bedingungen für die Lieferung von Werkzeugen und Stoffen zu den übertragenen Arbeiten. Der Bundesrat kann bestimmen, daß in die Lohnbücher oder Arbeitszettel auch die Bedingungen für die Gewährung von Kost und Wohnung einzutragen sind, sofern Kost oder Wohnung als Lohn oder Teil des Lohnes gewährt werden sollen. — Der Bundesrat hat von dieser Ermächtigung Ende 1902 rücksichtlich der Konfektion Gebrauch gemacht. [2]

Die Gesetzesvorlage vom 10. April 1902 über Kinderarbeit in gewerblichen Betrieben verbietet die Beschäftigung von Knaben und Mädchen unter 13 Jahren und solcher

---

[1] Jahresbericht der Großherzoglich Badischen Fabriksinspektion für . . . 1898, Karlsruhe 1899, S. 24.

[2] R.-G.-Bl. S. 2914 aus 1902: »Für Betriebe, in denen die Anfertigung oder Bearbeitung von Männer- und Knabenkleidern (Röcken, Hosen, Westen, Mänteln und dergleichen), Frauen- und Kinderkleidung (Mänteln, Kleidern, Umhängen und dergleichen) sowie von weißer und bunter Wäsche im großen erfolgt — Kleider- und Wäschekonfektion —, wird die Führung von Lohnbüchern vom 1. April 1903 ab vorgeschrieben.

»In die Lohnbücher sind auch die Bedingungen für die Gewährung von Kost und Wohnung einzutragen, sofern Kost oder Wohnung als Lohn oder Teil des Lohnes gewährt werden sollen.«

älterer Kinder, welche noch zum Besuche der Volksschule verpflichtet sind, in einer Reihe von namentlich angeführten Gewerben. Sie ist, was die Regelung der Kinderarbeit in der Hausindustrie betrifft, unerheblich. —

Die Arbeiterversicherungsgesetze sind, soweit sie in Betracht kommen, in Abschnitt II erörtert worden.

Schweiz.

Einige schweizer Kantone haben Spezialgesetze zum Schutze der Arbeiterinnen erlassen. Hievon seien die nachstehenden erwähnt:

Zürich bestimmt in dem Gesetze zum Schutze der Arbeiterinnen vom 12. August 1894 — welches auf die dem eidgenössischen Fabriksgesetz nicht unterstellten Geschäfte Anwendung findet, in denen weibliche Personen gegen Lohn oder zur Erlernung eines Berufes arbeiten — in § 7, Absatz 3:

»Es ist verboten, den Arbeiterinnen über die gesetzliche Arbeitszeit des Geschäftes hinaus weitere Arbeit nach Hause mitzugeben.«

Damit ist die Heimarbeit, welche von Fabriksarbeiterinnen nach Feierabend und an Sonntagen betrieben wird, unterbunden. Das Gesetz kann bei den Gemeinderäten unentgeltlich bezogen werden und ist in jedem Geschäfte an leicht sichtlicher Stelle in Plakatform anzubringen (§ 35).

Luzern hat in seinem Gesetze zum Schutze der Arbeiterinnen vom 29. November 1895, welches auf denselben Kreis von Personen Anwendung findet, in § 6, Absatz 3, die nämliche Bestimmung aufgenommen, desgleichen Solothurn (Gesetz gleichfalls vom 29. November 1895) in § 4, Absatz 1).

_____

Ein in der Volksabstimmung am 17. Dezember 1899 abgelehnter bemerkenswerter Gesetzentwurf des Regierungsrates des Kantons Zürich über das »Gewerbewesen« (Antrag vom 26. Februar 1897) enthielt nachstehende Bestimmungen:

§ 1. Dieses Gesetz findet, soweit nicht in demselben Bestimmungen aufgestellt sind, Anwendung auf alle Gewerbe handwerksmäßigen und industriellen Betriebes, sowie auf das Handelsgewerbe . . . . .

§ 5. Wenn Wohnräume als Arbeitsstätten in gewerblichem Sinne benützt werden, so haben dieselben gleicherweise allen hygienischen Anforderungen zu entsprechen; sie müssen im Verhältnis der Zahl der darin Arbeitenden hinreichend groß, hell, trocken, heizbar und leicht zu lüften sein und dürfen weder zum Schlafen, noch zum Kochen benützt werden.

Kellerräume dürfen nicht als Arbeitslokale dienen.

Geschäftsinhaber, die Arbeit außer Haus geben, sind dafür verantwortlich, daß die von ihren Arbeitern als Arbeitsstätten benützten Wohnräume den Anforderungen dieses Gesetzes entsprechen.

Die örtlichen Gesundheitsbehörden wachen darüber, daß diese Vorschriften befolgt werden und erstatten über ihre diesfällige Tätigkeit der Direktion des Sanitätswesens alljährlich Bericht.

§ 7. Gewerbe, welche ihrer Natur nach die Gesundheit oder das Leben der Arbeiter gefährden, können unter spezielle polizeiliche Aufsicht gestellt werden . . .

§ 10. . . . . wer den selbständigen Betrieb eines Gewerbes im Sinne dieses Gesetzes übernimmt, hat hievon dem Gemeinderate Anzeige zu machen und demselben die zum Gewerbebetrieb bestimmten Lokalitäten zu bezeichnen.

Der § 11 verbot die Vornahme gewerblicher Arbeiten an Sonntagen sowie an Festtagen, welche durch die kantonale Gesetzgebung (Gesetz vom 4. März 1894 über das Verbot von Fabriksarbeit an Festtagen) als Ruhetage anerkannt sind. Ausnahmen: in Notfällen und bei außerordentlichen Anlässen, ferner für Gewerbe, die ihrer Natur nach einen ununterbrochenen Betrieb erfordern, und solchen, welche den täglichen Bedürfnissen dienen.

Im Sinne des § 16 sollten die Bestimmungen der eidgenössischen Fabriksgesetzgebung über die tägliche Arbeitszeit und die Nachtarbeit (Arbeit zwischen 8 Uhr abends und 6 Uhr morgens) auf jede gewerbliche Arbeit Anwendung finden. Hiedurch wäre die 11stündige Maximalarbeitszeit für das Kleingewerbe und die Hausindustrie wirksam geworden, und jeder künftigen Einschränkung der Normalarbeitszeit durch die eidgenössische Fabriksgesetzgebung wäre das kantonale Gewerbegesetz von selbst gefolgt.

§ 19.... Die Lohnauszahlung im Wirtshause und die Anwendung des sogenannten »Trucksystems« ist untersagt.

Die Auszahlung des Lohnes hat auf Grund einer dem Arbeiter einzuhädingenden schriftlichen Abrechnung zu geschehen (Zahltagszettel), aus welcher ersichtlich ist, wieviele Stunden, bezw. (beim Akkordlohn) Stücke dem Arbeiter gutgeschrieben sind und wie groß der Stunden- oder Stücklohn ist.

§ 20. Lohnabzüge für Miete, Reinigung, Heizung oder Beleuchtung des Lokales, sowie für Miete oder Abnützung der Werkzeuge sind untersagt. Arbeitsmaterial, sowie allfälliger Ersatz für absichtliche oder fahrlässige Schädigungen dürfen nicht höher als zum Selbstkostenpreise verrechnet werden.

Hiezu bemerkte der Motivenbericht (S. 21): § 5 wendet sich gegen einen Mißbrauch, der immer mehr, zwar nicht auf dem Lande, wohl aber in der Stadt oder in den Städten, sich einbürgert: der Gewerbetreibende, es handelt sich namentlich um die Herstellung von Kleidungsstücken und Wäschegegenständen, sorgt nicht selbst für ein Arbeitslokal, sondern gibt die Arbeit ins Haus, woselbst nun verschiedene Familienmitglieder und Angehörige an der Fertigstellung derselben arbeiten, oft in bedenklichen Lokalitäten, die nach jeder Richtung ungenügend sind und daneben noch verschiedenen anderen Zwecken, z. B. als Küche und Schlafzimmer dienen. Der für das Wohl der Staatsangehörigen besorgte Gesetzgeber kann nicht dulden, daß auf diese Weise dem Gesetze ausgewichen werde, er muß Geschäftsinhaber, die Arbeit außer Hause geben, dafür verantwortlich erklären, daß die von ihren Arbeitern als Arbeitsstätten benützten Wohnräume den Anforderungen des Gesetzes entsprechen. Bezüglich der Einhaltung der Normalarbeitszeit (§ 16) war eine ähnliche Haftung des Verlegers nicht vorgesehen.

England.

Die einschlägigen dürftigen Bestimmungen der englischen Fabriksgesetznovellen aus 1891 und 1895 (vgl. ihren Wortlaut in der ersten Auflage dieses Buches, S. 143 fg.) wurden im geltenden Gesetz vom 17. August 1901 (*Factory and Workshop Act, 1901*) erweitert, wie folgt:

§ 81. Ein Kind darf im Geschäftsbetriebe einer Fabrik oder Werkstätte an Tagen, an welchen es in der Fabrik oder Werkstätte beschäftigt wird, außer Hause nur innerhalb der zulässigen normalen Arbeitszeit Beschäftigung finden.

Eine jugendliche oder Frauensperson darf im Geschäftsbetriebe einer Fabrik oder Werkstätte an Tagen, an welchen sie in der Fabrik oder Werkstätte vor- und nachmittags beschäftigt wird, außer Hause nur innerhalb der zulässigen normalen Arbeitszeit Beschäftigung finden.

Für die Zwecke dieses Paragraphen wird ein Kind, eine jugendliche oder Frauensperson, welchen oder für welche Arbeit außer Hause gegeben wird, oder denen erlaubt wird, Arbeit mitzunehmen, damit sie diese außerhalb der Fabrik oder Werkstätte verrichten, an dem Tage, an welchem die Arbeit auf diese Weise hinausgegeben oder genommen wird, als bereits innerhalb der Fabrik oder Werkstätte beschäftigt angesehen.

§ 107. Rücksichtlich der in bestimmten, vom Staatssekretär im Verordnungswege zu bestimmenden Gewerben beschäftigten Personen ist der Unternehmer jeder Fabrik oder Werkstatt, sowie jeder im Geschäftsgang einer solchen beschäftigte Zwischenmann *(contractor)* verpflichet:

a) Listen der vorgeschriebenen Form und Art zu führen, mit den Namen und Adressen aller durch ihn direkt als Arbeiter oder als Zwischenmann im Geschäftsgang der Fabrik oder Werkstatt außerhalb dieser verwendeten Personen, unter Angabe der Örtlichkeit, wo er sie beschäftigt; ferner

b) dem Gewerbeinpektor Abschriften oder Auszüge dieser Listen zu übermitteln, wie dieser sie zeitweise abfordern mag; desgleichen

c) alljährlich vor oder am Tage des ersten Februar und August Abschriften dieser Listen dem für seine Fabrik oder Werkstatt zuständigen Kreisamt einzusenden.

Das Kreisamt hat diese Listen zu prüfen und Namen wie Arbeitsstellen jener darin bezeichneten Außerhausarbeiter, deren Arbeitsstellen außerhalb seines Sprengels liegen, den hiefür ständigen Kreisämtern zu übermitteln.

In die erwähnten Listen der Unternehmer kann der Gewerbeinspektor und jeder entsprechend legitimierte Beamte des Kreisamtes Einsicht nehmen; desgleichen steht dem Inspektor Einsicht zu in die dem Bezirksamte übersandten Abschriften und in die von einem Bezirksamt dem anderen zugesandten Angaben.

Dieser Paragraph gilt für jede Stelle, von der aus Arbeit ausgegeben wird, sowie für deren Besitzer und für jeden von ihm im Zusammenhang mit der erwähnten Arbeit verwendeten Zwischenmann ganz ebenso, wie wenn jene Stelle eine Werkstatt wäre.

Übertretungen dieses Paragraphen werden im ersten Fall mit einer Strafe bis zu vierzig Schilling, in jedem weiteren Fall bis zu 5 £ geahndet.

§ 108. Wenn das für die Arbeitsstelle zuständige Kreisamt den Fabriks-, bezw. Werkstattbesitzer oder den durch ihn verwendeten Zwischenmann schriftlich davon verständigt, daß die Stelle für die Gesundheit der dort beschäftigten Personen nachteilig oder gefährlich ist, verfällt der Besitzer oder Zwischenmann — falls er nach Monatsfrist vom Empfange dieser Mitteilung an noch Arbeit zur Ausführung in jenem Raume ausgibt und der Gerichtshof, welcher von dem Falle Kenntnis erlangt, befindet, daß dieser Platz tatsächlich im angegebenen Sinn nachtheilig oder gefährlich ist — einer Strafe bis zu 10 £.

Jegliche Stelle, von welcher aus Arbeit ausgegeben wird, ist in Hinsicht auf diese Bestimmungen einer Werkstätte gleichzuachten.

Dieser Paragraph findet keine Anwendung rücksichtlich der in Gewerben verwendeten Personen, welche der Staatssekretär im Verordnungswege hievon ausgenommen hat.

§ 109. Wenn der Besitzer einer Fabrik bezw. Werkstätte oder irgend einer Stelle, von der aus Arbeit ausgegeben wird, oder ein Zwischenmann, der von einem solchen Unternehmer beschäftigt wird, veranlaßt oder gestattet, daß Bekleidungsstücke in einem Wohnhause oder Gebäude, worin ein Inwohner von Scharlach oder Blattern befallen ist, erzeugt, gereinigt oder ausgebessert werden, verfällt er — falls er nicht nachweist, daß er von dem Bestande der Krankheit im Wohnhause keine Kenntnis hatte und nach vernünftigem Ermessen dieses Wissen auch nicht erwartet werden konnte — einer Strafe bis zu 10 £.

§ 110. Wenn der Inwohner eines Hauses an einer der weiterhin bezeichneten ansteckenden Krankheiten erkrankt ist, kann das für das betreffende Wohngebäude zuständige Kreisamt verbieten, daß irgend eine Arbeit, auf welche dieser Paragraph Bezug hat, einer in jenem Hause oder einem bestimmten Teile desselben lebenden oder wohnenden Personen zugeteilt werde. Das bezügliche Verbot kann dem Besitzer der Fabrik, Werkstätte oder sonstigen Stelle, von welcher aus die Arbeit ausgegeben wurde, oder dem von ihm verwendeten Zwischenmann zugestellt werden.

Ein solches Verbot kann auch erlassen werden, falls die erkrankte Person aus dem Hause weggeschafft wurde. Es ist für eine bestimmte Zeit zu erlassen und an die vollzogene Desinfektion des Hauses oder eines Teiles desselben oder an das Ergreifen einer sonstigen praktischen Vorsichtsmaßregel zu knüpfen. Die Desinfektion hat gemäß den Weisungen der Gesundheitsbehörde zu erfolgen.

In dringlichen Fällen können die hiemit dem Kreisamte zugeschriebenen Rechte über Antrag des Sanitätsamtes schon durch zwei oder mehrere Mitglieder jener Behörde ausgeübt werden.

Jeder Unternehmer oder Zwischenmann, welcher einer im Sinne dieses Paragraphen erlassenen Weisung entgegenhandelt, unterliegt einer Strafe bis zu 10 £.

Ansteckende Krankheiten im Sinne dieses Paragraphen sind jene, die zur Zeit mit einer Anzeigepflicht verbunden sind;[1]) Arbeiten im Sinne dieses Paragraphen, außer der Herstellung, Reinigung und Änderung, dem Aufputzen, Ausfertigen oder Ausbessern von Kleidungsstücken und den damit verbundenen Tätigkeiten, alle weiteren vom Staatssekretär im Verwaltungswege besonders zu bezeichnenden Arbeiten.

§ 111. Die allgemeinen Vorschriften dieses Gesetzes gelten für Heimbetriebe *(domestic factories and domestic workshops)*, nach Maßgabe der nachstehenden Bestimmungen:

An Stelle der Vorschriften über die Arbeitszeiten der Frauen, der Jugendlichen und Kinder gilt das Folgende:

a) Jugendliche, sowie Kinder dürfen nur während der im nachstehenden bezeichneten Verwendungszeit beschäftigt werden;

---

[1]) Diese Krankheiten sind: Blattern (im Bezirke von Bethnal Green in London auch Schafblattern), Cholera, Diphtherie, häutige Croupe, Erysipel. Scharlach, Typhus, typhöse Fieber, Wechselfieber und Kindbettfieber. (Infectious Disease Act, 1889.)

b) Jugendliche dürfen nur zwischen 6 Uhr früh und
9 Uhr abends beschäftigt werden, an Samstagen
aber bloß zwischen 6 Uhr früh und 4 Uhr nachmittags;

c) während der Arbeitszeit sind den Jugendlichen
Pausen von insgesamt 4½ Stunden, an Samstagen von 2½ Stunden zu gewähren;

d) Kinder sind nur zwischen 6 Uhr früh und 1 Uhr
nachmittags oder zwischen 1 Uhr nachmittags und
8 Uhr abends zu beschäftigen; am Samstag hat
ihre Beschäftigung jedoch um 4 Uhr nachmittags
zu enden; und wenn ein Kind seiner Schulpflicht
nachkommt, so gilt es im Sinne dieses Gesetzes
je nachdem als am Vormittag oder am Nach-
mittag beschäftigt;

e) das Kind darf weder vor 1 Uhr nachmittags, noch
nach dieser Stunde in zwei aufeinander folgenden
Perioden von je sieben Tagen beschäftigt werden,
auch darf es am Samstag nicht vor 1 Uhr nachmittags beschäftigt werden, wenn es an einem
anderen Tage derselben Woche bereits vor
1 Uhr beschäftigt worden war; noch darf es am
Samstag nach 1 Uhr beschäftigt werden, wenn
es an einem anderen Tage derselben Woche bereits nach 1 Uhr beschäftigt war;

f) endlich darf es nicht länger als fünf Stunden
unter einem beschäftigt werden, ohne eine wenigstens 1½stündige Pause für eine Mahlzeit.

(Folgen die Bestimmungen des Fabriksgesetzes,
welche auf Heimbetriebe keine Anwendung finden.)

§ 112. Wird eine vom Staatssekretär (gemäß § 79) als ge-
gefährlich bezeichnete Arbeit in einem Heimbetrieb
ausgeführt, so gelten für diesen alle Vorschriften des
Fabriksgesetzes.

§ 113. Der Staatssekretär soll die auf Heimbetriebe geltenden Bestimmungen des Gesetzes in entsprechender
Zusammenstellung veröffentlichen.

§ 114. Wird in einem Heim von den Mitgliedern der darin wohnenden Familie aus Erwerbszwecken Strohflechterei, die Herstellung von Polstereinsätzen oder Handschuhmacherei betrieben, so wird der Betrieb dadurch noch nicht zu einer Werkstatt im Sinne des Gesetzes.

Der Staatssekretär ist ermächtigt, diese Bestimmung auch auf andere leichte Arbeiten auszudehnen, welche in einem privaten Heim durch Mitglieder der dort wohnenden Familie geübt werden.

Desgleichen gilt der Betrieb nicht als Werkstatt, wenn darin aus Erwerbszwecken in unregelmäßigen Zwischenräumen Waren oder Warenteile hergestellt, abgeändert, repariert, verziert, fertiggestellt oder für den Verkauf zugerichtet werden und diese Arbeit nicht das Haupteinkommen der Familie liefert.

§ 115. Heimbetriebe sind private Räume, welche zum Wohnen benützt werden, aber gleichwohl vermöge der darin vollführten Arbeit Fabriken oder Werkstätten im Sinne des Gesetzes darstellen, sofern dabei weder Dampf-, noch Wasser- oder eine andere mechanische Kraft verwendet wird und an der Arbeit lediglich Mitglieder der nämlichen dort wohnenden Familie beteiligt sind.

Der Fabriksinspektorenbericht für 1895 (Band I, S. 14) bemängelt, daß (vgl. den § 31) jugendliche oder Frauenspersonen nicht dagegen geschützt seien, mit Außerhausarbeit beladen zu werden, wenn sie in der Fabrik oder Werkstätte kürzere Zeit als während der Normalarbeitszeit beschäftigt werden. Hier liegt auch jetzt die Möglichkeit vor, die Absicht des Gesetzgebers zu umgehen.

Kanada.

Eine Novelle zu dem 1897er Gesetz über die Regelung der nicht fabriksmäßigen Betriebe in der Provinz Ontario [1]) trifft unter dem 30. April 1900 eine Reihe von Bestimmungen, welche sich an die einschlägigen Maßnahmen

---

[1]) An Act to amend the Ontario Shops Regulation Act.

der nordamerikanischen und der australischen Gesetzgebung anschließen.

§ 20 *a* bestimmt, daß, wer Kleidungsgegenstände außer Haus herstellen, abändern oder bearbeiten läßt[1]), ein Register mit Namen und Adressen der Außerhausarbeiter führen muß, worin die einzelnen ausgegebenen Posten mit fortlaufenden Zahlen versehen sind. Dieses Register ist im Lokal des Verlegers auszuhängen.

Jeder einschlägige Gegenstand ist mit einem Zettel zu versehen, welcher die entsprechende Nummer aus dem Register oder Namen und Adresse der Person angibt, welche die Arbeit vom Verleger übernommen hat.

Waren der angegebenen Art, die in einem Wohnhause oder Zinsgebäude oder im Hintertrakt eines solchen hergestellt wurden, dürfen nur dann verkauft oder zum Verkauf aufgelegt werden, wenn deren Bearbeitung auf Grund eines Erlaubnisscheines der Gewerbeinspektion erfolgt ist. Dieser Erlaubnisschein bezieht sich auf die Arbeitsstelle, enthält die Höchstanzahl der dort zu verwendenden Personen und wird auf Grund der Besichtigung der Örtlichkeit durch die Inspektoratsbeamten auf Widerruf erteilt.

Wird erhoben, daß Waren der angegebenen Art »unter unreinen oder ungesunden Verhältnissen« oder in nicht-registrierten Arbeitsstellen hergestellt wurden, kann das Gewerbeinspektorat ihre Beschlagnahme verfügen und an jedem Stück einen Zettel von zumindest vier Zoll Länge anbringen lassen, worauf das Wort *»unsanitary«* (ungesund) gedruckt ist. Zugleich wird das Gesundheitsamt verständigt, welches diese Waren desinfiziert und sodann den Zettel entfernt. Die Kosten der Beschlagnahme und Desinfektion trägt der Eigentümer der Ware. Findet der Gewerbeinspektor, daß die Arbeitsstelle unrein oder ungesund ist, oder daß dort eine ansteckende oder infektiöse Krankheit herrscht, so hat er gleichfalls davon das Gesundheitsamt zu verständigen, welches entsprechende Ver-

---

[1]) Besonders aufgezählt sind: Herrenröcke, Westen, Beinkleider, Überzieher, Mäntel, Krägen, Blousen, Taillen, Gürtel, Krawatten, Unterkleidung und Hemden.

fügungen treffen, auch die Waren in Beschlag nehmen und
vernichten lassen kann.

Massachusetts.

Der Kampf gegen die Heimarbeit ist in Nordamerika
zum großen Teil ein Kampf gegen die Konfektion. Deren
Sitz ist in New York, Brooklyn, Jersey City, Boston,
Philadelphia, Baltimore, Chicago und Cincinnati. Vor
einem Vierteljahrhundert noch ausschließlich verlagsmäßig betrieben, ist sie mehr und mehr zum Fabriksbetrieb
übergegangen, erhielt sich jedoch als Heimarbeit in Konkurrenz mit der Fabrik wesentlich infolge des großen An-
gebotes wolfeiler Arbeit seitens der Frauen und der Ein-
wandererfamilien. Die Näharbeit war namentlich in New York
derart wolfeil, daß Ende der achtziger Jahre die Kleiderkonfektionäre in Boston die zugeschnittenen Stücke zum
Nähen nach New York sandten und bald auch das Zuschneiden dort vornehmen ließen. Infolge der dadurch ent-
standenen Krise ließ nun die Arbeiterpartei in Massachusetts eine Schilderung der newyorker Konfektionsarbeit erscheinen, welche auf die Öffentlichkeit Eindruck
machte. Erhebungen über die Herstellung der Kleider
wurden veranlaßt und 1901 kam das erste einschlägige
nordamerikanische Gesetz zustande unter dem Titel: »Gesetz
über die Erzeugung und den Verkauf von Kleidungsstücken,
welche in ungesunden Arbeitsstellen hergestellt wurden.«
Änderungen wurden in mehreren rasch aufeinander folgenden Novellen vorgenommen, [1]) bis das geltende Gesetz
vom 9. März 1898 zustande kam, das nach geringen Abänderungen durch das Gesetz Z. 106 vom 21. November 1901[2])
nunmehr lautet:

§ 56. Ein Zimmer oder eine Wohnung in einem Zins- oder
Wohnhaus darf zur Herstellung, Abänderung, Aus-
besserung oder Fertigstellung von Röcken, Westen,
Beinkleidern oder Bekleidungsgegenständen welcher

---

[1]) Über den Inhalt dieser älteren Gesetze siehe Whittelsey, Massachusetts labor legislation, Philadelphia 1901. S. 124 fg.

[2]) Revised Laws. Manufacture of Clothing.

Art immer lediglich von Mitgliedern der dort wohnenden Familie benützt werden. Jede Familie, welche
ein Zimmer oder eine Wohnung in einem Zins- oder
Wohnhause zu solchem Zwecke zu benutzen beabsichtigt, hat dazu vorerst eine vom Leiter der Bezirkspolizei genehmigte und vom Fabriksinspektorate
ausgestellte Lizenz zu beschaffen. Diese Lizenz
kann von irgendeinem Mitgliede dieser Familie an-
gesucht und ihr erteilt werden. Keine Person, Gesellschaft oder Körperschaft darf ein Mitglied einer
Familie, welche keine bezügliche Lizenz besitzt, mieten,
es verwenden oder mit ihm ein Abkommen treffen,
damit es einen Anzug oder ein Bekleidungsstück in
einem Zimmer oder einer Wohnung eines Zins- oder
Wohnhauses herstelle, abändere, repariere oder fertig-
stelle.

Jede Wohnung oder jedes Zimmer, worin Anzüge
oder Bekleidungsgegenstände hergestellt, abgeändert,
ausgebessert oder fertiggestellt werden, muß in reinem
Zustande gehalten sein und unterliegt der Besichtigung und Prüfung seitens der Inspektion der Bezirkspolizei, damit festgestellt wird, ob die bezüglichen
Anzüge, Bekleidungsstücke oder Teile solcher von
Ungeziefer rein und von jedem Ansteckungskeim oder
-stoff frei sind.

Zimmer oder Wohnungen, welche weder bewohnt, noch zum Schlafen benützt werden und mit
keinem, zu solchem Zweck benutzten Raume in Verbindung stehen, endlich einen besonderen und abge-
sonderten Eingang von außen besitzen, unterliegen den
Bestimmungen dieses Paragraphen nicht. Auch darf
nichts in diesem Gesetze derart ausgelegt werden, daß
dadurch die Verwendung eines Schneiders oder einer
Näherin seitens einer Person oder Familie für die
Herstellung von Kleidungsstücken zum eigenen Gebrauch verhindert wird.

§ 57. Findet der Inspektor Beweise einer ansteckenden
Krankheit in einer Werkstätte oder in einem Zimmer,

worin Anzüge oder Bekleidungsstücke welcher Art immer hergestellt, abgeändert oder ausgebessert werden, oder findet er sie in dort hergestellten oder in Herstellung begriffenen Waren, hat er dem Leiter der Bezirkspolizei davon Kenntnis zu geben. Dieser verständigt sodann das lokale Gesundheitsamt, welches die besagte Werkstätte oder das Zimmer, bezw. den Raum und die dort verwendeten Materialien untersucht. Findet dieses Amt, daß die Werkstätte oder das Zins- oder Wohnhaus ungesund ist, oder daß die Kleider und benutzten Materialien zum Gebrauch ungeeignet sind, hat es jene Maßnahmen zu treffen, welche die öffentliche Sicherheit erfordert.

§ 58. Wer Röcke, Westen, Beinkleider oder Kleidungsstücke welcher Art immer, welche in einem Zins- oder Wohnhause hergestellt wurden, ohne daß die bezügliche Familie im Besitze einer Lizenz im Sinne des § 56 gewesen wäre, verkauft oder zum Verkaufe darbietet, hat an jedem derartigen Kleidungsstücke eine Tafel oder einen Zettel zu befestigen, welcher zumindest zwei Zoll lang und einen Zoll breit sein muß und worauf die Worte *tenement made* (»in einem Zinshaus erzeugt«), ferner der Name des Staates und der Stadt, bezw. Ortschaft, wo diese Kleidungsstücke gemacht worden sind, leserlich gedruckt oder geschrieben steht.

§ 59. Verboten ist, derartige Kleidungsstücke ohne solche Tafel oder Aufschrift zu verkaufen oder zum Verkauf auszulegen, desgleichen eine derartige Tafel oder Aufschrift, welche an den Kleidungsstücken, wenn diese zum Verkauf ausgestellt sind, befestigt ist, davon zu entfernen, sie zu ändern oder zu vernichten oder derartige Kleidungsstücke mit einer falschen oder auf Täuschung berechneten Tafel oder Aufschrift zu verkaufen oder zum Verkauf auszulegen.

§ 60. Falls dem gedachten Inspektor oder dem Leiter der Bezirkspolizei oder dem staatlichen Gesundheitsamte berichtet wird, daß konfektionierte Röcke, Westen,

Beinkleider, Überzieher oder andere Bekleidungsstücke im Zuge sind, in diesen Staat eingeführt zu
werden und vordem im ganzen oder teilweise unter
ungesunden Umständen hergestellt wurden, hat der
Inspektor diese Waren und die Art ihrer Erzeugung
zu prüfen. Wird hiebei befunden, daß die besagten
Waren oder ein Teil davon Ungeziefer enthalten oder
in unreinen Plätzen oder unter ungesunden Umständen erzeugt wurden, hat er darüber dem staatlichen Gesundheitsamte Bericht zu erstatten, welches
daraufhin solche Maßnahmen verfügen wird, wie es
die Sicherheit des Publikums erfordern mag.

§ 61. Wer eine der Bestimmungen dieses Gesetzes hinsichtlich der Erzeugung und des Verkaufes von in ungesunden Stätten hergestellter Kleidung verletzt, soll
für jede Übertretung 50 bis 500 Dollars verwirken.

Den praktischen Grundgedenken des Gesetzes bildet
somit die Lizenzpflicht der bezeichneten Heimbetriebe und
deren Beschränkung auf Familienangehörige. Infolge der
Lizenzpflicht kennt die Behörde jede einzelne Heimarbeitsstätte der betreffenden Art. Diese werden fortlaufend
besucht und im Falle sie später ungeeignet befunden
werden, kann ihnen die Lizenz entzogen werden. Um gegebenenfalls bereits abgelieferte Waren desinfizieren zu
können, hat jeder Heimbetrieb die ihn beschäftigenden
Verleger anzugeben.[1] Im Jahre 1897 wurden mehr als
150 Lizenzen entzogen, weil die Umzugsanzeige nicht gemacht wurde,[2] Kleider, welche in unlizenzierten Betrieben
hergestellt wurden, sind zu markiren. Überdies setzen sich
die Verleger solcher Betriebe Geldstrafen aus.

Dem 1898er Berichte zufolge (S. 270) findet nunmehr
die Erzeugung von Männerkleidern in Massachusetts durchwegs in ordentlichen Werkstätten statt, bis auf das Ausfertigen der Beinkleider. Diese dem Bügeln vorausgehende,
somit vorletzte Prozedur allein erfolgt in (lizenzierten)

---

[1] Report of the Chief of the Massachusetts District Police for 1898
S. 261.

[2] Report , . . for 1897, S. 350.

Heimbetrieben. Sie ist Frauenarbeit und geschieht im Verlag, weil ein Maschinnäher zwei bis vier Ausfertiger zu beschäftigen vermag und die Ausführung dieser Arbeit daher in der Werkstatt viel Raum beansprucht.

Die Durchführung des Gesetzes wird allgemein gerühmt und dessen Bestimmungen sind vorbildlich geworden.

New York.

Das letztere kann auch vom einschlägigen newyorker »Arbeitsgesetz« *(Labor Law)* gesagt werden. Werkstätten in Wohnhäusern unterlagen schon vordem der Gewerbeinspektion, nicht aber Wohnräume, worin nur Mitglieder der Familie gewerblich beschäftigt waren. Das Arbeitsgesetz aus 1897 verfügte daher, daß bestimmte Gewerbe in einer Wohnung nur von den nächsten Familienangehörigen des Mieters betrieben werden dürfen; Liefermeister, welche fremde Hilfskräfte beschäftigten, sollten besondere Werkräume beistellen. In Hinterhäusern aber bedurften alle Personen zur gewerblichen Arbeit einer Lizenz.

Nun pflegten aber Liefermeister fremde Einwanderer für ihre Angehörigen auszugeben und sie unbehindert in ihrer Wohnung zu beschäftigen. Daher wurden alsbald die im § 100 aufgezählten Gewerbe schlechthin dem Konzessionszwang unterworfen. Infolge dieser Bestimmung müssen nunmehr (§ 102 fg.) auch die aus nichtkonzessionierten Familienbetrieben stammenden Waren der im Gesetz bezeichneten Art als »Schwitzbudenarbeit« gekennzeichnet werden.

Die Befugnisse des Gewerbeinspektors sind gemäß dem Gesetz vom 7. Februar 1901 auf den *Commissioner of Labor* übergegangen.

Das Arbeitsgesetz selbst lautet in seiner Fassung vom 1. April 1899 wie folgt:

§ 100. Ein Zimmer oder eine Wohnung in einem Zins- oder Wohnhaus oder im Hinterhause eines solchen darf zur Erzeugung, Abänderung, Ausbesserung oder Ausfertigung von Herrenröcken, Westen, Hosen, kurzen

Beinkleidern, Überkleidern, Mänteln, Hüten, Kappen, Hosenträgern, Jerseys, Blusen, Kostümen, Taillen, Gürteln, Unterkleidung, Halstüchern, Fellwerk, Pelzbesatz, Pelzkleidungen, Hemden, Röcken, Schirmen, Geldbörsen, Federn, Kunstblumen, Zigaretten und Zigarren nur nach Ausfertigung der in diesem Paragraphen bezeichneten Lizenz benützt werden. Diese Bestimmung trifft jedoch nicht die Erzeugung von Krägen, Manschetten, Hemden oder Plastrons aus Baumwolle oder Leinen, welche vor dem Verkaufe der Wäsche unterzogen werden.

Das Gesuch um die Lizenz ist an den Gewerbe-Inspektor zu richten, und zwar von jeder Familie, bezw. jedem Familienangehörigen, welche derartige Artikel in einem Zimmer oder in einer Wohnung der bezeichneten Art abzuändern, auszubessern oder auszufertigen beabsichtigen. Das bezügliche Gesuch hat das Zimmer oder die Wohnung zu beschreiben, die Zahl der dort zu verwendenden Personen anzuführen und ist in der vom Fabriksinspektor vorzuschreibenden Form abzufassen; der letztere hat die Gesuchsblankette vorzubereiten und beizustellen. Vor der Gewährung der Lizenz hat die Besichtigung des Zimmers, der Wohnung oder des Gebäudes, auf die sie sich beziehen soll, seitens des Gewerbeinspektors stattzufinden. Findet er, daß die Örtlichkeit in einem reinen und sanitär entsprechenden Zustand sich befindet und daß die in diesem Paragraphen angeführten Artikel dort unter reinen und gesunden Verhältnissen erzeugt werden können, soll er eine Lizenz ausstellen, welche die Benützung der betreffenden Räumlichkeiten zum Zwecke der Herstellung, Abänderung, Ausbesserung oder Ausfertigung solcher Waren gestattet.

Jede Lizenz hat die Höchstanzahl von Personen, welche in den betreffenden Räumlichkeiten verwendet werden können, auf welche die Lizenz Bezug hat, anzugeben. Die Zahl der derart zu verwendenden

Personen wird nach der Zahl des Kubikluftraumes in
den in der Lizenz angeführten Örtlichkeiten bestimmt,
wobei nicht weniger als 250 Kubikfuß für jede Person
zu rechnen sind, welche zwischen 6 Uhr früh und
6 Uhr abends beschäftigt wird; ferner — es sei denn,
daß der Fabriksinspektor hiefür eine besondere schriftliche Erlaubnis erteilt — nicht weniger als 400 Kubikfuß für jede zwischen 6 Uhr abends und 6 Uhr früh
dort verwendete Person, doch soll ein derartiger Erlaubnisschein nicht ausgestellt werden, bevor der betreffende Raum oder die Wohnung während der
ganzen Dauer, in welcher die Personen in dieser Zeit
dort verwendet werden, elektrisch oder mittels eines
anderen entsprechenden Beleuchtungsmittels erhellt
werden kann. Die Lizenz ist einzurahmen und an auffälliger Stelle in jedem der Zimmer oder in jeder
Wohnung, auf welche sie sich bezieht, anzubringen.
Sie kann durch den Fabriksinspektor zurückgenommen
werden, sobald die öffentliche Gesundheitspflege oder
die Gesundheit der verwendeten Hilfskräfte es erfordert oder wenn es scheint, daß das Zimmer oder
die Wohnung, auf welche die Lizenz sich bezieht,
nicht in einem gesunden und entsprechend sanitären
Zustande sich befindet.

Jedes der Zimmer oder Wohnungen, worin
Waren der vorhin genannten Art erzeugt, abgeändert, ausgebessert oder ausgefertigt werden, muß
in einem reinen und sanitätsmäßigen Zustande er-
erhalten sein und ist der Inspektion und Prüfung durch
den Gewerbeinspektor zu unterwerfen, um festzustellen, ob die erwähnten Kleidungsstücke oder
anderen Waren, oder irgend ein Teil davon rein
sind und frei von Ungeziefer und jeder Art von Infektion oder Ansteckung.

Niemand darf den Angehörigen einer Familie,
oder eine Person, welche nicht die bezügliche Lizenz
besitzt, zur Herstellung, Abänderung, Ausbesserung
oder Ausfertigung einer der in diesem Paragraphen

angeführten Waren in einem Zimmer oder in einer
Wohnung eines Zins- oder Wohnhauses oder eines
Hintergebäudes eines solchen beschäftigen, sie dazu
verwenden oder mit ihnen ein bezügliches Übereinkommen treffen.

Dieser Paragraph behindert indes nicht die Verwendung eines Schneiders oder einer Näherin seitens
einer Person oder Familie zur Herstellung, Abänderung, Ausbesserung oder Ausfertigung eines Beklei-
dungsgegenstandes für diese Person selbst oder für die
Familie.

§ 101. Wer in Bezug auf die Herstellung, Abänderung,
Ausbesserung oder Ausfertigung solcher Waren Verträge schließt oder Material ausgibt, aus, bezw. mit
welchen sie oder ein Teil davon verfertigt, verändert,
ausgebessert oder ausgefertigt werden sollen, hat ein
voll ausgeschriebenes Register in englischer Sprache
mit Namen und Adressen aller Personen zu führen,
welchen eine derartige Arbeit zur Ausführung übergeben wurde, oder mit welchen ein bezügliches Übereinkommen getroffen wurde. Dieses Verzeichnis unterliegt der Einsicht des Fabriksinspektors, und auf
Verlangen ist ihm eine Abschrift davon zuzumitteln.

§ 102. Die den Bestimmungen des § 100 entgegen hergestellten, abgeänderten, ausgebesserten oder ausgefer-
tigten Waren dürfen weder verkauft, noch zum Verkaufe ausgelegt werden. Der Fabriksinspektor hat an
solchen Waren, falls sie mit Umgehung dieser Vorschriften hergestellt, abgeändert, ausgebessert oder
ausgefertigt wurden, an auffälliger Stelle einen Zettel
zu befestigen, welcher mindestens vier Zoll lang ist
und in Klein-Cicero-Versalien die Worte trägt:
Tenement Made. Der Fabriksinspektor hat hievon den
Eigentümer der Ware oder die Person, welcher
deren Eigentum zugeschrieben wird, zu verständigen.
Außer dem Inspektor darf niemand den also ange-
brachten Zettel entfernen oder verändern.

19*

§ 103. Findet der Fabriksinspektor Beweise dessen, daß in einer Werkstätte, in einem Zimmer oder in einer Wohnung, die in einem Zins- oder Wohnhause oder im Hintertrakte eines solchen gelegen sind und in denen Waren der in § 100 bezeichneten Art hergestellt, abgeändert, ausgebessert oder ausgefertigt werden, oder im Begriffe sind, einem solchen Prozesse zu unterliegen, eine Krankheit herrscht, hat er an diesen Waren den im vorhergehenden Paragraphen beschriebenen Zettel zu befestigen und dem Gesundheitsamte sofort Bericht zu erstatten; dieses hat, wenn es nötig erscheint, die Waren sofort zu desinfizieren und sodann den Zettel zu entfernen. Gewinnt der Inspektor die Überzeugung, daß in einer Werkstätte, in einem Zimmer oder in einer Wohnung eines Zins- oder Wohngebäudes oder Hintertraktes eines solchen, worin Waren der im § 100 angeführten Art hergestellt, abgeändert, ausgebessert oder ausgefertigt werden, infektiöse oder ansteckende Krankheiten herrschen, oder daß die darin fertiggestellten oder in Bearbeitung befindlichen Waren infiziert oder die dort verwendeten Waren zur Verwendung ungeeignet sind, soll er darüber sofort dem lokalen Gesundheitsamte berichten, und dieses soll sofort solche Verfügungen erlassen, wie es die öffentliche Gesundheitspflege erfordert. Das Gesundheitsamt kann alle derartigen infizierten Waren oder solche, die unter unreinen oder ungesunden Verhältnissen hergestellt oder in Bearbeitung genommen wurden, mit Beschlag belegen und vernichten.

§ 104. Wird dem Fabriksinspektor gemeldet, daß Artikel der im § 100 angeführten Art in diesen Staat eingeführt werden sollen, welche ganz oder teilweise unter unreinen, nicht sanitätsgemäßen oder ungesunden Bedingungen hergestellt wurden, hat er diese Waren und die Umstände ihrer Erzeugung zu prüfen, und wenn sich bei dieser Prüfung herausstellt, daß die Waren oder ein Teil davon Ungeziefer enthält, oder in nicht entsprechenden Räumlichkeiten oder unter ungesunden Bedingungen hergestellt wurden, hat er an ihnen sofort den vorhin beschriebenen Zettel, bezw. die Tafel zu befestigen und dem lokalen Gesundheitsamte darüber zu berichten, welches hierauf solche Verfügungen erlassen soll, wie es die öffentliche Gesundheitspflege erfordert.

§ 105. Ein Hauseigentümer, bezw. -Pächter oder -Verwalter darf nicht die Verwendung des Hauses entgegen den Bestimmungen dieses Gesetzes zu den in § 100 bezeichneten Arbeiten gestatten. Wird ein Zimmer oder eine Wohnung in gesetzwidriger Weise benützt, hat der Fabriksinspektor dem Eigentümer, Pächter oder Verwalter hievon Kenntnis zu geben. Falls nun dieser die gesetzwidrige Erzeugung nicht binnen dreißig Tagen von dieser Verständigung an gerechnet abstellt, oder nicht innerhalb fünfzehn Tagen Vorkehrungen trifft, um den Mieter, welcher solche Artikel in einem Zimmer oder in einer Wohnung herstellt, ausbessert, abändert oder ausfertigt, zu delogieren und nicht diese Vorkehrungen mit entsprechendem Eifer fortsetzt, ist er der Übertretung dieses Gesetzes ebenso schuldig, wie wenn er selbst die verbotene Erzeugung betrieben hätte.

Die gesetzwidrige Herstellung, Ausbesserung, Abänderung oder Ausfertigung von Waren der erwähnten Art durch den Inhaber eines Zimmers oder einer Wohnung in dem Zins- oder Wohnhause oder im Hintertrakte eines solchen ist ein ausreichender Grund, um ihn im abgekürzten Zivilverfahren zu delogieren.

Am 30. September 1901 standen im Staate New York 28.787 Lizenzen in Geltung. An den so konzessionierten Arbeitsstellen waren 72.276 Personen tätig. Davon entfielen auf die Kleiderkonfektion rund 29.500 Personen, auf die Maßschneiderei etwas über 13.000, auf die übrigen Waren des § 100 an 7500. [1]

---

[1] First Annual Report of the New York State Departement of Labor, 1902.

Nach § 81 des Gesetzes konnte der Gewerbeinspektor
die entsprechende Beleuchtung der zu den Arbeitsstellen
führenden Gänge fordern. War nun die Beleuchtungs-
pflicht nicht auf den Mieter überwälzt, so hielt er sich an
den Hauseigentümer. Der moralische Effekt dieser Maßregel, deren Vorbild in einer städtischen Anordnung in
Glasgow zu finden ist [1]), wird sehr hoch angeschlagen, da
durch die dunklen Gänge und Stiegenräume auch Frauen
und Mädchen von und zur Arbeitsstätte zu gehen gezwungen sind. [2])

Inzwischen ist indes das unter dem Einfluß des heutigen Präsidenten Roosevelt zustande gekommene Sanitätsgesetz über Wohnräume erlassen worden, [3]) das weitge-
hende Anforderungen an die Reinlichkeit und Gesundheit
der Häuser stellt. Eigene Inspektoren sind zur Durchführung des Gesetzes bestellt. Deren Tätigkeit wird begreiflicherweise die Aufgabe der Gewerbeinspektoren erleichtern.

Connecticut.

Das Gesetz Public Acts Z. 199 aus 1899[4]) bestimmt
(§ 1), daß der Fabriksinspektor alle zu Wohnzwecken benutzten Gebäude, Wohnungen und Örtlichkeiten, worin
Waren einer bestimmten Art von anderen als den un-
mittelbaren Mitgliedern der dort wohnenden Familie hergestellt werden, möglichst häufig besichtigen soll. Die bezügliche Liste stimmt mit jener des newyorker Gesetzes
überein.

Personen, welche einer solchen Arbeit obliegen, haben
(§ 2) binnen 30 Tagen dem Gewerbeinspektor von der
Miete der bezüglichen Arbeitsstelle Mitteilung zu machen
und die Zahl der dort beschäftigten Arbeitspersonen
anzugeben.

---

[1]) Glasgow Police Act 1866, §§ 361, 362.

[2]) Eleventh annual convention of the International Association of
Factory Inspection held at Detroit . . . 1897. S. 76.

[3]) Tenement House Act vom 12. April 1901. Vgl. Bulletin of the
Departement of Labor of the State of New York 1901. S. 213 fg.

[4]) Chapter 199, Concerning workshops, and providing for inspection
of the same.

Sie haben (§ 3) die bezügliche Arbeitsstelle in durchaus reinlichem und sanitär entsprechendem Zustande zu erhalten, entsprechend zu beleuchten und zu lüften und in einem für ihre Benutzung durch die dort beschäftigten Personen geeigneten Stand zu erhalten.

Die Inspektionsbeamten haben (§ 4) darauf hinzuwirken, daß die Hauseigentümer wie die bezüglichen Mieter die nötigen Vorkehrungen treffen, damit dem § 3 entsprochen werde, wobei die bezüglichen Anordnungen bei Strafe binnen 30 Tagen durchzuführen sind.

Jede Person, Firma oder Gesellschaft, welche eine der in § 1 bezeichneten Arbeitsstellen für die dort erwähnten Zwecke benutzen läßt und den Vorschriften des Gesetzes zuwiderhandelt, unterliegt einer Strafe bis zu 500 Dollars.

New Jersey.

Die Gesetzgebung des Staates New Jersey hat im Gesetz vom 17. März 1893[1]) ähnliche Bestimmungen gegen das Schwitzbudenwesen geschaffen. § 1 schränkte die Heimarbeit in denselben Gewerben wie der Staat New York auf Familien- und Einzelbetriebe ein. Die Verleger haben sich darum zu bekümmern, daß ihre Heimarbeiter im Besitze einer Betriebslizenz seien. Diese wird nach Besichtigung des Lokales ausgestellt, ist jederzeit widerrufbar, muß in jedem Raume, den sie betrifft, in auffälliger Weise angebracht sein, trägt eine Nummer und gibt die zulässige Höchstanzahl der zu verwendenden Arbeiter an.

Die Verfassungsmäßigkeit dieser Vorschriften wurde jedoch von Interessenten angefochten und das Gesetz kam nicht zur Anwendung. Ein Teil der durch die Sweatinggesetze aus den anderen Küstenstaaten verdrängten Schwitzmeister zog daher unbehindert nach New Jersey.

Maryland.

Dieses Gebiet besitzt eine Reihe einschlägiger Gesetze. Mit der Werkstatthygiene befassen sich die §§ 148

---

[1]) A further supplement to an act entitled: A general Act relating to factories and workshops and the employment, safety, health and work-hours of operatives (1885).

und 149 des Gesetzes Z. 27 aus 1888, Code of Public
General Laws. Sodann verbieten die §§ 131 *a* und 131 *b*
des Gesetzartikels 363 vom 4. April 1896, Code of Public
Local Laws die Verwendung bestimmter B e l e u c h t u n g s -
und H e i z m i t t e l auch in Schwitzbuden *(sweat shop)*, sobald
darin vier oder mehr Personen beschäftigt werden, und
ordnen die Anbringung von R e t t u n g s l e i t e r n in solchen
Schwitzbuden der Kleiderkonfektion an. Eine eingehendere
Regelung schaffen die §§ 149 *a* bis 149 *d* des Gesetzartikels 467 vom 6. April 1894, Code of Public General
Laws. Dieselben verbieten den V e r t r i e b   s a n i t ä r   b e -
d e n k l i c h e r   W a r e n und die unmittelbare oder mittelbare
Beteiligung an ihrer H e r s t e l l u n g in irgendwelcher Unter-
nehmereigenschaft. Anzeigern wird ein E r g r e i f e r a n t e i l
von der Hälfte der vom Schuldigen zu leistenden Geldstrafe zugesprochen.[1])

§ 149 *c* lautet: Als ein Raum, welcher eine Gefährdung
der öffentlichen Gesundheit im Sinne der beiden vorangegangenen Paragraphe begründet, ist anzusehen
jedes Zimmer oder Raum, worin weniger als 400
Kubikfuß Luftraum vorhanden ist für jede Person, die
gewöhnlich in diesem Raume arbeitet oder ihn benützt — oder worin das Thermometer während der
Arbeitsstunden vor dem 1. Mai oder nach dem 1. Oktober des Jahres auf 80⁰ Fahrenheit oder darüber
steht (77⁰ F. = 25⁰ C. = 20⁰ R.) — oder worin eine
Person, mit einer ansteckenden, infektiösen oder
sonstigen gefährlichen Krankheit behaftet, schläft,
arbeitet oder sich aufhält — worin bei einem geringeren Ausmaße als 500 Quadratfuß, zwischen
8 Uhr vormittags oder 4 Uhr nachmittags gewöhnlich künstliche Beleuchtung platzgreift — woraus die
Abfälle des Erzeugungsprozesses und jeder sonstige
Schmutz oder Mist nicht wenigstens einmal binnen
24 Stunden entfernt wird — oder welches seitens
eines Beamten oder Amtes, das hiezu die gesetzliche

---

[1]) Vgl. den Wortlaut dieser Bestimmungen auf S. 156 fg. der ersten
Auflage dieser Schrift.

Befugnis besitzt, für schlecht ventiliert oder sonstwie ungesund erklärt wird.

Die Durchführung dieses Gesetzes soll ganz unzureichend gewesen sein, was neben Mängeln des Gesetzes auf den belanglosen Zustand der Fabriksinspektion in diesem Staate zurückgeführt wird. [1]

Demgemäß wurden nunmehr durch den Gesetzartikel 101 vom 27. März 1902 weitere ergänzende Bestimmungen hierüber geschaffen.

§ 149 *e* beschränkt die Herstellung einer Reihe von Waren — welche mit der Liste des einschlägigen newyorker Gesetzes bis auf den Punkt übereinstimmt, daß hier die Schirme ausgelassen und die Weiberröcke nicht besonders genannt sind — in Wohnräumen auf die Angehörigen der darin wohnenden Familie. Bevor die bezügliche Arbeit beginnt, muß ein Erlaubnisschein des Industriestatistischen Amtes beschafft werden. Dieser wird nach Besichtigung der Örtlichkeiten erteilt, ist widerruflich, im Falle dies erforderlich erscheint, und enthält die Höchstanzahl der in der bezüglichen Örtlichkeit zu verwendenden Leute. Ohne die Lösung eines einschlägigen Erlaubnisscheines darf kein Verlagsarbeiter der bezeichneten Gewerbe in einem Wohngebäude oder im Hintertrakte eines solchen beschäftigt werden. Die Erteilung der Erlaubnisscheine erfolgt vor dem 1. Juli jeden Jahres oder spätestens an diesem Tag. Er ist im Wohnraum auffällig anzuschlagen. Die Verleger haben eine Liste ihrer Außerhausarbeiter samt deren Adressen zu führen, in welche die Gewerbeinspektion Einsicht zu nehmen befugt ist.

§ 149 *f* regelt die Befugnisse der Behörde, solche Arbeitsräume zu inspizieren. Der Verleger oder zuständige Unternehmer hat dafür zu sorgen, daß dem Inspektionsorgane Eintritt gewährt wird, um ihm die nötigen Auskünfte zu erteilen.

[1] Fifth annual Report of the Bureau of Industrial Statistics of Maryland 1896, Baltimore 1897, S. 58 und 63; desgl. Tenth annual Report, 1902, S. 142 fg.

§ 149 *g* regelt die Bestellung der Inspektoren, und
§ 149 *h* setzt die Strafen fest, welche in Geldbußen von
5 bis 100 Dollars, bezw. in Arreststrafen von 10 Tagen
bis zu einem Jahr bestehen; im Falle es der Gerichtshof
für angemessen hält, können sowol Geld- wie Arreststrafen
verfügt werden.

Pennsylvanien.

Das Gesetz vom 11. Mai 1901 über »die Beschäftigung und Vorsorge für Gesundheit und Sicherheit« der in
bestimmten Gewerben verwendeten Personen« [1]) führt zunächst (§ 1) den Lizenzzwang ein für Betriebe, welche
in einem Zimmer oder einem Wohnraum eines Zinsge-
bäudes vor sich gehen, u. zw. in denselben Gewerben,
welche das einschlägige newyorker Gesetz aufzählt, mit
Ausnahme der Schirme und unter Aufnahme der Wirk-
waren. Ein solcher Betrieb darf nur dann zur Arbeit herangezogen werden, wenn er einen Erlaubnisschein des
Fabriksinspektors besitzt. Derselbe wird nach Besichtigung
der Räume erteilt, wenn diese für die bezügliche Arbeit
geeignet befunden wurden, enthält die Höchstanzahl der
dort zu beschäftigenden Personen, kann jederzeit zurückgenommen werden, wenn es die öffentliche Gesundheit
oder die Gesundheit der verwendeten Hilfskräfte erfordert,
und ist an auffälliger Stelle im Betriebslokale anzubringen.

Die Verleger haben sich den Erlaubnisschein stets
vorweisen zu lassen und haben überdies ein Register
der von ihnen außer dem Hause beschäftigten Personen
zu führen, in welches die Fabriksinspektion Einsicht
nehmen und wovon sie eine Abschrift fordern kann. —
Diese Bestimmungen sind nicht anzuwenden auf die Beschäftigung einer Näherin in einer Familie zur Herstellung
von Waren für den Familienkreis.

---

[1]) An Act to regulate the employment and provide for the health
and safety of persons employed where clothing, cigarettes, cigars and certain
other articles are made or partially made, etz.

§ 2 regelt die Werkstatthygiene, wobei für jeden Arbeiter 250 Kubikfuß Luftraum, für jeden Arbeitsraum entsprechende Ventilationsmittel, ferner durchwegs Reinlichkeit vorgeschrieben wird. Einschlägige Anordnungen der Fabriksinspektion sind binnen 10 Tagen durchzuführen, widrigens der »Eigentümer, Agent oder Pächter« (des Hauses) verfolgt wird. Desgleichen sind die entsprechenden feuerpolizeilichen Maßregeln binnen 60 Tagen durchzuführen.

Nach § 3 haben die Fabriksinspektoren für die Verbreitung des Gesetzes zu sorgen, indem sie Abdrücke desselben jedem einschlägigen Betriebe liefern. Auch dieser Abdruck ist in jedem einzelnen Raume anzuschlagen.

§ 4 regelt die Strafen, welche bei der ersten Verfehlung 20 bis 50 Dollars, bei einer zweiten 50 bis 100 Dollars oder Gefängnis bis zu 10 Tagen, bei einer dritten Verfehlung indes zumindest 250 Dollars und Gefängnis bis zu 30 Tagen begründen. Zugleich regelt das Gesetz das Strafverfahren.

Endlich sind die Inspektionsbeamten befugt, Kleidungsstücke, welche ganz oder teilweise auf ungesunden oder gesundheitswidrigen Arbeitsstätten oder in Räumen, wo ansteckende oder infektiöse Krankheiten herrschen, entgegen den Bestimmungen des Gesetzes hergestellt worden sind, mit Beschlag zu belegen, sowie sie vernichten zu lassen. —

Dieses Gesetz enthält bis auf die letzten Zusätze den Wortlaut des früheren Gesetzes vom 5. Mai 1897 in sich.

Die Grundlage desselben sind somit: die Lizenzierung der Heimbetriebe, die Verpflichtung des Verlegers, die Lizenz seiner Verlagsarbeiter sich vorweisen zu lassen, die Straffälligkeit des Hauseigentümers und des Verlegers im Falle einer Zuwiderhandlung und die Beschlagnahme sowie Vernichtung der hergestellten Waren.

Die Durchführung des Gesetzes scheint keinen Schwierigkeiten zu begegnen. [1])

---

[1]) Eight annual Report of the Factory Inspector . . . for . . 1897; Harrisburg 1898. Desgleichen die seitherigen Berichte.

Ohio. ·

Auch hier wird durch das Gesetz vom 27. April 1896
»zur Vorsorge für die öffentliche Gesundheit«[1]) die Heimarbeit in bestimmten Gewerben (§ 1) auf Familien- und
Einzelbetriebe beschränkt. Diese Gewerbe sind: die Herstellung von Bekleidungsstücken jeder Art, von sonstigen
Waren für die männliche oder weibliche Tracht, für persönlichen Gebrauch oder Schmuck, oder zur Herstellung
von Zigarren, Zigaretten oder Tabakwaren, falls dieselben
durch Fabrikanten, Großhändler, Agenten oder einzeln
zum Verkaufe gelangen sollen. Die Einschränkung gilt
bloß dann nicht, wenn die bezüglichen Produktionsstätten
einer Reihe von Vorschriften nachkommen.

Zulässig ist die Erzeugung dieser Waren in Wohnhäusern allgemein, wenn (§ 2) die Arbeitsstellen in keinerlei
Verbindung mit Wohn- oder Schlafräumen stehen, weder
zum Aufenthalte außer der Arbeit oder zum Schlafen benützt werden, noch Betten, Bettzeug, Kochapparate oder
sonstige häusliche Utensilien enthalten — einen direkten
Eingang von außen, und, falls sie höher liegen als der
erste Stock, einen gesonderten Stiegenraum haben, —
ordentlich beleuchtet, geheizt und ventiliert sind, wenn es
notwendig ist, durch mechanische Vorrichtungen. An Luftraum sind für jede dort arbeitende Person bei Tag 250,
bei Nacht 400 Kubikfuß zu rechnen. Wo zehn oder mehr
Personen arbeiten und unter 20 Personen drei oder
mehr dem einen Geschlecht angehören, muß für diese
ein eigener Spülabort vorhanden sein. Sind mehr als
25 beschäftigte Personen eines Geschlechtes, so muß bis
zur Zahl von 50 Personen ein zweiter ähnlicher Abort und
so fort bei mehr Angestellten im nämlichen Verhältnis
beigestellt werden. Stiegen, Gänge und Räumlichkeiten
sind im Umkreise von 30 Fuß rein zu halten, die Klosetts
regelmäßig zu desinfizieren und mit Desinfektionsmitteln
zu versehen. Die Inspektionsbeamten können alle notwendigen Änderungen, einen besonderen Reinigungsprozess,

---

[1]) Sektion 4364—80/85.

Malen oder Weißen fordern, wie sie es für wesentlich halten, um die absolute Freiheit von schädlichen Gerüchen zu sichern, Schmutz, Ungeziefer, faulenden Gegenständen oder überhaupt einen der Gesundheit abträglichen oder der Verbreitung infektiöser oder ansteckender Krankheiten befördernden Zustand hintanzuhalten. Sie sind zugleich befugt, den Betrieb in solchen Lokalen oder Fabriken, welche den Voraussetzungen des Gesetzes nicht entsprechen, zu verhindern, und Personen, welche den Betrieb gleichwol aufrechterhalten, arretieren und verfolgen zu lassen.

Die Verleger sind (§ 3) haftbar für die Beschäftigung verbotener Betriebe, falls sie von der Gewerbeinspektion verständigt wurden, daß die Arbeitsstätten den Bestimmungen des § 2 nicht entsprechen. Diese Verständigung bleibt bis zu ihrem Widerrufe durch das Gewerbeinspektorat in Kraft.

Die Verleger haben (§ 4) Listen zu führen, welche Namen und Adressen der Verlegten enthalten und zur Einsicht des Gewerbeinspektorates dienen.

Nach § 5 haften auch die Verkäufer, wenn sie Güter der in § 1 erwähnten Art auf Vorrat halten, zum Verkaufe auslegen oder verkaufen, sofern die Gegenstände unter Umgehung der vorstehenden sanitären Vorschriften hergestellt wurden.

§ 6 setzt für alle, die das Gesetz übertreten, eine Strafe von 5 bis 100 Dollars für jede Gesetzesverletzung fest, welche in Arrest von 30 bis 60 Tagen verwandelt werden kann; nach Ermessen des Gerichtshofes können auch beide Strafen zugleich verfügt werden.

Indiana.

Das Arbeitsgesetz vom 2. März 1899, Z. 142 [1]), schränkt im § 14 die Herstellung einer Anzahl von Waren (Herrenröcke, Westen, Hosen, Kniehosen, Überkleider. Mäntel, Fellwerk, Pelzbesatz, Pelzkleidungen, Hemden, Geldbörsen, Federn, Kunstblumen und Zigarren), sofern diese zum Ver-

---

[1]) An Act concerning labor, etz.

kauf hergestellt werden, in Wohnräumen auf Familien-
und Einzelbetriebe ein. Zu jeder derartigen Herstellung
ist die Erwerbung einer Lizenz erforderlich, welche die
Fabrikinspektion nach Besichtigung der Örtlichkeit erteilt und welche sie jederzeit zurücknehmen kann. Der Erlaubnisschein bezeichnet die Höchstanzahl der zu verwendenden Personen und ist an auffälliger Stelle im
Betriebe anzubringen. Heimbetriebe, welche nicht im Besitz einer derartigen Lizenz sind, dürfen nicht beschäftigt
werden.

Michigan.

Das Fabriksgesetz vom 13. Mai 1901[1]) fordert (§ 17)
für die Vornahme bestimmter gewerblicher Arbeiten in
Wohnräumen oder in Wohnhäusern — die bezügliche Liste
ist dem newyorker Gesetz entlehnt — einen die zulässige
Höchstanzahl der Arbeiter angebenden Erlaubnisschein
der Gewerbeinspektion. Derselbe wird nach Besichtigung
der Räume auf Widerruf gewährt und ist in der bezüglichen Wohnung eingerahmt anzuschlagen.

Die Verleger haben Namen und Adressen ihrer Heimarbeiter und Zwischenmeister in Listen zu führen und eine
Abschrift dieser auf Verlangen der Gewerbeinspektion
vorzulegen.

Für die Arbeitsräume sind separierte Eingänge, ein
Luftraum von 250 Kubikfuß pro Person, sowie entsprechende Beleuchtung, Heizung und Ventilation
vorgeschrieben.

Das Bestehen einer ansteckenden Krankheit in diesen
Räumen ist seitens der Sanitätsbehörde der Gewerbeinspektion bekanntzugeben, welche die dort befindlichen Erzeugnisse mit Beschlag belegen, desinfizieren und sogar vernichten lassen kann. Ebenso wird mit den in das Staats-
gebiet eingebrachten Waren der angeführten Art verfahren,
wenn sie mit Ungeziefer behaftet sind oder unter ungesunden Arbeitsverhältnissen hergestellt wurden.

---

[1]) An Act to provide for the inspection of manufacturing esta-
blishments, etz.

Wisconsin.

Das Sanitätsgesetz, Z. 239 aus 1901[1]) übernimmt (§ 1) die Vorschriften des newyorker Gesetzes über die Liste der Waren, die Lizenzierung des Betriebes, die vorhergehende Besichtigung der Arbeitsstelle, die Angabe der Höchstanzahl der dort verwendeten Personen in der Lizenz, sowie die Anschlagung und Widerruflichkeit der Lizenz und das Verbot für Verleger, in unlizenzierten Betrieben arbeiten zu lassen. Für jeden Arbeiter ist ein Luftraum von 250 Kubikfuß bei Tag und von 400 in der Zeit zwischen 6 Uhr abends und 6 Uhr früh vorgesehen.

Im Falle der Abweisung oder des Widerrufes einer Lizenz ist (§ 2) der Rekurs an die Gesundheitsbehörde gestattet, welche die nötigen Erhebungen pflegt.

Das Gewerbeinspektorat kann fordern, daß (§ 3) alle Räumlichkeiten, worin die erwähnten Arbeiten vor sich gehen, von Wohn- und Schlafräumen abgesondert seien und auch keine Tür, kein Fenster oder sonstige Öffnung dahin besitzen; ferner daß dieselben weder zum Schlafen benützt werden, noch Betten, Bettzeug oder Kochapparate enthalten. Es kann auch fordern, daß sie einen besonderen separierten Eingang, und, falls der Betrieb im Stockwerk liegt, daß sie ein besonderes Stiegenhaus haben; ferner daß die entsprechende Beleuchtung, Heizung und Ventilation, eventuell auch durch mechanische Vorrichtungen, in den Arbeitsräumen hergestellt werde. Desgleichen sind regelmäßig zu desinfizierende Anstandsorte analog dem Gesetze des Staates Ohio beizustellen (vgl. S. 300).

Die Verleger haben das bekannte Register zu führen (§ 4). Das Gesundheitsamt kann im Falle ansteckender Krankheiten die Beschlagnahme und Vernichtung der Waren vornehmen lassen.

---

[1]) Chapter 239, Laws of 1901, providing for the preservation of public health.

Eigentümer, Pächter oder Verwalter des Hauses dürfen die Benützung der erwähnten Arbeitsräume unter Außerachtlassung des Gesetzes nicht dulden. Im Falle einer Gesetzesübertretung macht ihnen die Gewerbeinspektion die nötige Mitteilung, worauf sie binnen 30 Tagen entweder die erforderlichen Änderungen herbeizuführen oder die Arbeiter zu delogieren haben (§ 6).

Die Strafen für die Gesetzesübertretungen betragen 20 bis 100 Dollars oder Arrest von 20 bis 60 Tagen oder alle beiden Strafen.

Das Gesetz über die Erzeugnisse von Zigarren[1]), Z. 79 aus 1899, verbietet (§ 1) die Erzeugung von Zigarren in Souterrain-Lokalitäten und trifft weitere Vorschriften über den Luftraum, die Ventilation und die Reinhaltung dieser Betriebe (§§ 2 bis 5). Personen unter 18 Jahren dürfen nicht länger als 8 Stunden täglich, bezw. 48 Stunden in der Woche der Zigarrenerzeugung obliegen (§ 6). Für männliche und weibliche Arbeiter sind besondere Garderoben und Anstandsorte beizustellen (§ 7). Die Strafen werden in Geld bemessen (§ 8).

Illinois.

Das Gesetz vom 17. Juni 1893 »zur Regelung der Herstellung von Bekleidungsstücken und anderen Waren«[2]) beschränkte (§ 1) auch hier die Heimarbeit in den bereits wiederholt bezeichneten Gewerben auf die nächsten Angehörigen der in der Wohnung lebenden Familie. Ihre Erzeugnisse unterliegen der Prüfung durch die Gewerbeinspektoren, ob sie auch »in einem reinen Zustand und von Ungeziefer und jedwedem Ansteckungskeim frei sind«. Die Arbeitsstätten sind vom Mieter unter Angabe der Art der Arbeit sowie der Zahl der Arbeiter beim Gesundheitsamte anzumelden.

Diese Behörde oder das Gewerbeinspektorat kann (§ 2) im Falle einer Infektions- oder ansteckenden Krank-

---

[1]) Chapter 79, Laws of 1899, regulating the manufacture of cigars.

[2]) An Act to regulate the manufacture of clothing, wearing apparel and other articles in this State, etz.

heit in der Werkstelle, desgleichen wenn das Lokal ungesund oder die Kleider und verwendeten Materialien als
zum Gebrauch ungeeignet befunden werden, Verfügungen
zum Schutze der öffentlichen Gesundheit treffen; die Gesundheitsbehörde kann überdies die infektiösen Waren
mit Beschlag belegen und vernichten lassen.

Im Falle der Einfuhr von Waren der gedachten Art,
welche »ganz oder zum Teil unter ungesunden Verhältnissen verfertigt wurden, soll der Inspektor die Waren und
die Umstände ihrer Herstellung untersuchen (§ 3). Befindet
er dabei, daß die Waren Ungeziefer enthalten, an unrein-
lichen Orten oder unter ungesunden Verhältnissen hergestellt wurden, sind Verfügungen zum Schutze der öffentlichen Gesundheit zu erlassen, gegebenenfalls alle derartigen Waren durch das Gesundheitsamt mit Beschlag zu
belegen und zu vernichten.

Jede Erzeugungsstätte von Waren der angegebenen
Gattung ist (§ 7), falls ihre Herstellung zum Zwecke des
Verkaufes geschieht, als Werkstätte im Sinne der Fabriksgesetzgebung zu betrachten. Die Verleger haben eine vollständige Liste aller derartigen von ihnen abhängigen Werkstätten zu führen und diese Liste den Sanitäts- und Inspektionsbeamten zur Einsicht vorzulegen.

Der erste Jahresbericht der Fabriksinspektoren für
das Jahr 1893 [1]) führt aus, daß durch dieses Gesetz der
Übervölkerung in hunderten vordem übervölkerter Gebäude
gesteuert wurde. Derartige Gelasse seien die Heimstätten
der Tuberkulose, Diphtherie, des Scharlach, Typhus, von
Krätzen und anderen Hautleiden. Die städtischen Ärzte
konnten nun zwar auf Grund des Gesetzes eingreifen und
die Erzeugnisse solcher Buden vernichten, allein sehr häufig wird ein Arzt erst dann gerufen, wenn der Tod bereits
bevorsteht, weil damit die besondere, mit Umständlichkeiten
verbundene Leichenbeschau erspart wird. Inzwischen aber
können wochenlang infizierte Kleidungsstücke fertiggestellt
und versendet werden. Man täte daher am besten, jede

---

[1]) First annual Report of the Factory Inspectors of Illinois for . . .
1893: Springfield 1894, S. 16 fg.

Unternehmung, die Kleidungsstücke herstellen läßt, zu
verhalten, gesunde Betriebsstätten und mechanisch bewegte
Maschinen beizustellen; sonst sei die Verbreitung der Infektion nicht zu verhindern; die Erzeugung in Wohnhäusern
wäre schlechthin zu untersagen.

Das Jahr 1894 brachte eine heftige Blatternepidemie
in den ärmeren Bezirken Chicagos. Aus diesem Anlaß erschien ein besonderer Inspektorenbericht. [1]) Das Resumé
desselben bemerkt, das Arbeitslokal in einem Lohngebäude
begründe in Fällen einer Epidemie mehrfache Gefahren.
Da vereinigen sich Leute, die in verschiedenen Häusern
wohnen. Wenn sie aus ihrem Wohnhause her einen Ansteckungskeim mit sich bringen, können sie ihn auf jene
übertragen, mit denen sie hier zusammentreffen und die
selbst in den schlechtesten und ungesundesten Wohnungen,
unter den ungünstigsten Verhältnissen hausen. Dadurch
werde die Übertragung der Seuche in diese Häuser befördert.

Befindet sich das Arbeitslokal selbst in einem verseuchten Haus, so erfahren die dahin kommenden Arbeiter
dies nicht rechtzeitig, um sich vor Ansteckung zu schützen;
oft wurde das Vorhandensein eines Blatternfalles erst nach
dem Tode des Kranken konstatiert.

Drittens liegt eine Quelle der Gefahr in der Versendung der mit dem Infektionsstoffe behafteten Kleidungsstücke an die Händler und das Publikum.

Der reguläre Bericht für 1894 [2]) enthält eine Kritik
des Gesetzes. Auch die Erzeugung von Kappen, Gamaschen
und Halstüchern, desgleichen die Bäckerei und die Butter-
bereitung gehörten auf die Liste. In Chicago wurde ein Fall
erhoben, wo ein Schneider im Schlafraum an einem Rock
arbeitete, die Frau in der Küche butterte und einige Näpfe
zum Verkaufe fertiger Butter vor sich stehen hatte, während in einem Gelaß, das in die beiden anderen Räume
mündete, ihr blatternkrankes Kind lag. Auf Grund des

---

[1]) First Special Report of the Factory Inspectors of Illinois on Small-
Pox in the Tenement House, Sweat Shops of Chicago, Juli 1894.
[2]) Second annual Report .. for .. 1894, S. 27 fg., 37 fg., 54 fg.

Fabriksgesetzes wurde nun die Vernichtung des Rockes angeordnet, aber die Butter nahm ihren Weg in den Handel.

Die Gefahr der Verschleppung von Krankheiten sei umso größer, als die Eltern oft das Wegführen der Kinder in Krankenhäuser mit Rücksicht auf die Angst der Kinder verhindern, diese in Säcke verbergen, in Klosetts sperren oder in Kleiderbündel eingepackt zu Familien wegschmuggeln, um sie vor der Inspektion zu verheimlichen. Die Nachbarfamilien leisten dabei Beistand.

Aus der freiwilligen Mitwirkung der Verleger sei kein Vorteil zu erwarten. Oft verlassen auch einzelne Sitzgesellen, wenn sie Behinderung durch die Inspektoren befürchten, mit ihren Waren die Wohnung.

Die Registrierung sei nur in der Zigarrenindustrie entsprechend durchgeführt, wo die Finanzwächter der Bundesregierung nachforschen und in nichtregistrierten Lokalen gefertigte Zigarren konfiszieren, und das Reichsgericht ruinöse Geldbußen, Kerker oder beide Strafen zugleich über die Übertreter des Zigarrenlizenzgesetzes verhängt. In allen anderen Fällen habe die Registrierung nicht genügt. Von den Finierungsarbeitern in der Hausindustrie könne das in Chicago gar nicht anders erwartet werden; aber selbst wenn diese Arbeiter täglich registriert und inspiziert würden, könnten noch immer nicht die Erzeugungsstätten verbessert werden.

1895 zählte die Heimarbeit trotz der Inspektion mehr Lokale, mehr Arbeiter und unter diesen mehr Kinder als jemals. Daher stellen die Inspektoren das Postulat des Verbotes der gewerblichen Produktion in Zinshäusern auf. Dieses Verbot hätte schlechtweg zu gelten: nicht bloß für die Erzeugung von Kleidungsstücken und Zigarren, sondern auch für alle Arbeiten der Buchbinderei, der Brotbereitung (welche oft in kleinen Betrieben im Souterrain vor sich geht), der Butter- und Käseerzeugung usw., am besten aber für die Erzeugung aller für den Verkauf bestimmten Artikel.

Der Bericht über das Jahr 1901 beklagt, daß das Gesetz nicht die Lizenzpflicht nach dem Vorbild anderer

Staaten übernommen hat, da hiedurch die Kontrole über die Betriebe erleichtert wird.

Missouri.

Das Gesetz vom 2. Juni 1899 über Werkstätten in Wohngebäuden läßt die bekannten Voraussetzungen im Falle der Beschäftigung von mehr als drei nicht unmittelbar der Familie angehörigen Personen eintreten. Die bezüglichen der Regelung unterworfenen Erzeugnisse sind: alle Bekleidungsgegenstände, Börsen, Federn, Kunstblumen und andere Gegenstände der männlichen oder weiblichen Tracht. Die Verleger haben Verzeichnisse ihrer Außerhausarbeiter und Zwischenmeister zu führen. Sie unterliegen der Einsicht der Gewerbeinspektion, welche noch die Einsendung von Abschriften daraus abverlangen kann (§ 10096).

Der Verkauf und das Auslegen zum Verkauf von Waren der erwähnten Art, welche entgegen den Bestimmungen des Gesetzes hergestellt wurden, ist verboten. Desgleichen ist solchen Gegenständen durch die Inspektion eine Tafel mit der Aufschrift *t»enement made«* oder *»made under unhealthy conditions«* anzuheften (§ 10097).

Die Strafen für Gesetzesverletzungen sind Geldstrafen von 10 bis 60 Dollars oder Gefängnis bis zu zehn Tagen oder alle beide Strafen.

Neuseeland.

Im Jahre 1901 wurde unter dem 8. November (Gesetzeszahl 59) das Fabriksgesetz der Kolonie neu kodifiziert[1].

Im Sinne des § 2 dieses Gesetzes gilt als Fabrik:

1. jeder Raum, worin zwei oder mehr Leute beschäftigt sind, um handwerksmäßige Arbeit zu verrichten, oder um Waren zum Handel oder Verkauf vorzubereiten, bezw. zu verfertigen;

2. alle Bäckereien schlechthin;

3. alle Baulichkeiten, worin Dampf- oder eine andere mechanische Kraft oder Vorkehrung im Gebrauche ist, zur

---

[1] An Act to consolidate and amend the Law relating to Factories.

Erzeugung von Gütern oder zu deren Verpackung zum
Zweck ihrer Versendung;

4. jede Wäscherei (ob die darin Tätigen für ihre
Arbeit einen Lohn empfangen oder nicht);

5. jeder Raum, worin auch nur e i n Asiate mit hand-
werksmäßiger Arbeit, mit der] Verpackung von Waren
oder mit Wäscherei beschäftigt ist.

Im Sinne der §§. 10 — 16 sind alle derlei Fabriken
und Werkstätten jährlich in ein Register der Fabriksinspektion einzutragen.

Hinsichtlich der Heimarbeit nun wird Nach-
stehendes verfügt:

§ 28. Zur besseren Verhütung des sogenannten Sweatingsystems gelten die nachstehenden Bestimmungen in
allen Fällen, wo ein Fabriksbesitzer eine Arbeit
außer Haus gibt oder geben läßt, bei welcher Textilien verwendet werden:

1. Der Fabriksbesitzer hat stets eine Liste zu führen
   oder führen zu lassen, welche im wesentlichen
   richtig angibt:
   a) den genauen Namen und die Adresse jedes
      Außerhausarbeiters, sowie die Lage seiner
      Arbeitsstätte,
   b) die Menge und Beschreibung der von ihm ver-
      richteten Arbeit,
   c) die Art und Höhe des Entgeltes hiefür.

2. Wird die Arbeit anderwärts als in einer registrierten
   Fabrik verrichtet, hat der Fabriksbesitzer, welcher
   Arbeit ausgibt oder ausgeben läßt, an jedem
   Kleidungs- oder sonstigen Warenstück, an welchem
   die bezügliche Arbeit verrichtet wurde, einen
   Zettel in der vorgeschriebenen Form anzu-
   bringen; wenn er dies unterläßt, zahlt er für jedes
   Warenstück, inbezug auf das er der Vorschrift
   nicht nachgekommen ist, eine Geldstrafe bis zu ein
   Pfund Sterling.

3. Wer ein solches Warenstück, an welchem der vor-
   geschriebene Zettel nicht angebracht worden ist,

wissentlich verkauft oder für den Verkauf auslegt, unterliegt einer Geldstrafe bis zu 10 Pfund Sterling.

4. Wer von einem derartigen Warenstück den vorgeschriebenen Zettel willkürlich entfernt, bevor der Gegenstand verkauft ist, unterliegt einer Geldstrafe bis zu 20 Pfund Sterling.

5. Gibt der Außerhausarbeiter die Arbeit oder einen Teil derselben direkt oder indirekt weiter, sei es im Akkord oder sonstwie — oder vollführt er die Arbeit oder einen Teil derselben anderwärts als in seiner eigenen Behausung und nicht selbst oder durch eigene Hilfskräfte, welche er hiefür selbst entlohnt, so unterliegt er einer Geldstrafe bis zu 10 Pfund Sterling für jeden einzelnen Fall.

6. Ein Fabriksbesitzer, welcher die Arbeit ausgibt oder ausgeben läßt und wissentlich gestattet oder duldet, daß die im vorhergehenden Absatz bezeichnete Übertretung begangen wird, unterliegt einer Geldstrafe bis zu 50 Pfund Sterling.

7. Bei Verfolgungen auf Grund dieses Paragraphen gegen den Fabriksbesitzer wird das Mitwissen seiner Angestellten oder Agenten derart betrachtet, wie wenn er selbst Mitwisser gewesen wäre.

§ 29. Für alle Zwecke des vorhergehenden Paragraphen wird jeder Händler, Großhändler, Kaufmann, Agent oder Zwischenmann, welcher gewöhnliche Gewebe oder Shoddystoffe ausgibt oder ausgeben läßt, damit daraus Kleidungsstücke oder andere Waren zum Verkauf hergestellt werden, ebenso behandelt, wie wenn er Fabriksbesitzer wäre, und demgemäß betreffen die Vorschriften, Verpflichtungen und Strafgesetze des vorhergehenden Paragraphen auch ihn.

§ 30. Ohne die Wirksamkeit der beiden vorhergehenden Paragraphen irgendwie einzuschränken, gelten folgende Bestimmungen für jegliche Fabrik:

1. Wenn eine in einer Fabrik verwendete Person irgend eine Arbeit für die Zwecke der Fabrik außerhalb dieser vollführt, verfällt der Fabriksbesitzer einer

Strafe bis zu 10 Pfund Sterling für jeden einzelnen Fall,

2. desgleichen der Täter einer Strafe bis zu 5 Pfund Sterling.

Von diesen Bestimmungen ausgenommen sind jene Arbeiten, bezüglich deren man infolge ihrer Eigenart vernünftigerweise nicht fordern kann, daß sie im Fabriksgebäude verrichtet werden.

§ 48. Zur Verminderung der Gefahr, daß durch Infektion oder Ansteckung eine Krankheit verbreitet werde, wird verordnet:

1. Es ist verboten, Waren oder Materien herzustellen oder zu bearbeiten, oder zu solchem Zweck in einer Fabrik oder in einem Wohnhaus zu übernehmen,

   a) falls dort mit dem Wissen des Besitzers eine mit einer infektiösen oder ansteckenden Krankheit behaftete Person sich befindet, oder

   b) innerhalb der vorangegangenen 14 Tage sich befunden hat und die Fabrik, bezw. das Wohnhaus und alle darin enthaltenen Güter und Materien nicht in einer nach Anschauung des Inspektors hinreichenden Weise desinfiziert worden sind.

2. Wer eine Übertretung dieses Paragraphen wissentlich gestattet, ist strafbar bis zu 10 Pfund Sterling.

3. Falls sich solche Güter oder Materien in einer Fabrik oder in einem Wohnhaus entgegen den Bestimmungen dieses Paragraphen vorfinden, ist der Inspektor ermächtigt, sie mit Beschlag zu belegen, zu entfernen und desinfizieren zu lassen — all das auf Kosten des Besitzers; die Behörden können auch über Ansuchen des Inspektors im kurzen Wege verfügen, daß die bezüglichen Gegenstände auf Kosten ihrer Eigentümer durch den Inspektor vernichtet werden.

4. Alle Kosten, für welche der Eigentümer der Gegenstände auf Grund dieses Paragraphen aufzukommen

hat, werden im kurzen Wege gleich Strafen ein-
getrieben.

Victoria.

In der Kolonie Victoria gelten nicht weniger als
sechs Fabriksgesetze, und zwar das Grundgesetz vom
10. Juli 1890, Z. 1091, und die dazugehörigen Novellen:
vom 28. Juli 1896, Z. 1445 — vom 24. Dezember 1896,
Z. 1476 — vom 27. September 1897, Z. 1518 — vom 20. Dezember 1898, Z. 1597, und — vom 20. Februar 1900, Z. 1654.

Im Sinne dieser Gesetzgebung gilt als »Fabrik- oder
Werkstelle«:

1. jeder Raum, worin unter Anwendung von motorischer Kraft irgendeine Person bei gewerblicher Arbeit
beschäftigt wird,

2. jeder Bäckereibetrieb und

3. jede Möbelerzeugungsstätte schlechthin, auch
sobald nur ein Arbeiter darin Verwendung findet,

4. jeder Raum, worin auch nur ein Chinese oder
vier sonstige Personen bei gewerblicher Arbeit beschäftigt
werden, einschließlich Lehm- oder Tongruben sowie Stein-
brüchen, falls sie in Verbindung mit einer Töpferei oder
einer Ziegelei betrieben werden.

Für die Heimarbeit gelten nun nachstehende Vorschriften [1]):

Fabriksgesetznovelle vom 28. Juli 1896:

§ 13. (1) Jeder Besitzer einer Fabrik oder Werkstelle,
welcher Arbeiten außerhalb eines solchen Betriebes
ausführen läßt, hat eine Liste zu führen. Diese Liste
ist derart zu führen und hat solche Angaben zu enthalten, wie dies im Verordnungswege bestimmt werden
mag; sie hat ein in allen wesentlichen Punkten rich-
tiges Verzeichnis der Art und Mengen der außerhalb
des Betriebes vollführten Arbeiten darzustellen und

---

[1]) Die in Klammern gesetzten Ziffern bedeuten die im Original befindlichen Bezeichnungen der Absätze. Diese sind in der folgenden Über-
setzung der besseren Übersicht halber mitunter in mehrere Unterabsätze geteilt worden.

Namen und Adresse der Person, welche diese Arbeit leistet sowie die Preise zu enthalten, welche in jedem einzelnen Falle für eine derartige Arbeit gezahlt werden.

(2) Unterbleibt die Führung einer solchen Liste,· so verfällt der Unternehmer einer Strafe bis zu 2 £ für jeden Tag, an dem er ohne vernünftige Entschuldigung die Liste nicht der Vorschrift gemäß geführt hat. Die Liste dient zur Information der Fabriksinspektoren, welche allein befugt sind, sie einzusehen, dies aber zu jeder vernünftigen Stunde tun dürfen.

(3) Jeder Besitzer einer Fabrik oder Werkstelle soll dieses Verzeichnis dem obersten Gewerbeinspektor, wann immer er es verlangt, zu dessen Information einsenden; auch hat er diesem periodisch, wie es verordnet werden mag, eine Kopie oder einen Auszug aus jedem derartigen Verzeichnis in der anzuordnenden Form einzusenden.

(4) Ungeachtet der Bestimmungen dieses Gesetzes (§ 14, Absatz 4) hat der oberste Gewerbeinspektor in der »*Government Gazette*« aus derartigen Verzeichnissen jene Einzelheiten zur allgemeinen Wissenschaft zu bringen, die der Statthalter auf Grund Kronratsbeschlusses von Zeit zu Zeit notwendig oder wünschenswert erachtet, und zwar, falls es der Statthalter entsprechend findet, unter Angabe der Namen und Adressen der Unternehmer.

(5) Allein solche Einzelheiten dürfen nur in Fällen einer Übertretung des Fabriksgesetzes, für welche der Unternehmer verurteilt wurde, veröffentlicht werden.

(6) Wer immer Material ausgibt oder die Ermächtigung oder Erlaubnis erteilt, daß dies geschehe, damit das betreffende Material außerhalb des Betriebes ganz oder zum Teil für Zwecke des Handels oder des Verkaufes zu Bekleidungsgegenständen zugerichtet oder verarbeitet werde, ist für die Zwecke dieses Paragraphen als Besitzer einer Fabrik oder Werkstelle anzusehen.

(7) In diesem Paragraph schließt die Bezeichnung »Bekleidungsgegenstände« Stiefel und Schuhe in sich.

(8) Wegen Zuwiderhandlung gegen diesen Paragraphen soll niemand bestraft werden, wenn er nachweist:

a) daß er alle vernünftigen Vorsichten gegen eine Verletzung dieses Paragraphen geübt und zur Zeit der ihm zur Last gelegten Gesetzesübertretung keinen Grund gehabt hat, zu vermuten, daß seine Tat eine Zuwiderhandlung gegen diesen Paragraphen darstellen würde, ferner

b) auf Verlangen oder über Veranlassung des Inspektors, soweit es in seiner Macht stand, Informationen über die ihm zur Last gelegte Gesetzesübertretung gegeben hat, oder

c) daß er sonstwie arglos und *bona fide* war und ohne jede Absicht, die Bestimmungen dieses Paragraphen zu umgehen, gehandelt hat.

§ 14. (1) Wer immer außerhalb einer Fabrik oder Werkstelle Bekleidungsgegenstände zum Zwecke des Handels oder Verkaufes ganz oder zum Teile zurichtet oder verfertigt, hat dem obersten Gewerbeinspektor persönlich oder schriftlich seinen vollen Namen und seine Adresse bekanntzugeben. Jede derartige schriftliche Mitteilung wird postfrei befördert, wenn das Kuvert die Worte trägt: »In Gemäßheit des Gesetzes aus 1896 über Fabriken und Geschäftshäuser.«

(2) Jede derart eingetragene Person hat alle Fragen zu beantworten, welche ein Fabriksinspektor an sie richtet, sowol bezüglich der Person, für welche die Waren zugerichtet oder verfertigt werden, als bezüglich der Preise oder Stücklöhne, welche hiefür gezahlt werden. An ein Weib oder Mädchen sollen indes solche Fragen nur von einem weiblichen Inspektor gestellt werden.

(3) Die Übertretung der vorstehenden Absätze dieses Paragraphen begründet eine Geldstrafe bis zu 10 Schillingen.

, (4) Ungeachtet der sonstigen Bestimmungen dieses Gesetzes (§ 13, Absätze 4 und 5) dürfen die im Sinne dieses Paragraphen registrierten Namen und Adressen in keiner Weise veröffentlicht oder der Öffentlichkeit zugänglich gemacht, noch von jemand anderem gesehen werden, als vom Unterstaatssekretär, dem obersten Gewerbeinspektor oder den diesem unterstellten Beamten. Der Unterstaatssekretär, oberste Gewerbeinspektor und die Beamten haben die also eingezeichneten Namen und Adressen geheimzuhalten und zu deren Geheimhaltung beizutragen, und dürfen sie niemand mitteilen, ausgenommen für Zwecke der Durchführung dieses Gesetzes. Jeder derartige Unterstaatssekretär, oberste Gewerbeinspektor oder diesem unterstellte Beamte hat entweder beim Beginn der Wirksamkeit dieses Gesetzes oder bevor er sein Amt antritt, vor Gericht einen vorzuschreibenden Eid auf Geheimhaltung abzulegen und zu unterfertigen. Wer den Vorschriften dieses Absatzes oder diesem Eide willkürlich entgegenhandelt, ist nach Überführung mit einer Geldstrafe bis zu 100 £ zu bestrafen.

(5) In diesem Paragraph schließt die Bezeichnung »Bekleidungsgegenstände« Stiefel und Schuhe ein.

Fabriksgesetznovelle vom 20. Februar 1900.

§ 15. (1) Der Statthalter kann, wenn er es für entsprechend findet, im Kronrat die Bestellung besonderer Mindestlohnkommissionen verfügen. Diese setzen die mindesten Preise oder Löhne fest, welche einzelnen Personen oder Kategorien von Personen innerhalb wie außerhalb Fabriken oder Werkstätten zu zahlen sind, und zwar beziehen sich die Sätze auf die gänzliche oder teilweise Zurichtung oder Verfertigung von Bekleidungsgegenständen oder von Möbeln, auf die Brotbereitung oder das Brotbacken — auf die Tätigkeit in einem sonstigen Geschäft, das zumeist oder häufig in einer Fabrik oder Werkstelle betrieben wird — ferner auf die Arbeit der Angestellten von Metzgern, Fleischverkäufern oder Selchern.

Jede derartige Spezialkommission hat, je nach der Verordnung, aus vier bis zehn Mitgliedern und aus einem Obmann zu bestehen. Der Statthalter kann jederzeit jegliches Kommissionsmitglied seines Amtes entheben.

Bei der Festsetzung der bezüglichen Satzungen hat die Spezialkommission die Natur, Art und Gattung der Arbeit, die Art ihrer Ausführung, sowie Alter und Geschlecht der Arbeiter und jeden weiteren Umstand, der ihr vorgeschrieben werden sollte, zu berücksichtigen.

Abgesehen vom Betriebe der Metzgerei, des Fleischverkaufes, der Selcherei, und abgesehen von den bei Beginn der Wirksamkeit dieses Gesetzes bereits bestehenden einschlägigen Kommissionen wird eine derartige Kommission nur dann zu bestellen sein, wenn ihre Zweckdienlichkeit durch Entschließung eines der beiden Häuser der Gesetzgebung anerkannt worden ist.

(2) Die Kommission soll zur Hälfte aus Vertretern der Arbeitgeber, zur Hälfte aus solchen der Arbeiter bestehen. Ihre Mitglieder haben binnen vierzehn Tagen nach ihrer Bestellung schriftlich eine Persönlichkeit (welche nicht der Kommission angehört) als Obmann in Vorschlag zu bringen, und dieselbe ist vom Statthalter auf Grund Kronratsbeschlusses zu diesem Amte zu bestellen. Erhält der Minister den bezüglichen Vorschlag nicht binnen 14 Tagen nach der Bestellung der Kommissionsmitglieder, hat der Statthalter den Obmann über Empfehlung des Ministers zu ernennen.

In der die Herstellung von Männer- und Knabenkleidern regelnden Kommission sollen von den Vertretern der Arbeitgeber drei Vertreter der Konfektionäre und zwei Vertreter der Maßschneider sein.

Das Nähere über die' Anlage der Wählerliste und die Stimmenangabe wird im Verordnungswege bestimmt.

* (3) Überschreitet die Zahl der als Vertreter der Unternehmer oder der Arbeiter jeweils in Vorschlag gebrachten Personen die Zahl der zu besetzenden Stellen nicht, sind diese Personen als gewählt und demgemäß als Mitglieder der Kommission zu betrachten.

Fabriksgesetznovelle vom 24. Dezember 1896:

§ 4. (1) Die Mitglieder der die Zurichtung oder Verfertigung von Möbelwaren betreffenden Kommission sind nicht durch Wahl zu bestellen, sondern der Statthalter hat die bezügliche Kommission sowie die Personen zur Besetzung der darin sich ergebenden freien Stellen ohne vorherige Wahl im Kronrat zu ernennen.

§ 5. Jede Bestimmung dieses Gesetzes, welche sich auf die gewählten Mitglieder bezieht, hat auch auf ernannte Mitglieder einer Spezialkommission Bezug.

Fabriksgesetznovelle vom 20. Februar 1900:

[Fortsetzung des § 15.] (4) Sollte sich, aus welchem Grunde immer, in einer Kommission eine Vakanz ergeben, kann der Statthalter ohne vorgängige Wahl eine Person als Vertreter der Unternehmer, bzw. der Arbeiter bestellen; die also berufene Persönlichkeit ist in jedem Belang so zu behandeln, als wäre sie von den Unternehmern, bezw. den Arbeitern (je nach Lage des Falles) für die Stelle erwählt worden. Jede Bestimmung über ein gewähltes Kommissionsmitglied betrifft im gleichen Maße auch jede auf vorbezeichnete Art berufene Persönlichkeit; diese gilt als bestellt für die noch nicht abgelaufene Funktionsdauer des verstorbenen, resignierten oder enthobenen Mitgliedes.

(5) Die Funktionsdauer der Kommissionsmitglieder ,ist zwei Jahre, doch kann jedes derselben nach Ablauf dieser Zeit wiedergewählt werden.

Die Funktion der vor Beginn der Wirksamkeit dieses Gesetzes bestellten Mitglieder erlischt drei Monate nach Inkrafttreten dieses Gesetzes.

Der Obmann der Kommission ist in jeder Hinsicht einem Mitgliede der Kommission gleich zu achten.

(6) Alle Rechte einer derartigen Spezialkommission werden durch einfache Majorität ausgeübt.

(7) Bezüglich der Waren, hinsichtlich welcher eine derartige Spezialkommission bestellt ist, hat sie die Mindestpreise oder -lohnsätze festzusetzen, welche für die gänzliche oder teilweise Zurichtung oder Verfertigung solcher, durch die Kommission zu spezialisierender Waren zu zahlen sind. Eine getreue Abschrift der von der Spezialkommission beschlossenen Satzung ist, in leserlichen lateinischen Lettern gedruckt, gemalt oder sonstwie angebracht, an einer auffälligen Stelle beim Eingang jeglicher Fabrik oder Werkstelle, auf welche sich der Beschluß der Kommission bezieht, oder in der Nähe ihres Einganges so anzuschlagen, daß sie von den dort beschäftigten Personen leicht gelesen werden kann.

(8) Die bezüglichen Preise oder Lohnsätze sind nach dem Stück oder nach der Zeit oder auf beide Arten zu bestimmen, wie es der Kommission entsprechend erscheint. Für die gänzliche oder teilweise Zurichtung oder Fertigstellung von Bekleidungsgegenständen außerhalb einer Fabrik oder Werkstelle sind jedoch bloß Stücksätze festzustellen. Auf Wunsch des Besitzers einer Fabrik, einer Werkstätte oder eines sonstigen Geschäftsbetriebes hat die Kommission für jede Arbeit an einer im Betriebe verwendeten Maschine einen Zeitlohn festzusetzen.

(9) Die von einer Kommission festgesetzten Preise oder Lohnsätze treten an dem von ihr bestimmten Tage, jedoch nicht vor Ablauf von vierzehn Tagen in Kraft und bleiben in Kraft, bis sie durch den Beschluß einer Spezialkommission abgeändert wurden.

Fabriksgesetz vom 20. Februar 1900:

§ 5. Die Fabriksinspektoren sind, von ihren im § 11 des Fabriksgesetzes vom 10. Juli 1890 enthaltenen Befugnissen abgesehen, ermächtigt, die Vorweisung aller Lohnlisten oder Bücher zu fordern, worin die (nach dem Stück oder sonstwie) bemessenen Löhne verrechnet werden, welche Personen bezahlt werden, die in Betrieben Verwendung finden, für welche die Satzung einer Lohnkommission gilt; auch können sie davon Abschrift nehmen oder Auszüge anfertigen.

Fabriksgesetznovelle vom 24. Dezember 1896:

§ 4. (2) Ungeachtet anderweitiger Bestimmungen soll die Satzung einer Spezialkommission für die Zurichtung oder Herstellung von Möbelwaren, wo das immer tunlich erscheint, sowol ein Stücksatz, als auch ein nach der Zeit bemessener Preis oder Lohnsatz sein. Der Stückpreis oder Stücklohn ist auf Grundlage des von der Kommission festgesetzten Zeitsatzes zu bestimmen.

Fabriksgesetznovelle vom 20. Februar 1900:

§ 26. Wenn eine Satzung sowol nach Stück wie nach der Zeit erstellt wird, sind die Stückpreise oder -löhne auf Basis der Zeitlöhne, bezw. -preise festzusetzen. Doch darf der Rechtsbestand keiner Satzung unter dem Titel in Frage gestellt oder angefochten werden, daß der Stücksatz höher oder geringer ist, als dem Zeitlohn genau entspricht.

§ 25. Hat eine Spezialkommission Satzungen im Sinne dieses Gesetzes erstellt, soll sie auch die wöchentliche höchste Stundenzahl festsetzen, für welche die Satzung gemäß der Natur und den Bedingungen der Arbeit gilt. Die für eine kürzere Gesamtarbeitszeit zu zahlenden Preise oder Löhne dürfen nicht geringer sein, als dem Verhältnis zu jenen der Satzung *pro rata temporis* entspricht. Für jeden männlichen Arbeiter über sechzehn Jahre, der zeitweilig über die fixierten

Maximalstunden hinaus arbeitet, hat die Kommission inbetreff dieser Überarbeit erhöhte Sätze festzusetzen.

Fabriksgesetznovelle vom 20. Februar 1900:

(Fortsetzung des § 15.) (10) Kommissionen, welche im Sinne dieses Paragraphen Preis- oder Lohnsatzungen feststellen, haben auch die Zahl oder Verhältniszahl von Lehrlingen und jugendlichen Arbeitern oder beider Kategorien zu bestimmen, welche in einer Fabrik oder Werkstelle, einem Geschäft oder sonstigen Raum beschäftigt werden dürfen, und für die Arbeit solcher Lehrlinge und jugendlichen Arbeiter, falls sie in Gänze oder teilweise Waren zurichten oder verfertigen, auf welche die Satzung einer Kommission sich bezieht, gleichfalls Mindestpreise oder -löhne zu bestimmen. Hiebei hat die Kommission das Alter, das Geschlecht und die besonderen Kenntnisse eines solchen Lehrlings oder jugendlichen Arbeiters zu berücksichtigen und die Satzung danach festzustellen.

Sie kann auch eine verschiedene Verhältniszahl der männlichen und der weiblichen Lehrlinge, bezw. jugendlichen Hilfsarbeiter festsetzen.

(11) Jede Person, welche (sei es direkt oder indirekt, unter irgendeinem Vorwand oder in irgendwelcher Absicht) eine Person als Lehrling oder jugendlichen Arbeiter zur Zurichtung oder Verfertigung eines in der Satzung bestimmten Gegenstandes zu einem geringeren Preise oder Lohne oder Stücksatz, als festgesetzt ist, verwendet oder dessen Verwendung gestattet — oder wer Lehrlinge oder jugendliche Arbeiter über die Zahl oder Verhältniszahl hinaus beschäftigt, welche gemäß diesem Paragraphen festgesetzt wurde — oder wer der Übertretung irgendeiner der Bestimmungen dieses Paragraphen schuldig ist, ist der Verletzung dieses Gesetzes schuldig und nach Überführung für die erste Übertretung mit einer Geldstrafe bis zu 10 £, für die zweite Übertretung mit einer Strafe zwischen 5 und 25 £ und für jede

dritte und weitere Übertretung mit einer Geldstrafe
zwischen 50 und 100 £ zu belegen; ferner ist die
Registrierung der Fabrik oder Werkstelle einer Person,
welche auf Grund dieses Paragraphen wegen einer
dritten Übertretung verurteilt wurde, ohneweiters
durch den obersten Gewerbeinspektor fernerhin zu
untersagen.[1])

(12) In diesem Paragraph schließt die Bezeichnung »Bekleidungsgegenstände« Stiefel und Schuhe,
sowie alle sonstigen Bekleidungsgegenstände in sich.

(13) Der Beschluß jeder Kommission ist vom
Obmann zu fertigen und in der »Government Gazette«
zu veröffentlichen. Derselbe gilt für jene Städte,
Flecken, Landbezirke oder Teile von Landbezirken,
für welche er vom Statthalter durch ausdrückliche
Bezeichnung in der »Government Gazette« kundgemacht
wurde.

(14) Die Vorweisung eines Exemplares der »Government Gazette«, worin der Beschluß einer Spezialkommission enthalten ist, vor Gericht, hat Beweiskraft
darüber, daß diese Schlußfassung gehörig zustande
kam und zu Recht besteht, sowie daß die bezügliche
Kommission rechtskräftig bestellt und alle vorläufigen
Schritte, welche zur Fassung eines solchen Beschlusses
notwendig sind, rechtskräftig erfolgt waren.

(15) Hat eine Kommission im Sinne des Gesetzes
für die gänzliche oder teilweise Zurichtung oder Verfertigung von Waren einen Stückpreis festgesetzt
und hiebei einzelne Arbeitsverrichtungen besonders
aufgezählt, und werden von der Betriebsleitung mit
ausdrücklicher oder stillschweigender Einwilligung
des Inhabers der Fabrik oder seines Geschäftsführers
oder Werkführers oder Agenten einzelne solcher Verrichtungen unterlassen, so wird dadurch der für die
Arbeit zu zahlende Preis nicht beeinflußt, sondern es
gilt — wenn im Beschluß der Kommission nichts

---

[1]) Diese Maßregel entspricht unserer Entziehung des Gewerbescheines.

anderes bestimmt wurde — der festgesetzte Preis für
die Gesamtarbeit.

(16) Hat eine Kommission in ihrem Beschluß
für die innerhalb oder außerhalb einer Fabrik oder
Werkstätte vorgenommene gänzliche oder teilweise
Zurichtung oder Verfertigung von Waren oder für
das Verrichten einer Arbeit lediglich einen Zeitlohn
festgesetzt, ist es verboten, dafür einen Stücklohn
auszuzahlen oder die Ermächtigung oder Erlaubnis
zur Zahlung eines derartigen Lohnes zu erteilen;
die Quittung oder Bescheinigung über den Erhalt
eines Stücklohnes entbindet dann nicht von der
Zahlung.

(17) Wurden in der Satzung die Löhne der Lehrlinge oder der jugendlichen Arbeiter nach ihren Kennt-
nissen oder der Dauer ihrer Verwendung im Betriebe
abgestuft, so sind dieselben berechtigt, zu verlangen,
daß ihnen die Zeit, während welcher sie schon als
Lehrlinge, bezw. jugendliche Arbeiter im Gewerbe
überhaupt beschäftigt waren, in die Zeit ihrer Verwendung im besonderen Betriebe eingerechnet werde.

(18) Anstatt in der Satzung die Stückpreise oder
-löhne einzeln anzuführen, kann die Kommission gestatten, daß die Unternehmer selbst auf den Zeit-
lohnsätzen der Kommission beruhende Stückpreise
oder -löhne unter den nachfolgenden Bestimmungen
festsetzen:

(19) Der Unternehmer, welcher demgemäß Stückpreise oder -löhne zahlt, soll diese festsetzen auf
Grund des Verdienstes eines durchschnittlichen Arbeiters, der im Zeitlohn unter gleichen Verhältnissen
arbeitet wie jene, für welche er die Sätze feststellt.
Der Unternehmer hat dem obersten Gewerbeinspektor
auf Verlangen die bezügliche Aufstellung der Preise
zu übermitteln, worauf ihm der oberste Gewerbeinspektor, wenn er es für richtig hält, schriftlich mitteilen kann, daß er diesen Sätzen nicht zustimme.
Wenn es der Unternehmer wünscht, hat der oberste

Gewerbeinspektor hierauf die Sache der Spezialkommission vorzulegen, welche die Satzung untersagen und Preise, bzw. Löhne festsetzen kann, wie
sie ihrer Anschauung nach durch diesen Unternehmer
den Verhältnissen gemäß zu zahlen wären. Sind die
durch die Kommission auf solche Art festgesetzten
Preise oder Löhne höher als jene, die der Unternehmer
festgesetzt und bezahlt hat, so hat er jedem seiner
Arbeiter für den Zeitraum zwischen der ersten Nach-
richt des obersten Gewerbeinspektors und der Festsetzung durch die Kommission das zweifache des
Unterschiedes zwischen den von ihm selbst bestimmten und bezahlten Preisen, bzw. Löhnen und jenen,
welche die Spezialkommission bestimmt hat, auszuzahlen. Insolange der oberste Gewerbeinspektor die
bezügliche Verständigung nicht ergehen läßt, gelten
die Sätze als entsprechend. Erhebt der Unternehmer
nicht innerhalb einer Woche nach der Verständigung
durch den obersten Gewerbeinspektor die Forderung,
daß die Satzung der Spezialkommission vorzulegen
ist, gelten die bemängelten Sätze von dem Zeitpunkte
ab, an welchem der oberste Gewerbeinspektor seine
Verständigung erlassen hat, als nicht entsprechend.

(20) Wer auf diese Weise eine nach dem Stück
bemessene Satzung festgesetzt hat und direkt oder
indirekt — unter welchem Vorwand und in welcher
Absicht immer — einen von der Spezialkommission
beanständeten oder einen unter der von ihr festgetz-
ten Satzung bleibenden Stückpreis oder -lohn jemand
zahlt, anbietet, zu zahlen versucht, gestattet, daß derselbe jemand angeboten werde oder eine der Bestimmungen des vorausgehenden Absatzes übertritt,
unterliegt den Strafen, welche auf die Außerachtlassung dieses Paragraphen gesetzt sind.

(21) Im Verfahren wegen Übertretung der vorausgehenden Bestimmungen der Absätze 19 oder 20
obliegt dem Beschuldigten der Nachweis, daß ein
Stückpreis oder Stücklohn, welcher derart durch den

Unternehmer festgesetzt oder bezahlt worden ist, den Bestimmungen des Gesetzes entspricht.

(22) Wird dem obersten Gewerbeinspektor hinlänglich nachgewiesen, daß eine Person infolge Alters oder Hinfälligkeit nicht imstande ist, zu dem durch eine Spezialkommission festgesetzten Minimallohne Arbeit zu finden, kann der oberste Gewerbeinspektor dem betreffenden alten oder invaliden Arbeiter eine Lizenz für 12 Monate gewähren, auf Grund deren er zu einem (in der Ermächtigung anzuführenden) geringeren Lohne als jenem der Satzung arbeiten darf. Diese Lizenz kann auch erneuert werden.

(23) Wer einer derartigen alten oder invaliden Person direkt oder indirekt unter welchem Vorwand oder in welcher Absicht immer einen geringeren als den durch den obersten Gewerbeinspektor in der Lizenz festgesetzten Preis oder Lohnsatz zahlt oder anbietet oder gestattet, daß ihr durch jemand ein solcher Satz angeboten oder gezahlt werde, übertritt dieses Gesetz.

(24) Verweigert der oberste · Gewerbeinspektor die Erteilung der erwähnten Lizenz an eine derartige Person, ist der Rekurs an den Minister zulässig, welcher sodann die Lizenz erteilen kann.

(25) Während der ersten drei Monate der Wirksamkeit dieses Gesetzes kann niemand einer Übertretung der vorstehenden Bestimmungen über die Verhältniszahl der beschäftigten Lehrlinge oder jugendlichen Arbeiter schuldig erklärt werden, mag auch deren Gesamtzahl die zulässige Anzahl überschritten haben.

(26) Überhaupt ist niemand der Übertretung dieses Gesetzes schuldig, wenn er dartut, daß er während dreier Monate vor der Aufdingung des zuletzt aufgenommenen Lehrlings eine solche Zahl von Lehrlingen und jugendlicher Arbeiter beschäftigte, daß er zur Zeit der Aufdingung zum Halten der

fraglichen Anzahl von Lehrlingen (einschließlich des zuletzt aufgenommenen) berechtigt erschien.

Fabriksgesetznovelle vom 27. September 1897:

§ 6. Der Statthalter kann durch einen in der *Government Gazette* zu veröffentlichenden Erlaß jederzeit die Wirksamkeit des Beschlusses jeglicher Spezialkommission für die Dauer bis zu sechs Monaten suspendieren. Auf die Rechtskraft eines derartigen Erlasses hat die Veröffentlichung in dem genannten Amtsblatt keinen Einfluß. Ist die Suspension erfolgt, so hat die zuständige Spezialkommission Expertenaussagen entgegenzunehmen und zu prüfen, und sodann ihren Beschluß aufrecht zu erhalten oder abzuändern.

Werden hiebei Abänderungen beschlossen, ist die abgeänderte Satzung in der *Government Gazette* kund zu machen; sie gilt dann für alle Zwecke als der Beschluß der Kommission und besteht von diesem Datum an zu Recht in allen Gebieten, für welche sie dem Gesetze gemäß in der abgeänderten Form kundgemacht wurde; der suspendierte Beschluß hingegen bleibt weiterhin außer Kraft.

Teilt jedoch die Kommission dem Minister mit, daß sie bei ihrem Beschluß ohne Abänderung verharrt, ist die Suspension durch Ministerialverordnung rückgängig zu machen. Diese Verordnung ist in der *Government Gazette* zu veröffentlichen mit einer Rechtskraft, die spätestens nach vierzehn Tagen beginnt.

Fabriksgesetznovelle vom 20. Februar 1900:

§ 16. (1) Die Rechtsgiltigkeit eines tatsächlich oder vorgeblich von einer Spezialkommission gefaßten Beschlusses kann vor dem obersten Gerichtshof angefochten werden. Hiezu ist die Abgabe einer eidlichen Erklärung erforderlich, mit dem Antrag, vom obersten Gewerbeinspektor den Nachweis der Gründe zu fordern, weshalb die betreffende Bestimmung nicht ganz oder teilweise wegen Ungesetzlichkeit aufgehoben werden soll. Der oberste Gerichtshof kann demgemäß erkennen oder den Einschreiter mit oder ohne Kostenpflicht abweisen.

(2) Jeder Beschluß einer Spezialkommission gilt, insofern und insolang er nicht auf diesem Wege aufgehoben wurde, als rechtskräftig, hat die Wirkung, als wenn er in dieses Gesetz aufgenommen wäre und kann in keiner sonstigen Weise angefochten oder in Frage gestellt werden. Wol aber kann jeder derartige Beschluß durch einen weiteren, dem Gesetz gemäß gefaßten Beschluß einer Kommission aufgehoben oder abgeändert werden.

§ 17. (1) Eine besondere Kommission gemäß dem Gesetze ist zur Bestimmung der Mindestlöhne oder -preise zu bestellen für Personen oder Klassen von Personen, welche Möbel ganz oder zum Teile herstellen oder andere als in Sägemühlen hergestellte, zu übermalende Holzverkleidungen und -einfassungen oder welche Matratzen oder Bettwaren verfertigen.

(2) Desgleichen ist eine solche Kommission für die Brotbereitung oder das Brotbacken, sowie für die Erzeugung von Teigwaren zu bestellen.

§ 18. Der Benützer eines Raumes, worin andere als ihm durch Blut oder Ehe im ersten oder zweiten Gliede verwandte Personen einer Arbeit obliegen, welche den Bestimmungen einer Spezialkommission untersteht, hat, wenn der Arbeitsraum nicht als Fabrik oder Werkstätte registriert ist, dem obersten Gewerbeinspektor seinen vollen Namen und die Adresse der Lokalität (unter Angabe der Straße und Nummer) mitzuteilen. Die Bestimmungen der Absätze 1, 3 und 5 des § 12 des Fabriksgesetzes vom Jahre 1896 finden auf jeden solchen Raum Anwendung. Bezüglich desselben, seines Besitzes, dessen Agenten, Bediensteten, Angestellten, der Bücher, Register oder Dokumente hat jeder Fabriksinspektor dieselben Befugnisse,

welche ihm auf Grund § 11 des Fabriksgesetzes inbezug auf Fabriken oder Werkstätten zustehen.

§ 19. Der Statthalter kann in der im § 63 des Fabriksgesetzes vorgesehenen Weise über die Entlohnung
des Obmannes oder der Mitglieder der Spezialkommission für die Teilnahme an deren Beratungen Beschluß fassen.

§ 20. Werden Leute von Unternehmern in Gewerben beschäftigt, rücksichtlich welcher durch eine Spezialkommission Mindestlöhne oder -preise festgesetzt
wurden, hat die erwähnte Spezialkommission, wenn
sie durch den Statthalter über Kronratsbeschluß dazu
ermächtigt worden ist, in Gemäßheit des § 16 dieses
Gesetzes die niedersten Preise oder Lohnsätze festzustellen, welche durch einen Unternehmer solchen
Leuten für die gänzliche oder teilweise Herstellung
und Bearbeitung von Waren welcher Art immer zu
zahlen sind, mag die Arbeit innerhalb einer Fabrik,
bzw. eines Werkraumes oder außerhalb derselben
erfolgen.

§ 21. Wurden über Beschluß einer Spezialkommission für
die gänzliche oder teilweise, innerhalb oder außerhalb
einer Fabrik oder Werkstätte erfolgende Zurichtung
oder Bearbeitung von Waren oder für das Verrichten
einer Arbeit nach dem Stück oder nach der Zeit bemessene Löhne oder Preise festgesetzt, soll niemand,
sei es direkt oder indirekt, verhalten oder gezwungen
werden, statt Geldes oder an Zahlungsstatt oder als
Teilzahlung oder statt des verdienten Lohnes Waren
irgendwelcher Art anzunehmen; auch soll die Annahme oder Bescheinigung über irgendwelche Waren
nicht der Zahlung oder Teilzahlung der Arbeit, bzw.
der Löhne gleichgehalten werden.

§ 22. Werden Leute mit einer Arbeit beschäftigt, für welche
eine Spezialkommission die niedrigsten Preise oder
Löhne festgesetzt hat, soll diesen Personen der festgesetzte Preis oder Lohn ohne jeden Abzug in klin-

gender Münze bezahlt werden. Im gegenteiligen Falle kann vom Berechtigten innerhalb zwölf Monaten nach der Zahlung beim kompetenten Gerichte gegen den Unternehmer der volle, dem Beschlusse der Kommission entsprechende Betrag gefordert werden, wie wenn überhaupt keine Zahlung geleistet worden wäre. Bezügliche Verzichte und Übereinkommen sind rechtsungiltig.

§ 23. Der Statthalter kann durch in der *Government Gazette* veröffentlichten Erlaß bestimmen, daß die vor wie nach Inkrafttreten dieses Gesetzes bestellten Spezialkommissionen in Regulativen, Beschlußfassungen, Aufträgen oder sonstigen Dokumenten für jeglichen Zweck mit einer abgekürzten Benennung bezeichnet werden.

§ 24. Wer, direkt oder indirekt, unter welchem Vorwande oder in welcher Absicht immer, für die Aufnahme oder Verwendung einer weiblichen Person als Lehrling oder jugendlicher Arbeiter zur Zurichtung oder Bearbeitung von Kleidungsstücken oder Bekleidungsgegenständen ein Lehrgeld, eine Gabe oder Entschädigung verlangt oder deren Zahlung, bzw. Hingabe gestattet oder wer dieselbe entgegennimmt, ist einer Übertretung schuldig, bei deren Nachweis er einer Strafe bis zu 10 £ unterliegt. Wer die beanstandete Gabe geleistet, kann sie vom Empfänger beim zuständigen Gericht wieder einfordern.

Fabriksgesetznovelle vom 28. Juli 1896:

§ 16[1]) Niemand darf in einer Fabrik oder Werkstelle oder sonstwie mit der gänzlichen wie teilweisen Zurichtung, bzw. Verfertigung von Waren für den Handel oder Verkauf beschäftigt werden, dessen Wochenlohn nicht wenigstens zwei Schillinge sechs Pence beträgt. In Betrieben, welche keine Fabrik oder Werkstätte im

---

[1]) Abgeändert durch § 27 der Novelle vom 20. Februar 1900, Z. 1654.

Sinne des Gesetzes bilden, gilt diese Bestimmung nicht für Familienangehörige des Unternehmer, welche mit ihm durch Blut oder Ehe im ersten oder zweiten Glied verwandt sind.

Neu-Südwales und Queensland.

Das neu-südwaleser Fabriksgesetz vom 16. November 1896, Z. 37[1]), bestimmt in den §§ 14 und 15, daß jeder Fabriksbesitzer sowie jeder Verleger von Bekleidungswaren — einschließlich Schuhwerk — eine Liste seiner Außerhausarbeiter zu führen hat, worin Namen, Adressen und die jeweiligen Lohnsätze einzutragen sind. Abschriften oder Auszüge dieser Listen sind dem Gewerbeinspektor auf Wunsch zuzumitteln. Unterlassungen haben Geldstrafen bis zu 10 £ zur Folge.

§ 16 auferlegt den Gewerbeinspektoren rücksichtlich des Inhaltes der Listen Amtsverschwiegenheit.

Das Fabriksgesetz von Queensland vom 21. Dezember 1896, Z. 29[2]), enthält die nämlichen Bestimmungen in den gleichen Paragraphen.

Süd-Australien.

Das Fabriksgesetz vom 5. Dezember 1900[3]), Z. 752, ordnet im § 11 an, daß jeder Fabriksbesitzer sowie jeglicher Verleger eine Liste seiner Außerhausarbeiter zu führen und darin sowol Art als Menge der ihnen übertragenen Arbeit und die ihnen jeweils gezahlten Preise zu verzeichnen hat. Diese Liste unterliegt der Einsicht des Gewerbeinspektors. Der oberste Gewerbeinspektor kann eine Abschrift derselben einfordern und in Fällen einer Gesetzübertretung mit Genehmigung des Statthalters Einzelheiten daraus im Amtsblatte veröffentlichen.

Nach § 12 haben alle Außerhausarbeiter persönlich oder schriftlich ihre Namen und Adressen dem Gewerbe-

---

[1]) [2]) An Act to make provision for the supervision and regulation of Factories, etz.

[3]) An Act to amend the Law relating to Factories.

inspektor von Zeit zu Zeit anzugeben. Die bezüglichen Anmeldungen werden postfrei befördert, wenn sie den Vermerk tragen: *Factories Acts*. Die Außerhausarbeiter haben überdies rücksichtlich ihrer Verleger und der von ihnen erhaltenen Preise oder Lohnsätze dem Gewerbeinspektor alle Auskünfte zu geben. Jede Übertretung dieses Paragraphen begründet eine Geldstrafe bis zu zehn Schillingen für jeden Fall.

III.

Die Zentralwerkstätten der Verlagsarbeiter.

Zentralwerkstätten, Arbeitsgruppen oder Gewerkschaftsateliers sind Arbeitsstellen, welche für Verlagsarbeiter errichtet werden, um die Nachteile ihrer räumlichen Isolierung zu beheben.

Die räumliche Zusammenfassung begründet für sie unmittelbar wirtschaftliche Lasten: sie müssen nun für die Kosten der Werkstätte aufkommen, welche sonst der Unternehmer trägt. Doch besitzt die Zentralisation auch eine Reihe von Vorzügen. Sie bietet Aussicht, die hygienischen und kulturellen Nachteile zu beheben, die sich aus der Arbeit im Wohnraum, aus übermäßig langer Arbeit und aus dem Lohndruck ergeben. Nun kann die Einhaltung einer festen Arbeitszeit und die Durchführung eines festen Lohntarifes seitens der Verlagsarbeiter ins Auge gefaßt werden und die Einführung eines mechanischen Betriebes sowie die Überleitung der Arbeitergruppe in eine Produktivgenossenschaft tritt in den Bereich der Möglichkeit.

In England, wo man häufig Fabriksgebäude und Werkstätten mit motorischer Kraft mietet, werden von Privatunternehmern auch einzelne Plätze in öffentlichen Werkstellen an Verlagsarbeiter der Schneiderei vermietet.

Im Gegensatz hiezu wird die Errichtung von Zentralwerkstätten der Heimarbeiter als Angelegenheit des Gewerbes behandelt. Ihre Kosten haben zunächst die

Gewerkschaften der Werkstattarbeiter vorgestreckt. War die Zentralwerkstätte eingerichtet, so deckten meist die Mietbeiträge der die Werkstelle benützenden Arbeiter die Betriebskosten. Jeder arbeitet dort für eigene Rechnung, und alle Teilnehmer tragen gemeinsam die Kosten der Arbeitsstelle.

In der Schweiz bestanden (in Bern und in Lausanne) eine Zeit lang gemeinsame Werkstätten verlegter Schuhmacher; diejenige in Bern erhielt sich von 1883 bis 1895, während jene in Lausanne schon nach zwei Jahren aus Mangel an Mitteln einging. Die Heimarbeiter der Schneiderei aber, für welche in den achtziger Jahren in Zürich, Lausanne wie Genf gemeinsame Arbeitsstätten errichtet wurden, konnten diese bis jetzt erhalten.

Anderseits entstanden in Wien in den neunziger Jahren Heimarbeitsgruppen, und zwar in der Meerschaumbildhauerei, in der Pfeifendrechslerei und in der Muschelknopfdrechslerei. Diese erhielten bereits aus öffentlichen Mitteln, nämlich von der niederösterreichischen Handels- und Gewerbekammer, periodisch Subventionen.

Eine neue Entwicklung hebt nun an, da auch in Bern die öffentliche Unterstützung solcher Werkstätten, und zwar fortlaufend erfolgen soll. Wir wollen indes zunächst über die aus eigener Kraft errichteten Gewerkschaftsateliers berichten.

A. Die genfer Schneider wandten sich im Jahre 1889 an die Stadtverwaltung, damit diese als Eigentümerin mehrerer Häuser ein passendes Lokal zur Errichtung eines Zentralateliers für die daheim beschäftigten oder gegen Entrichtung eines Platzgeldes in fremden Werkstätten eingemieteten Verlagsarbeiter gewähre. Der Stadtrat anerkannte vollkommen, daß es den hygienischen Anforderungen besser entspricht, wenn die Arbeiter ihrer Beschäftigung in besonderen Räumlichkeiten obliegen; so gern er aber einschlägige Bestrebungen unterstützen möchte, könne er dies nicht, weil im Falle der Subventionierung der Schneider-

gewerkschaft alle anderen Gewerkschaften ein gleiches
verlangen würden, wozu die Mittel des Rates nicht aus-
reichen.

Indes gestattete der Rat der Gewerkschaft die Abhaltung einer »Tombola«, ohne Abgaben einzuheben. Diese
Veranstaltung brachte über 400 Franks ein und im weiteren
wurden 100 unverzinsliche Anteilscheine zu 5 Franks ausgegeben. Die noch fehlenden einigen hundert Franks
streckte die Gewerkschaft vor.

Das alsbald eröffnete Lokal (rue Grenus 8) umfaßt
vier Zimmer; darin befinden sich sechs Nähmaschinen und
drei Bügelöfen; 25 Bügeleisen und andere Bügelgeräte
ergänzen die Ausrüstung.

Von den 450—500 männlichen und weiblichen Schneidergehilfen in Genf arbeiten etliche dreißig hier. Jeder Arbeiter entrichtet wöchentlich einen Frank Platzgeld und
überdies 3% seines Verdienstes, wofür die Benützung der
Maschinen gestattet und deren Zubehör (Nähseide und
Zwirn, Nadeln, Öl, Lappen und dergleichen) geliefert
wird. Die Beiträge decken überdies die Kosten der Feuerung,
Miete, Beleuchtung und Reinigung. Auch ist das Darlehen
der Gewerkschaft bereits seit langem zurückerstattet. In
der stillen Zeit, wenn die Kundenarbeit abnimmt, wird für
Konfektionäre gearbeitet. Dann steigt die Abgabe auf 5%,
weil »viel mehr Maschinenzugehör verausgabt wird«.

Die strenge Einhaltung eines Lohntarifes ließ sich
infolge der Verschiedenheiten der Arbeiten und der geringen
Zahl der Teilnehmer am Zentralatelier nicht erreichen.
Jeder Arbeiter holt die Aufträge und vereinbart mit dem
Geschäftsinhaber einzeln die Arbeitsbedingungen. Und wenn
die Konjunktur angeht, trachten die Gehilfen vor allem,
Arbeit zu bekommen, um die in der schlechten Zeit ge-
machten Schulden abzutragen.

Auch inbezug auf die Arbeitszeit scheint hier keine
strenge Norm zu bestehen, da die Zentralwerkstätte nicht
unter das Fabriksgesetz fällt, und hinsichtlich der Verkürzung der Arbeitszeit wurde von den Teilnehmern so-

viel wie nichts erreicht, da die Konkurrenz der Unorganisierten zu groß ist. —

Eine ähnliche Zentralwerkstätte für Schneider besteht
seit Januar 1887 in Lausanne. Zu ihrer Errichtung streckte
die Schneidergewerkschaft 650 Franks vor. Sie besteht aus
einem Raum von 7 Meter Länge und 6⁸/₄ Meter Breite
sowie aus einer Nebenkammer im »Hotel Winkelried« und
wird von 18 Personen benützt. Das Arbeitszimmer enthält
zwei Nähmaschinen, einen großen Bügelofen, 16 Bügeleisen
und Bügelbretter. Die Arbeitszeit währt im Sommer von
7 Uhr früh bis 7 Uhr abends, im Winter von 8 bis 8 Uhr.
Die Arbeiter zahlen pro Woche 1 Frank Sitzgeld, ferner
einen Beitrag von 60 bis 70 Centimes für ein Großstück, von
20 Centimes für ein Kleinstück und von 10 Centimes pro
Stunde für die Benützung der Werkstelle außerhalb der
reglementmäßigen Zeit. Die Erhaltungskosten der Betriebsstätte belaufen sich im Jahre auf 1300 bis 1400 Franks, doch
sollen die Beiträge mehr einbringen, damit sich ein Fonds
für spätere Nachschaffungen ansammle. —

Die Zentralwerkstätte der Schneider in Zürich wurde
am 1. März 1887 eröffnet. Die Zahl der züricher Schneider
beträgt an 600, der Werkstättenangehörigen 18 bis 20. Die
Einrichtungskosten betrugen 600 Franks, wovon die Hälfte
vom Fachverein der Schneidergehilfen, die Hälfte vom
Verband der Schneidermeister vorgeschossen wurde. Das
Lokal liegt im ersten Stocke eines Hintergebäudes der
Kirchgasse (Nr. 19, Blaue Fahnenstraße Nr. 12) und besteht
aus zwei Zimmern, wovon eines 5, das andere 15 Arbeits-
plätze auf einem ¹/₄ Meter hohen Podium hat, auf dem die
Leute kauern. Mieter des Lokales, Eigentümer der Einrichtung ist der genannte Fachverein, welcher auch »für
die Aufrechterhaltung der Werkstätte bürgt«. Die Miete
erfordert 680 Franks im Jahr. Anspruch auf einen Arbeitsplatz haben Mitglieder des Fachvereines (dessen Mitglieder-
zahl an 200 beträgt) nach der Reihe der Anmeldung.
Werkmittel sind: 1 Zuschneide- und Bügeltisch, 3 Nähmaschinen und 1 Bügelofen mit 12 Eisen. (Die Scheren
sind Eigentum der Arbeiter.) Jeder Teilnehmer entrichtet

eine feste Platzmiete von 1 Frank per Woche und einen
Beitrag für die Benützung der Hilfsmittel, so daß bei einem
Überzieher, für den 18 bis 20 Franks Lohn bezahlt werden,
ein Pauschale von 70, für einen Gehrock von 60 Centimes
usw. abzuführen ist. Für Überstunden wird ein besonderer
Beleuchtungszuschlag von 10 Centimes per Stunde erhoben.
Die Werkstätte kann im Sommer von 6 Uhr früh bis
8 Uhr abends, im Winter von 7 bis 7 Uhr benützt werden.
Nachtarbeit ist zu beschränken, dabei möglichst Ruhe zu
halten, »um den Nachbarn keinen Anlaß zu Reklamationen
zu geben.[1] Die Abrechnung erfolgt in der Regel nach der
Woche; da leistet zugleich jeder seinen Mitgliedsbeitrag
an den Fachverein und 10 Centimes pro Kopf und Woche
für die Kosten der Fachblätter, welche im Lokal in
Rahmen aufliegen.

Teilnehmer der Werkstätte sind nur Gehilfen; meist
solche von Maßschneidern der Herrenbranche. Bei Damen-
kleidern verbietet in der Regel die Natur der Arbeit die
Ausgabe außer Hause; Konfektionsarbeitern jedoch ist es
meist unmöglich, an der Werkstätte teilzunehmen, weil die
Auslagen, die ihnen dort erwachsen (wöchentlich $2\frac{1}{2}$ bis
3 Franks) im Verhältnis zum Verdienst in dieser Branche
zu hoch sind. Ausnahmsweise haben weibliche Hilfsarbeiter
in der Werkstätte gearbeitet. Die Teilnehmer beschränken
sich übrigens nicht auf Arbeiten für Meister, sondern
müssen nach Möglichkeit auch für Kunden arbeiten. Bezüglich der Ausführung der Arbeiten besteht zwischen den
Teilnehmern keinerlei Zusammenhang. Jeder erhält Arbeit
von seinem Verleger und stellt sie vollständig fertig. Die
Kleiderstoffe werden von den Meistern zugeschnitten mitgegeben und das Zugehör (mit Ausnahme von Zwirn und
Nadeln) zugemessen. Der einzelne und nicht die Gruppe
übernimmt die Aufträge: diese werden auch nicht etwa
von der Gruppenleitung unter den Sitzgesellen auf-
geteilt.

[1] Weitere Bestimmungen: gewohnheitsmäßige Blaumacher werden
nicht geduldet; die Maschinen sind wöchentlich abwechselnd von je drei
Mann zu reinigen.

Der Lohntarif ist vom Meisterverein genehmigt und nach der Qualität der Arbeitsleistung in 25 Punkten spezialisiert. Im Falle von mehr Anproben, als normal sind, und sich ergebenden Abänderungen werden Zuschläge gemacht.

Der Lohntarif wird auch von den dem Fachverein nicht angehörigen Gehilfen des Gewerbes streng eingehalten, so daß in Zürich den Werkstättenarbeitern, wie es scheint, von Seite der Außenstehenden eine Konkurrenz nicht erwächst. In der toten Saison werden allerdings die Ansätze nicht immer eingehalten. Die Werkstättenteilnehmer müssen nämlich auch in dieser Zeit die Platzmiete bezahlen, wenn sie ihren Platz nicht verlieren wollen.

Lehrlingsausbildung findet nicht statt, sondern erfolgt bei den Meistern. Lohnstreitigkeiten sollen vor einem Schiedsgerichte ausgetragen werden; diese Vorschrift wurde jedoch noch nicht angewendet.

Die Arbeiter sind ganz spezialisiert; der eine macht bloß Westen, der andere Beinkleider usw.; ihre weitere Ausbildung ist dadurch gewährleistet, daß der Fachverein für seine Mitglieder von Fall zu Fall nach Bedarf Zuschneidekurse abhält.

Die Teilnehmer betrachten ihre Vereinigung als einen großen Vorteil gegenüber der Arbeit in der eigenen Wohnung. Sie betonen, daß das Zusammensein in der Werkstätte eine organisatorische Wirkung übt. Wol aus diesem Grunde verweigern zwei größere züricher Firmen schlechthin, Arbeit an Teilnehmer der Werkstätte auszugeben. Trotz der gebotenen Vorteile wird von den Teilnehmern die Errichtung von Betriebswerkstätten durch die Meister oder die Gewährung öffentlicher Beiträge als Ziel bezeichnet. Während der stillen Geschäftszeiten mußte die Gewerkschaft wiederholt das Defizit der Werkstätte bestreiten. Auch wurde eine Subvention der Stadtverwaltung angesprochen. —

In Österreich wurde das Sitzgesellenwesen im Gewerbe der Meerschaumbildhauer in weitergehendem Maße aufgehoben. Auch hier ist die Zentralwerkstätte eine gewerkvereinliche Schöpfung.

Die Blüte der Meerschaumschnitzerei fiel in die Zeit von 1865 bis 1873. Die »Bildhauer« unter den Meerschaumarbeitern sollen damals die Werkstätten der »Rauchwaren« erzeugenden Meister verlassen haben, weil sie die Beobachtung machten, daß ihre Löhne desto schwerer zu steigern seien, je mehr Stücke sie fertigstellten. Um den Meistern den Überblick über ihre Leistungen und Einnahmen zu benehmen und eventuell gleichzeitig für mehrere »Fabrikanten« zu arbeiten, verließen sie deren Werkstätten. Daheim konnten sie die Arbeitszeit beliebig ausdehnen, und die Masse ihrer Erzeugnisse konnte keine Rückwirkung auf die Löhne aus dem Grunde üben, daß der Unternehmer der Meinung war, der Bildhauer bringe bereits »genug« ins Verdienen. Die Meister stimmten der Heimarbeit zu, da sie dadurch an Auslagen ersparten und den freiwerdenden Raum mit Meerschaum- und Bernsteindrechslern und Pfeifenschneidern besetzen konnten — welche die geschwungenen Formen aus freier Hand schnitzen, bzw. die glatten Leiber der Zigarrenspitzen und glatte Pfeifenköpfe auf der Drehbank herstellen. Die in der Ära der Massenerzeugung also entstandene Heimarbeit lag zunächst im Interesse beider Teile und kam dem Drange nach Erweiterung der Betriebe entgegen.

Die daheim schnitzenden Meerschaumbildhauer setzten aber, meist ohne sich gewerbebehördlich anzumelden, ihrerseits Lehrjungen an, wurden also zu meist unbefugten Zwischenmeistern. Sie vollzogen die Arbeit an den Rohprodukten, welche ihnen der »Fabrikant« ins Haus gab. In verschiedenen Stadien der Arbeit wurden die Stücke wieder in den Betrieb des Unternehmers gebracht, dann wieder an Heimarbeiter übergeben, bis das Produkt in der Werkstätte des Verlegers adjustiert und schließlich an das Rauchwarenmagazin oder an den Exporteur abgeliefert wurde.[1])

---

[1]) Vgl. meinen Aufsatz: Aufhebung des Sitzgesellenwesens durch die Arbeiter, in der Zeitschrift für Volkswirtschaft, Sozialpolitik und Verwaltung Wien, 1894, S. 153 fg.

Als nach 1873 die Konjunktur sich änderte, drängten sich die Heimarbeiter um Arbeit, und die Löhne fielen rasch. Mit dem weiteren Rückgang des Geschäftes nahm die Zahl der Lehrlinge und der Sitzgesellen rasch ab. Eine Auslese der arbeitskräftigsten und genügsamsten Elemente vollzog sich; nur mehr jene konnten bestehen, die besonders viel und besonders wolfeil erzeugten; die übrigen wurden vom Gewerbe abgedrängt.

An die Stelle der hausindustriellen Zwischenmeistereien der Bildhauer traten nun allmählich Betriebe vereinzelter Heimarbeiter, deren manuelle Schleunigkeit ungemein entwickelt war und die vermöge ihrer Bedürfnislosigkeit beim Gewerbe ausharrten. Mit der Not nahm auch das technische Können der Arbeiter ab. Wolfeilheit der Arbeit verwüstete die Arbeitstüchtigkeit, und anfangs der neunziger Jahre erklärten die wiener Exporteure den »Meerschaum« für einen »toten Artikel«.

Man zählte damals 135 Erzeuger von Rauchwaren aus Meerschaum und Meerschaumabfällen, welche in ihren Werkstätten (Meerschaum-) Drechsler und Pfeifenschneider, insgesamt aber nur 8 Bildhauer beschäftigten; die übrigen, etwa 120, hatten eigene Betriebsstätten, und zwar etwa 20 als Meerschaum-Bildhauermeister; diese formell befugten Unternehmer hielten einige Gehilfen sowie zusammen etwa 15 Lehrjungen; die übrigen 100 Bildhauer schnitzten als Sitzgesellen in ihrer Behausung, entweder allein oder mit einigen, von ihnen im übrigen unabhängigen Nebengesellen.

Gedrängt durch die Not, versuchten diese vereinzelten Bildhauer sich zusammenzuschließen. Ihr Gewerkverein setzte sich das Ziel, die Ungleichmäßigkeit in den Löhnen, soweit es am Arbeiter lag, zu beheben, um sodann auf eine Hebung der Löhne hinzuwirken. Mit dieser Gleichstellung der Lohnsätze sollte eine Regelung der Arbeitsdauer Hand in Hand gehen.

Damit getroffene Vereinbarungen eingehalten werden, wurde die räumliche Vereinigung der Arbeiter vorgeschlagen. Dadurch sollte die Einhaltung eines einheitlichen

Tarifes gewährleistet, die Arbeit an gewisse Stunden des Tages gebunden werden.

Die Heimgesellen übernahmen ohneweiters die Last der Regieauslagen, welche die Verleger durch die Heimarbeit ersparten. Der »Fachverein der Drechsler« streckte die Kosten vor. Mehrere kleine Wohnungen wurden gemietet, Tische und Kleiderrechen beim Trödler gekauft: seinen Stuhl, Werkzeuge und Aufträge brachte jeder vom Hause mit; wer eine eigene Arbeitslampe, eine (zur Konzentrierung des Lichtscheines auf einen bestimmten Punkt verwendete) wassergefüllte Glaskugel besaß, stellte sie bei. Rasch wurden 80 Heimarbeiter in die gemeinsame Arbeitsgruppe gebracht. Die Löhne wurden inzwischen genau erhoben und die höchsten Lohnsätze für jede Art Arbeit als Tarif der Gruppe kundgemacht. Besonders nieder entlohnte Arbeiten wurden hiebei allgemein höher tarifiert. Die Arbeitszeit wurde streng geregelt.

Wer mehr Arbeit hatte, als in dieser Zeit auszuführen war, sollte seinen Auftrag mit den weniger Beschäftigten teilen. Eine Kontrolle sorgte dafür, daß keiner daheim Feierabendarbeit treibe; dadurch sollte das Unterbieten des Tarifes seitens einzelner ausgeschlossen werden.

Was die innere Organisation angeht, war geplant, daß einige Teilnehmer die Aufträge für alle entgegennehmen und die fertige Ware abliefern. Damit sollte die Erhaltung der Lohnsätze erleichtert und — indem vorgebaut wurde, daß keiner sich etwa an »seine« Aufträge klammere — gleichmäßige Beschäftigung aller Gruppenarbeiter gesichert werden. Über einen Wink der Behörde wurde indes diese Bestimmung aus dem Statutenentwurfe entfernt. Nur diejenigen, die für denselben Verleger arbeiten, schicken gemeinsam »um Arbeit«, bezw. liefern gemeinsam, wobei der Bote nur bei flottem Geschäft entschädigt wird, da er in der stillen Zeit durch den Gang keine wertvolle Zeit versäumt. Damit sind nicht alle Verleger zufrieden, da sie mit dem einzelnen leichter verhandeln und die Preise eher drücken können, als wenn sie Vertretern einer Mehrheit gegenüberstehen.

Wer immer aber Bestellungen einbrachte, tat es für die Gesamtheit; die Aufträge wurden durch die Führer nach der Leistungsfähigkeit der einzelnen verteilt. Keiner hatte Anspruch auf einen Auftrag in seiner Gänze, es sei denn, der bestellende Unternehmer machte — was bei schwierigen Arbeiten geschah — die schriftliche Notiz, daß der Auftrag von der Hand dieses oder jenes Arbeiters auszuführen sei. So wurden die schwierigeren und die leichteren Aufträge in der Gruppe entsprechend verteilt und namhafte Bestellungen ohneweiters angenommen.

Infolge der Repartition der Aufträge konnte die Arbeitszeit aller beim Sinken des Marktes möglichst gleichmäßig verringert werden. Bei einer anarchischen Produktion vereinzelter Sitzgesellen pflegen die Preise grade zu solchen Zeiten durch die Bemühung der außer Arbeit gekommenen, Bestellungen zu erlangen, derart gedrückt zu werden, daß bei besseren Zeiten das frühere Preisniveau nur mit großen Anstrengungen wieder erreicht werden kann.

Mit Rücksicht auf die lebhafte Geschäftszeit fügten sich die Arbeitgeber anfangs. Als aber die stille Zeit anbrach, versuchten sie, die junge Organisation zu brechen. Wer wohlfeiler liefern wollte, konnte Aufträge erhalten. Eine Anzahl Leute verließ die Gruppe, welche nun in ein einziges größeres Lokal[1]) zog. Hier ging es sehr still zu, während außerhalb die Arbeit gedieh. Allmählich nahmen die Aufträge auch außerhalb der Gruppe ab, und der Preisdruck, die gegenseitige Unterbietung der Ausreißer begann erst recht. Die »Fabrikanten« beschäftigten auch die besten Arbeiter der Gruppe nur wenig; anderseits boten sie ihnen Geld an, falls sie austräten. Die Gruppe schmolz fast auf die Hälfte zusammen, hungerte sich durch, aber ergab sich nicht, und nachdem ihr eine Subvention seitens der niederösterreichischen Handels- und Gewerbekammer und der Ersten österreichischen Sparkasse verschafft worden, führte sie mutig einen Sonntagsunterricht im Zeichnen und Modellieren ein, um die Gruppenleute beisammen zu halten.

---

[1]) V. Mauthausgasse 8.

Dieser Unterricht hatte bald den Erfolg, daß die Technik der Gehilfen sich hob, während die Außenstehenden, auf die alten Preisniveaus gelangt, auch in ihren Leistungen verfielen. Der Kampf dauerte fort, als die Konjunktur sich hob. Alle wolfeileren Arbeiter waren ausgetreten. Dadurch trafen die Lasten für die Miete jeden einzelnen proportional in höherem Maße, aber der zurückgebliebene Kern der Gruppe, ihre Elite, hielt sich und überdauerte die Kabalen. Als die gute Saison wieder einsetzte, mußten die Meister die Gruppenleute beschäftigen, und nun kam diesen ihre erhöhte Technik zugute.

Durch das Beisammensein — die angeregte und anregende Kritik der Fachgenossen und das gegenseitige Ablernen der einzelnen Kunstgriffe — sowie durch die Läuterung des Geschmackes, dank der Beschaffung entsprechender Bildwerke und Vorlagen und der Anleitung des trefflichen Obmannes der Gruppe, vervollkommneten sich die Gruppenarbeiter technisch.

Die Verleger nahmen nun die Verteilung ihrer Aufträge derart vor, daß die leichte, schlecht entlohnte Arbeit den Außenstehenden, die qualifizierte der Gruppe zugewendet wurde — und zwar zu den von ihr geforderten Bedingungen. Nun sind die Außenstehenden die Proletarier des Gewerbes; die Gruppenleute aber kennen in manchen Jahren keine stille Zeit. Ihre Erfindungskraft ist gestiegen, sie suchen auch bei Aufträgen auf wolfeile Waren im Bibliothekskasten nach Vorbildern und Mustern, lassen sich von den qualifiziertesten Genossen einzelne Stücke vorschneiden und sich durch Rat unterstützen; endlich überlassen sie das Produkt der Kritik der Gruppengenossen. Freilich pflegen noch immer einige Verleger in der flauen Zeit Gruppenmitgliedern für den Fall Arbeit in Aussicht zu stellen, als sie der Vereinigung den Rücken kehren.

Die Ausreißer, welche die Vereinigung vorzeitig verlassen hatten, sind nicht zu bewegen, dahin zurückzukehren. Sie müßten ihre technische Minderwertigkeit in der Gruppe durch eine Unterordnung büßen, welche sie schwer tragen würden. Auch hält sie Scham draußen, trotzdem ihnen

dargetan wird, daß die Gruppe für gleiche Aufträge beiweitem höhere Preise erringt. Ihre hastige, auch bei
schwierigen Aufgaben schlecht entlohnte Arbeit bringt sie
in ihrer wirtschaftlichen und sozialen Lage mehr und mehr
zurück.

Die Erfassung und Organisierung dieser Leute betrachtet daher die Gruppe als ihre Aufgabe. Die Führung
des Gewerkvereines, welcher die Gesamtheit der Gruppenarbeiter wie der Außenstehenden umfaßt, wurde den letzteren
überlassen, um sie zu einer Organisierung zu bringen, und
es wurde angestrebt, daß sie eine zweite Arbeitsgruppe
bilden, die im Einvernehmen mit der alten vorgehen könnte,
und als dies nicht gelang, wurde eine Nebengruppe auf
Kosten der Organisierten in einem benachbarten Hause
eingerichtet; dort herrschte jedoch nicht der richtige Zug,
und die Nebengruppe zerfiel. Die alte Gruppe zählt heute
23 Theilnehmer, wovon einer wegen schwerer Erkrankung
seiner Frau lang — in seiner Wohnung arbeitete.

Die »Arbeitsgruppe« hätte alle Aussicht, zu gedeihen,
würde nicht der Absatz an Meerschaumwaren erheblich
zurückgehen und durch Waren aus Holz (Bruyère) etz.
verdrängt werden! Daher wurde auf Veranlassung von
außen versucht, Schnitzereien aus weißem, gelbem und
grauem Alabaster anzufertigen. Die Kosten der Versuche
bis zur Auffindung absatzfähiger Gebrauchsgegenstände
deckte die Subvention der Handels- und Gewerbekammer,
welche auch an den Kleingewerbe-Förderungsfonds des
Handelsministeriums um eine Subvention herantrat. Die
erbetenen Werkzeugmaschinen wurden aber von der Regierung nur unter der Bedingung bewilligt, daß die
Gruppe eine Produktivgenossenschaft bilde.

Diese hielt sich nun nicht lang. Die Gewöhnung
der Leute an die Idee der Produktivgenossenschaft und
deren Konstituierung erforderte, wie in so vielen Fällen,
wo dieser Gedanke von außen angeregt wird, viele
Monate; die Mühe war jedoch vergeblich. Es wurde ein
Lokal gemietet, in welchem einige Leute, die aus der
Sitzgesellengruppe ausschieden, arbeiten sollten. Die Ver-

leger kehrten aber jetzt die Konkurrenten der Produktiv-genossenschaft hervor und hielten auch mit Aufträgen an die zentralisierten Sitzgesellen zurück. Da zugleich ein flauer Geschäftsgang begann, waren die Gruppenleute bald gezwungen, auf die Liquidierung der Genossenschaft, die selbst ihre Mittel völlig erschöpft sah, zu dringen.

Jedenfalls wurde die Gruppe durch die Geringfügig-keit der Anzahl der im Gewerbe tätigen Arbeiter, sowie dadurch gefördert, daß die Gruppe keine Lehrlinge hat und auch außerhalb ihrer nur zwei bis drei beschäftigt werden. —

Eine weitere Zentralisation begründeten die Rauch-waren-Drechsler, welche Meerschaum, Bernstein, Ambroid und Zelluloid im Dienste derselben Meister bearbeiten, welche die Meerschaumbildhauer beschäftigen. In diesem Zweige der Rauchrequisitenerzeugung bestanden 480 bis 500 Arbeiter: 360 — 380 in Werkstätten, 130 als Verlags-arbeiter. Und zwar arbeiteten diese in weit überwiegender Zahl einzeln, während die Übrigen Sitzgesellengruppen von zwei bis sechs Teilnehmern bildeten. Ihre »Heimarbeits-gruppe« wurde im Juli 1897 von 17 Heimarbeitern gegründet.

Die Werkstattgehilfen der Branche brachten durch Sammlungen 335 Gulden auf, wozu das Erträgnis dreier von der Gewerkschaft der Rauchwarendrechsler veran-stalteten Feste mit 160 Gulden kam. Mit diesem Gelde wurde die Miete, Reinigung und Heizung bestritten. In der Gruppe wurden alle Arbeiten vom Werkstättenleiter auf die Teilnehmer gleichmäßig verteilt. Diese trugen zu den Kosten wöchentlich 20 Kreuzer bei. Diese Mittel erwiesen sich jedoch nicht als hinreichend; nach fünfviertel Jahren zerfiel die Gruppe aus Mangel an Mitteln für die Bezahlung der Miete, trotzdem es an Arbeit nicht gemangelt hatte. Allerdings hatte ein Teil der Arbeitgeber die Gruppe boy-kottiert, am Sistieren der Vereinstätigkeit war aber der Umstand schuld, daß der Obmann zugleich Arbeitsvermittler der Gewerkschaft war und die tüchtigsten Mitglieder der Gruppe in Werkstätten oder im Ausland unterbrachte. Da-durch gingen die besten Kräfte verloren. Nach einer Pause

von drei Monaten fanden sich einige ehemalige Gruppen-
mitglieder aufs neue zusammen und meldeten den Verein
wieder an, als Sitzgesellengruppe von 7 Personen. Sie bezog mit neuerlicher Unterstützung der Gewerkschaft im
August 1899 ein geräumiges, helles Lokal und vergrößerte
sich dank rübriger Agitation alsbald bis zu dem früheren Mitgliederstand.

§ 2 der Statuten der Gruppe bezeichnete (nach dem
Vorbild jener der »Arbeitsgruppe der vereinigten Meerschaumbildhauer Wiens«) als Zweck: »auf gesetz-
lichem Boden die Verbesserung der materiellen Lage der
Mitglieder anzustreben und diese in fachtechnischer Hinsicht auszubilden«, das Gewerbe »auf den Höhepunkt voll-
endeter Leistung zu bringen, damit dasselbe durch Solidität
der Erzeugnisse wieder die frühere Marktfähigkeit erlange«.
»Dies zu erreichen sucht der Verein durch fachtechnische
Vorträge und Unterrichte gewerblicher Natur in gemeinsamen Arbeitslokalen, woselbst jedes Mitglied für seinen
jeweiligen Arbeitgeber arbeitet, demzufolge die Haus-
haltungskosten für Wohnung, Reinigung etc. gemeinsam
zu bestreiten sind.« — Derzeit zählt diese Gruppe 22 Mitglieder.[1]

Zuletzt wurden die Sitzgesellen der Muschelknopfdrechslerei in Wien in zwei Gruppenbetrieben zentrali-
siert.[2] Hier schien sich die Möglichkeit eines nachhaltigen
Erfolges zu ergeben, weil vom motorischen Betrieb eine
fruchtbare wirtschaftliche Grundlage erhofft wurde. Auch
hier obliegt die Propagierung der Idee der zuständigen
Gewerkschaft, jener der Drechsler, welche durch eine
Spende von 1000 Kronen seitens der nied.-österr. Handels-
und Gewerbekammer unterstützt, die Organisation schuf.

In den wiener Gruppen werden feste Beiträge erhoben: bei den Pfeifendrechslern ein Platzgeld von
1 Krone die Woche, ferner stündlich 14 Heller für die
Benützung der elektrisch betriebenen Werkzeugmaschinen

---

[1] »Werkgenossenschaft der Rauchwarendrechsler Wiens«, VI. Stumper-
gasse 12.

[2] XVI. Nauseagasse 16 und XII. Ratschkygasse 42.

— bei den **Knopfdrechslern** wöchentlich 1 Krone 10 Heller für Fußdrehbänke und 2 Kronen 10 Heller für die durch einen Gasmotor betriebenen — bei den **Meerschaum-schnitzern** 20 Heller die Woche uud überdies 2% vom Verdienste. Die Angehörigen dieser Gruppe sind als »Hausindustrielle« der **Arbeiterkrankenversicherung** beigetreten, wobei sie mitunter die Arbeitgeberbeiträge selbst entrichten. Überdies tritt häufig eine **Kranken-aushilfe** ein, indem jeder Gruppenangehörige von Fall zu Fall für einen in Not geratenen Genossen zu dessen Gunsten wöchentlich 20 Heller leistet.

In **Rumburg** (Böhmen) haben fünf verlegte Pfeifen-drechsler eine gemeinschaftliche Werkstätte bezogen.[1] Dieselbe hat weder eine besondere Bezeichnung, noch ein Statut und scheint sich nicht entwickeln zu können.

Die drei wiener Gruppen waren anfangs einfach als Vereine angemeldet. Als für die beiden letzterwähnten eine motorische Ausrüstung aus dem »Gewerbeförde-rungsfond« des Handelsministeriums angesprochen wurde, erklärte das Ministerium die erbetenen Arbeitsbehelfe nur im Falle der Konstituierung von Werksgenossenschaften zu überlassen. Daraufhin wurde die formelle Umwandlung vollzogen. Die **Pfeifendrechsler** sowie die **Knopfdrechsler** (im XVI. Bezirk) haben nun, nach der Lieferung eines elektrischen bzw. eines Gasmotors und entsprechender Zurichtung der Drehbänke, die motorische Technik ein-geführt.[2] Leider verhalten sich aber sowol die verlegen-

---

[1] Im Gebäude des Gasthauses »Zum Bad«.

[2] Die **Mietkosten** betragen bei den:

Schneidern in Zürich	615 Frcs.	für	20	Teilnehmer	(per Kopf 31 Frcs.)	
» » Lausanne	400 »	»	13	»	» » 31 »	
» » Genf	700 »	»	30	»	» » $23^1/_3$»	
Pfeifendrechslern in Wien	856 Kr.	»	18	»	» » 47 Kr.	
Knopfdrechslern XVI. Bez. »	720 »	»	22	»	» » 33 »	
» » XII. » »	456 »	»	14	»	» » $32^1/_3$»	
Meerschaumschnitzern	» 676 »	»	25	»	» » 27 »	

In den schweizer **Schneidergruppen** wird das Zugehör: Nähseide, Zwirn, Nadeln, Öl, Lappen u. dergl. zur Maschinenbenützung mitgeliefert. Bei den wiener **Knopfdrechslern** werden beigestellt: Öl, Schnüre, Salz-

den Knopfdrechslermeister wie die meisten Arbeiter dieser neuen Einführung gegenüber ohne zureichenden Grund noch ablehnend.

Die Errichtung von Zentralwerkstätten hat vor der Einrichtung eigener Betriebswerkstätten der Verleger den Vorteil, daß diese nur um den Preis großer und oft nutzloser Kämpfe der Arbeiterschaft und nur teilweise erzwungen werden könnte; auch würden die Verleger im Falle der Errichtung eigener Werkstätten, ebenso wie die heutigen Fabriksbesitzer, mitunter verlangen, daß die Leute auch in der stillen Zeit im Betriebslokale sitzen, um vorkommendenfalls auch größere Aufträge übernehmen und rasch ausführen zu können; dies sichert dem größeren Betrieb eine Leistungsfähigkeit, durch welche er im Konkurrenzkampfe dem kleineren unbedingt überlegen ist. Ein solcher Zwang ist aber den Leuten sehr lästig, da sie in der stillen Zeit oft Nebenbeschäftigungen nachgehen oder Erholungsgänge und Ausflüge unternehmen möchten.

B. Ein Mittelding zwischen dem Gewerkschaftsatelier und der Betriebswerkstätte der einzelnen Verleger bildet deren kollektive Erhaltung seitens der Verleger.

In München entstand eine solche Betriebswerkstätte (Klenzegasse 34) zu Ende der neunziger Jahre. Da erklärten die Konfektionsfirmen ihre Bereitwilligkeit, die Kosten der gemeinsamen Betriebsstätte ihrer Außerhausarbeiter im Verhältnis zur Kopfzahl der von jedem Unternehmer beschäftigten Teilnehmer dieser Werkstätte zu decken. Dieser Typus bildet bisher eine Besonderheit, es läge indes nahe, den Kampf der Gewerkschaften um Betriebsstätten auf dieses Ziel zu lenken, wobei die Gewerkschaften selbst die Leitung der Zentralwerkstätte besorgen könnten.

---

geist, Vitriol, Sägespäne, Polierlappen und Klemmhölzer, zum Einzwängen des zu bearbeitenden Gegenstandes, doch müssen die Leute gewisse Werkzeuge selbst beibringen; bei den Pfeifendrechslern werden alle Zutaten gemeinsam beschafft und gegen Ersatz der Kosten abgegeben. Bei den Meerschaumschnitzern sind bloß Handwerkzeuge in Verwendung, welche jeder Arbeiter zu beschaffen hat.

C. In Bern wurde das städtisch subventionierte »Atelier für Schneider-Arbeiter« Ende 1902 eröffnet, mit 20 Sitzplätzen für solche Arbeiter, welche daheim unter sanitär ungünstigen Verhältnissen ihren Beruf ausüben, und zwar haben jene das größere Anrecht auf Berücksichtigung, welche in relativ ungünstigeren Verhältnissen arbeiten. Die Stadt bestreitet den Mietzins allein, deckt ferner zunächst die Einrichtungskosten. Die Hälfte dieser letzteren Auslagen erstattet ihr die Schneidergewerkschaft in vier Jahresraten allmählich zurück, wogegen mit der Abzahlung der letzten Rate das Inventar völlig in deren Eigentum übergeht. Die Betriebskosten deckt die Gewerkschaft, indem sie von den Teilnehmern der Arbeitsstelle ein Platz- und Maschinengeld einhebt. Die Aufsicht über das Atelier übt eine Kommission, bestehend aus dem Polizeidirektor, zwei Gemeinderäten und zwei Mitgliedern der Gewerkschaft. Den Atelierleiter präsentiert die Gewerkschaft der Kommission. Er besorgt die Einhebung der Abgaben.

Die Werkstatt ist im Sommer von 7 bis 12 Uhr und von 1 bis 7 Uhr, im Winter von 8 bis 8 Uhr mit einstündiger Unterbrechung geöffnet. Mit ansteckenden Krankheiten Behaftete sind für deren Dauer ausgeschlossen. Über den Lohntarif ist im Übereinkommen mit der Stadt nichts vorgesehen; dessen Aufstellung und Einhaltung ist Sache der Gewerkvereinten allein.

Würden nach diesem Vorbild weitere Gewerkschaften unter der Ägide von Kommunen Zentralwerkstätten für Heimarbeiter der Bekleidungsgewerbe errichten, so könnten diese wol alsbald die Lieferungen für Polizei, Gendarmerie, Feuerwehr, Straßenbahnen, Parkaufseher, städtische Amtsdiener, kurz für die Bediensteten unterer Kategorie städtischer Unternehmungen übernehmen — etwa nach Umwandlung zu einer Produktivgenossenschaft oder vermöge einer besonderen Klausel in den mit dem Lieferanten geschlossenen Verträgen. Dann brauchten die Schneider in der stillen Zeit nicht Konfektionsware, die Schuhmacher nicht Bazarware herzustellen und der in der

Zeit der Geschäftsstille sich ergebende verhängnisvolle Lohndruck wäre dann wol behoben.

Die wirtschaftliche Grundlage der Zentralwerkstätte, welche es den Arbeitern ermöglicht, die Lasten der Werkstattregie auf sich zu nehmen, bietet vor allem die Möglichkeit, einen festen Lohn- und Preistarif einzuhalten.

Zu bemerken ist auch, daß in Gewerben, wo (in der Schuhmacherei, Schneiderei, Drechslerei) der Heimarbeiter seine Arbeitsstelle — einen Sitz oder eine Drehbank — bei einem Werkstattmeister seines Gewerbes zu mieten pflegt, den Gesellen beim Einzug in die gemeinsame Arbeitsgruppe nicht notwendig eine höhere Regie trifft.

Unter Umständen könnte die Einführung mechanischer Kraft den Zentralwerkstätten eine neue Existenzgrundlage bieten. Wir sehen ja, wie die Holzdrechslerei sich auch im Kleinbetriebe mehr und mehr dem motorischen Betriebe zuwendet; desgleichen kann die elektrische Kraftzuleitung den Bestand ländlicher Webereien perpetuieren, den Betrieb der Muschelknopfdrechslerei modernisieren. Würden auf diese Art Zentralwerkstätten von Knopfdrechslern mit Motoren ausgerüstet, könnten sie sich unter Umständen dem herkömmlichen Handbetriebe des Gewerbes überlegen zeigen. In der Muscheldrechslerei im besonderen ist dieser Betrieb in Nordamerika und in Russisch-Polen bereits üblich: einerseits dort, wo die Arbeitskräfte teuer sind, anderseits dort, wo an geschulten Arbeitern Mangel ist. In Österreich freilich unterbietet der Handarbeiter die Maschine, so daß im gleichen Gewerbe der Verleger besser seine Rechnung findet als der Fabrikant, welcher Maschinen einstellt, ein Lokal mietet, die Last der Steuern und der Arbeiterversicherung auf sich nimmt. Gleichwol ist auch hier der Fortschritt in Zukunft nicht ausgeschlossen.

Die Einrichtung der Zentralwerkstätten von Heimarbeitern für den motorischen Betrieb wird in Österreich sogar leichter möglich sein als anderwärts, weil der »Gewerbeförderungsfonds« des Handelsministeriums die motorische Ausrüstung von gewerblichen Betriebsstätten aus Staatsmitteln ermöglicht.

Mit der Umwandlung der wiener Arbeitsgruppen in Werkgenossenschaften wurde die Möglichkeit gegeben, ihre Technik auf eine für sie kostenlose Weise zu heben.

Im Fall der Gründung von **Produktivgenossenschaften** würden die Verleger zweifellos die Befürchtung hegen, daß die vereinigten Sitzgesellen das von ihnen jeweils beigestellte Material für ihre eigenen Kunden verarbeiten und dem Verleger selbst aus schlechterem, fremdem Rohmateriale gearbeitete Gegenstände liefern könnten. Auch würde die kleingewerkliche Meisterschaft, welche die Verleger umfaßt, in der Produktivgenossenschaft das Aufkommen einer neuen Konkurrenz erblicken und daher das Möglichste zu ihrer geschäftlichen Unterdrückung tun. Aus diesem rein praktischen Grunde wird die Überführung der Heimarbeitsgruppen zu Produktivgenossenschaften in Wien kaum erfolgen können. Gleichwohl kann diese Umwandlung theoretisch als der letzte Grad der Vollendung der Zentralwerkstätten betrachtet werden. Eine Schwierigkeit dürfte indes ihrer Verwirklichung überall entgegenstehen. Auch wo die Produktivgenossenschaft hinter ihrem sozialpolitischen Ideal stark zurückbleibt — wie in den Fällen, wo nur ein kleiner Kreis von Genossen Unternehmerrechte erlangt, die große Mehrheit hingegen Arbeiter sind, wie sonst in Einzel- oder Gesellschaftsbetrieben — setzt das Zustandekommen, und weit mehr noch der dauernde Bestand dieser höchsten Organisationsform der Genossenschaft besondre geistige und moralische Eigenschaften voraus, und auch aus diesem Grunde dürften wir ihrer Durchführung noch fernstehen.

Lightning Source UK Ltd.
Milton Keynes UK
UKHW012156120119
335365UK00007BB/468/P